Openbare Bibliotheek
Buitenveldert
Willem v. Weldammelaan 5
1082 LT Amsterdam
Tel.: 020 - 642.21.00

Verleiding

P.C. Cast & Kristin Cast bij Boekerij:

Verkozen
Verraden
Uitverkoren
Ontembaar
Onveilig
Verleiding

www.boekerij.nl

P.C. Cast & Kristin Cast

Verleiding

ISBN 978-90-225-6151-5
NUR 285

Oorspronkelijke titel: *Tempted*
Oorspronkelijke uitgever: St. Martin's Press, LLC
Vertaling: Henny van Gulik
Omslagontwerp: Michael Storrings en DPS design & prepress services, Amsterdam
Omslagbeeld: Herman Estevez
Zetwerk: CeevanWee, Amsterdam

© 2009 by P.C. Cast & Kristin Cast
All rights reserved.
© 2011 voor de Nederlandse taal: De Boekerij bv, Amsterdam

Niets uit deze uitgave mag openbaar worden gemaakt door middel van druk, fotokopie, internet of op welke andere wijze ook, zonder voorafgaande schriftelijke toestemming van de uitgever.

Kristin en ik dragen dit boek op aan onze geweldige redactrice, Jennifer Weis, met wie het heerlijk samenwerken is en die het herschrijven draaglijk maakt. Wij hartje jou, Jen!

1

Zoey

De nachthemel boven Tulsa werd verlicht door een magische maansikkel. Het licht deed het ijs dat de stad en de benedictijnerabdij bedekte glinsteren. Op het terrein van de abdij was het zojuist tot een beslissend treffen gekomen met een gevallen onsterfelijke en een naar de duistere kant overgelopen hogepriesteres, en het leek net alsof alles om me heen door onze godin werd beroerd. Ik keek naar de in het maanlicht badende cirkel voor Maria's Grot, de plaats van kracht waar kort daarvoor Geest, Bloed, Aarde, Menselijkheid en Nacht waren gepersonifieerd en zich hadden verenigd om haat en duisternis te overwinnen. Het door stenen rozen omringde beeld van Maria op de hoge richel in de grot leek een baken voor het zilveren licht. Ik keek naar het beeld. Maria's gezichtsuitdrukking was sereen en haar met ijs bedekte wangen glansden alsof ze stilletjes huilde van vreugde.

Ik keek op naar de hemel. *Dank u.* Ik zond een stil gebed naar de prachtige maansikkel, die mijn godin, Nux, symboliseerde. *We zijn in leven. Kalona en Neferet zijn weg.*

'Dank u,' fluisterde ik tegen de maan.

Luister vanbinnen...

De woorden trokken door me heen, subtiel en aangenaam als bladeren beroerd door een zomerbries. Ze streken zo licht over mijn bewustzijn dat mijn geest ze nauwelijks waarnam, maar Nux' gefluisterde bevel grifte zich in mijn ziel.

Ik was me er vaag van bewust dat er een heleboel mensen (nou ja, nonnen, halfwassen en enkele vampiers) om me heen waren. Ik hoorde de mengeling van geroep, gepraat, gehuil en zelfs gelach die de nacht vulde, maar alles leek ver weg. Op dat moment bestond de werkelijkheid voor mij uit twee dingen: de maan en het litteken dat van schouder tot schouder over mijn borst liep. Het tintelde als antwoord op mijn stille gebed, maar de tinteling was niet pijnlijk. Niet echt. Het was een vertrouwd warm, prikkelend gevoel dat me vertelde dat Nux me weer had gemerkt. Ik wist dat ik als ik onder mijn shirt zou kijken, een nieuwe tatoeage zou zien die dat lange, akelige litteken opluisterde met een exotisch saffierblauw patroon, een teken dat bewees dat ik het pad van mijn godin volgde.

'Erik en Heath, zoek Stevie Rae, Johnny B en Dallas, en controleer dan de buitengrens van de abdij om ons ervan te verzekeren dat alle Raafspotters met Kalona en Neferet zijn gevlucht!' Darius schreeuwde het bevel en rukte me uit mijn warme, roezige gebedstoestand. Mijn zintuigen werden overspoeld door geluid en verwarring alsof het volume van een iPod op maximum stond.

'Maar Heath is een mens. Hij is geen partij voor een Raafspotter.' De woorden stroomden mijn mond uit voor ik ze kon tegenhouden, waarmee ik onomstotelijk bewees dat maanziekte niet mijn enige debiele aandoening was.

Zoals te verwachten was, zwol Heath op als een getergde kat.

'Zo, ik ben verdomme geen watje!'

Erik, helemaal de volwassen ik-sta-mijn-mannetjevampier, snoof sarcastisch en zei: 'Nee, je bent een mens. Wacht eens... dat betekent dus dat je wel degelijk een watje bent!'

'Moet je ze horen! We verslaan de booswichten en nog geen vijf minuten later proberen Erik en Heath elkaar te overtroeven in machismo. Maar daar kon je natuurlijk op wachten,' zei Aphrodite met haar gepatenteerde sarcastische grijns toen ze aan kwam lopen. Haar gezichtsuitdrukking veranderde op slag toen ze haar aandacht richtte op de Zoon van Erebus-krijger. 'Hé daar, stuk. Alles goed met jou?'

'Je hoeft je over mij geen zorgen te maken,' zei Darius. Zijn ogen ontmoetten die van haar en je kon bijna de vonken zien overspringen, maar in plaats van haar in zijn armen te nemen, zoals hij doorgaans deed, waarop een onsmakelijke zoenpartij volgde, hield hij zijn aandacht bij Stark.

Aphrodites blik ging van Darius naar Stark. 'Goeie godin, je borst is behoorlijk verbrand.'

James Stark stond tussen Darius en Erik in. Oké, 'staan' kon je het eigenlijk niet noemen. Hij zwaaide op zijn benen alsof hij elk moment kon omvallen.

Erik negeerde Aphrodite en zei: 'Darius, ik denk dat je Stark beter naar binnen kunt brengen. Ik zal de verkenningsronde met Stevie Rae coördineren en erop toezien dat hier buiten alles gladjes verloopt.' Zijn woorden léken oké, maar zijn toon was helemaal ik-ben-de-stoere-vampier-en-neem-de-leiding. Toen hij er ook nog neerbuigend aan toevoegde: 'Ik vind het zelfs goed dat Heath een handje helpt,' klonk hij echt als een dikdoenerige hufter.

'Jij vindt het goed dat ik een handje help?' snauwde Heath. 'Wie ben jíj dan wel?'

'Hé, wie van de twee moet eigenlijk doorgaan voor je vriendje?' vroeg Stark aan mij. Hoe beroerd hij er ook aan toe was, hij hield mijn blik vast. Zijn stem was hees en hij klonk akelig zwak, maar ik zag pretlichtjes in zijn ogen.

'Dat ben ik!' zeiden Heath en Erik in koor.

'O, christene zielen, Zoey, ze zijn allebei volslagen idioot!' zei Aphrodite.

Stark begon te grinniken, wat overging in hoesten, wat uitliep in een snik. Zijn ogen draaiden weg en hij zakte langzaam in elkaar.

Darius bewoog zich met de snelheid die een Zoon van Erebus-krijger eigen is en ving Stark op voor hij de grond raakte. 'Ik moet hem naar binnen brengen,' zei hij.

Ik had het gevoel dat mijn hoofd op ontploffen stond. Stark hing slap in Darius' armen en leek op sterven na dood te zijn. 'Ik... Ik weet niet eens waar de ziekenafdeling is,' hakkelde ik.

'Geen probleem. Ik vraag wel aan een van die pinguïns om ons de weg te wijzen,' zei Aphrodite. 'Hallo, u daar, non!' schreeuwde ze naar een van de dichtstbijzijnde in zwart en wit geklede zusters.

Die waren de abdij uit gekomen toen de nacht was overgegaan van chaos tijdens de strijd in chaos ná de strijd.

Darius haastte zich achter de non aan, op de hielen gevolgd door Aphrodite. De krijger keek over zijn schouder naar mij. 'Ga jij niet mee, Zoey?'

'Ik kom zo.' Voordat ik Erik en Heath onder handen kon nemen, werd ik gered door een bekende stem die van achter me kwam.

'Ga jij maar met Darius en Aphrodite mee, Z. Ik neem Dumb & Dumber wel onder mijn hoede en ga controleren of er geen griezelige monsters meer op de loer liggen.'

'Stevie Rae, je bent de beste vriendin van alle beste vriendinnen.' Ik draaide me om en omhelsde haar; ze voelde heerlijk aan, geruststellend vast en normaal. Ze leek zelfs zo normaal dat een eigenaardig gevoel door me heen trok toen ze een stap achteruit deed en naar me glimlachte en ik de scharlakenrode tatoeages zag die zich vanaf de ingekleurde maansikkel midden op haar voorhoofd aan weerszijden uitstrekten tot aan haar slapen en vandaar langs de zijkant van haar gezicht liepen. Het was net alsof ik ze voor het eerst zag. Een huivering van onbehagen bekroop me.

Stevie Rae interpreteerde mijn aarzeling verkeerd en zei: 'Maak je maar geen zorgen over die twee sukkels. Ik begin er aardig aan te wennen dat ik ze om de haverklap uit elkaar moet halen.' Toen ik nog steeds naar haar bleef staren, verflauwde haar stralende glimlach. 'Hé, je weet toch dat je oma oké is, hè? Toen Kalona was verjaagd, heeft Kramisha haar meteen naar binnen gebracht, en zuster Mary Angela vertelde me net dat ze naar binnen ging om te kijken of alles goed met haar is.'

'Ja, ik herinner me dat Kramisha haar in de rolstoel wegreed. Ik ben gewoon...' Mijn stem stierf weg. Wat was ik? Hoe kon ik onder woorden brengen dat ik het gevoel niet van me af kon zetten dat er iets niet klopte met mijn beste vriendin en het groepje halfwassen bij wie ze zich had aangesloten, en hoe moest ik dat zéggen tegen mijn beste vriendin?

'Je bent gewoon moe en je maakt je bezorgd over een heleboel dingen,' zei Stevie Rae zacht.

Zag ik begrip in haar ogen? Of was het iets anders, iets duisters?

'Ik begrijp het, Z, en ik zal hier buiten de boel regelen. Ontferm jij je nu maar over Stark.' Ze omhelsde me nog eens en gaf me een klein duwtje in de richting van de abdij.

'Oké. Bedankt,' zei ik lamlendig, en ik ging op weg naar de abdij, waarbij ik de twee sukkels die naar me stonden te staren compleet negeerde.

Stevie Rae riep me achterna: 'Zeg, wil je Darius of wie dan ook vragen om de tijd in de gaten te houden. De zon gaat over een uur op en je weet dat ik en alle rode halfwassen tegen die tijd binnen moeten zijn.'

'Ja, geen probleem. Ik zal eraan denken,' zei ik.

Het probleem was dat het steeds moeilijker werd om te vergeten dat Stevie Rae niet meer was wat ze vroeger was geweest.

2

Stevie Rae

'Oké, jullie, luister. Ik zeg dit maar één keer en het geldt voor jullie allebei: gedraag je!' Stevie Rae stond voor de twee jongens met haar handen op haar heupen en keek woedend naar Erik en Heath. Terwijl ze de jongens bleef aankijken, riep ze: 'Dallas!'

Bijna onmiddellijk kwam de jongen op een drafje aangerend. 'Wat is er, Stevie Rae?'

'Haal Johnny B. Vertel hem dat hij met Heath het terrein voor de abdij aan Lewis Street moet uitkammen om te kijken of de Raafspotters echt weg zijn. Erik en jij nemen de zuidkant van het gebouw. Ik ga een kijkje nemen bij de bomen aan Twenty-first.'

'In je eentje?' vroeg Erik.

'Ja, in mijn eentje,' snauwde Stevie Rae. 'Ben je vergeten dat ik maar met mijn voet hoef te stampen om de grond onder je voeten te laten beven? Ik kan je ook oppakken en je op je idiote, jaloerse reet neerkwakken. Ik geloof dat ik het wel aankan om die bomen in mijn eentje af te zoeken.'

Dallas lachte. 'Rode vampier met een affiniteit voor aarde overtroeft blauwe dramavampier.'

Heath snoof en barstte in lachen uit, en natuurlijk stond Erik meteen weer klaar om hem een knal te verkopen.

'Nee!' zei Stevie Rae voordat die stomme jongens de kans hadden om elkaar te lijf te gaan. 'Als jullie niks aardigs kunnen zeggen, hou dan gewoon je kop dicht.'

'Zocht je mij, Stevie Rae?' zei Johnny B, die naast haar verscheen. 'Ik zag Darius die pijljongen de abdij in dragen. Hij zei dat ik naar je toe moest gaan.'

'Ja,' zei ze opgelucht. 'Ik wil dat Heath en jij het terrein voor de abdij aan Lewis afzoeken. We willen zeker weten dat die Raafspotters allemaal weg zijn.'

'Komt voor elkaar!' zei Johnny B, terwijl hij Heath een speelse vuistslag op de schouder gaf. 'Kom mee, quarterback, laat maar eens zien wat je in huis hebt.'

'Hou je aandacht alsjeblieft bij die verrekte bomen en de schaduwen,' zei Stevie Rae hoofdschuddend toen Heath zijn hoofd introk, heen en weer sprong en een paar snelle vuistslagen op Johnny B's schouder gaf.

'Geen probleem,' zei Dallas, die wegliep met een zwijgende Erik naast zich.

'Haast je,' riep Stevie Rae tegen alle vier de jongens. 'Voor je het weet komt de zon op. We treffen elkaar over een halfuur voor Maria's Grot. Geef een gil als je iets vindt en dan komen we eraan.'

Ze keek de vier jongens na om er zeker van te zijn dat ze de kant op gingen die ze hen had op gestuurd en toen draaide ze zich met een zucht om en begon aan haar eigen missie. Verdikkeme, wat een lastposten. Ze was dol op Z, maar dat gedoe met de vriendjes van haar beste vriendin voor altijd gaf haar het gevoel een kikker in een tornado te zijn! Vroeger had ze Erik de grootste spetter ter wereld gevonden. Na een paar dagen met hem doorgebracht te hebben vond ze hem een grote etterbak met een supergroot ego. Heath was een lieve jongen, maar hij was maar een mens, en Z had reden gehad om zich zorgen over hem te maken. Mensen gingen beslist makkelijker dood dan vampiers of zelfs halfwassen. Ze keek over haar schouder om te zien of ze Johnny B en Heath nog zag lopen, maar de ijzige duisternis en de bomen hadden haar opgeslokt en ze zag niemand.

Niet dat Stevie Rae het vervelend vond om voor de verandering eens alleen te zijn. Johnny B zou een wakend oog op Heath houden. Eerlijk gezegd was ze blij om even verlost te zijn van hem en die jaloerse Erik. Door die twee ging ze Dallas steeds meer waarderen. Hij was simpel en makkelijk in de omgang. Hij was min of meer haar vriendje. Ze hadden iets samen, maar dat zat de dingen niet in de weg. Dallas wist dat Stevie Rae veel aan haar hoofd had en hij liet haar haar gang gaan. En hij was er als ze vrije tijd had. Makkelijk en altijd vrolijk. Dat was Dallas.

Ik zou Z het een en ander kunnen leren over omgaan met jongens, dacht ze terwijl ze tussen de oude bomen door liep die rond Maria's Grot stonden en een buffer vormden tussen het terrein van de abdij en de normaal gesproken drukke Twenty-first Street.

Nou, één ding was zeker: het was een snertnacht. Stevie Rae had nog geen tien stappen gezet of haar korte, blonde krullen waren kletsnat. Verdikkeme, er druppelde zelfs water van haar neus! Ze haalde de rug van haar hand over haar gezicht en veegde de koude, natte mengeling van regen en ijs weg. Alles was onnatuurlijk donker en stil. Het was heel raar dat er in Twenty-first helemaal geen straatlantaarns brandden. En er reed niet één auto, zelfs geen patrouilleauto van de politie. Ze struikelde en gleed langs de wal naar beneden. Haar voeten vonden houvast en dankzij haar superscherpe rode-vampiernachtzicht kon ze zich oriënteren. Het leek net of Kalona geluid en licht had meegenomen toen hij op de loop was gegaan.

Ze was zenuwachtig, maar ze streek het kletsnatte haar uit haar gezicht en vermande zich. 'Stel je niet aan. Je gedraagt je als een bangerik!' Ze sprak hardop en werd nog angstiger toen haar woorden door het ijs en de duisternis bizar versterkt klonken.

Waarom was ze in hemelsnaam zo schrikachtig? 'Misschien omdat je dingen geheimhoudt voor je beste vriendin voor altijd,' mompelde Stevie Rae, en toen perste ze haar lippen op elkaar. Haar stem was veel te luid in de donkere, ijzige nacht.

Maar ze ging Z alles vertellen. Echt waar! Ze had gewoon nog geen gelegenheid gehad. En Z had genoeg aan haar hoofd zonder nog meer stress. En... en... het was moeilijk om erover te praten, zelfs met Zoey.

Stevie Rae trapte naar een afgebroken, met ijs bedekte tak. Ze wist dat het niet uitmaakte dat het moeilijk was. Ze ging met Zoey praten. Dat moest wel. Maar later. Misschien veel later.

Ze kon zich nu beter op het heden concentreren.

Met haar hand boven haar ogen in een poging ze te beschermen tegen de scherpe ijsregen, tuurde Stevie Rae omhoog naar de takken van de bomen. Zelfs in de duisternis en de storm was haar zicht uitstekend, en tot haar opluchting zag ze geen grote, donkere lichamen tussen de takken. Aangezien lopen aan de straatkant van de bomen makkelijker ging, vervolgde ze haar weg door Twenty-first Street, terwijl ze de hele tijd met haar blik de takken van de bomen afspeurde.

Stevie Rae had bijna de afrastering bereikt die het terrein van de nonnen scheidde van het chique flatgebouw ernaast toen ze het rook.

Bloed.

Een verkeerd soort bloed.

Ze bleef staan en stak snuffelend haar neus in de lucht. Ze rook de natte, muffe geur van aarde bedekt met ijs, de tintelende kaneellucht van de winterbomen en de kunstmatige geur van het asfalt onder haar voeten. Ze negeerde al die geuren en concentreerde zich op het bloed. Het was geen mensenbloed en ook geen halfwasbloed, dus het rook niet naar zonlicht en lente, honing en chocola, liefde en leven en alles waarvan ze ooit had gedroomd. Nee, dit bloed rook te donker. Te dik. Er zat te veel van iets in wat niet menselijk was. Maar bloed was bloed en het trok haar aan, al besefte ze diep vanbinnen dat het verkeerd was.

Het was de geur van iets vreemds, iets bovenaards, die haar naar de eerste rode plekken leidde. In de stormachtige duisternis van voor de dageraad zag zelfs zij met haar verscherpte zicht alleen maar natte vlekken op het ijs dat de straat en het gras ernaast bedekte. Maar Stevie Rae wist dat het bloed was. Een heleboel bloed.

Er lag echter geen bloedend dier of mens.

Ze zag wel een donker, nat spoor op de ijslaag. Het liep bij de straat vandaan in de richting van de dicht op elkaar staande bomen achter de abdij.

Stevie Raes roofdierinstinct trad onmiddellijk in werking. Sluipend, nauwelijks ademend, bijna geruisloos, volgde ze het bloedspoor.

Onder een van de grootste bomen vond ze het wezen, in elkaar gedoken onder een grote, pas afgebroken tak, alsof het zich daarnaartoe had gesleept om zich te verbergen en te sterven.

Een huivering van angst trok door Stevie Raes lichaam. Het was een Raafspotter.

Het wezen was reusachtig. Groter dan ze vanaf een afstand hadden geleken. Het lag op zijn zij met zijn kop tegen de grond, zodat ze het gezicht niet goed zag. De gigantische vleugel die ze kon zien, zag er verkeerd uit, duidelijk gebroken, en de mensenarm eronder lag in een vreemde hoek en was bedekt met bloed. Ook de benen waren die van een mens. Hij had ze opgetrokken, alsof hij in foetushouding was gestorven. Ze herinnerde zich te hebben gehoord dat Darius pistoolschoten had gelost toen hij met Z en haar groepje met een rotgang door Twenty-first Street naar de abdij was gereden. Hij had het wezen dus uit de lucht geschoten.

'Verdikkeme,' zei ze binnensmonds. 'Dat moet me een smak zijn geweest.'

Stevie Rae zette haar handen om haar mond en wilde net Dallas roepen zodat hij en de andere jongens haar konden helpen het lichaam ergens naartoe te slepen, toen de Raafspotter bewoog en zijn ogen opendeed.

Stevie Rae verstarde. Ze staarden elkaar aan. De rode ogen van het wezen werden groot van verbazing en leken onmogelijk menselijk in het vogelgezicht. Zijn ogen flitsten alle kanten op om te zien of ze alleen was. Stevie Rae dook automatisch ineen, nam een verdedigende houding aan en wilde aarde oproepen ter versterking.

En toen sprak hij.

'Dood me. Maak hier een eind aan,' zei hij, hijgend van de pijn.

Het geluid van zijn stem was zo menselijk, zo totaal onverwacht, dat Stevie Rae haar handen liet zakken en een wankele stap achteruit deed. 'Je kunt praten!' liet ze zich ontglippen.

Toen deed de Raafspotter iets wat Stevie Rae tot in haar ziel schokte en de loop van haar leven onherroepelijk veranderde.

Hij lachte.

Het was een droog, sarcastisch geluid dat overging in gekreun van pijn. Maar het was een lach, en die lach omlijstte zijn woorden met menselijkheid.

'Ja,' zei hij, en hij snakte naar adem. 'Ik praat. Ik bloed. Ik sterf. Dood me en verlos me uit mijn lijden.' Hij probeerde overeind te gaan zitten, alsof hij zijn dood tegemoet wilde gaan, en de beweging had tot gevolg dat hij het uitschreeuwde van de pijn. Zijn te menselijke ogen draaiden weg en hij zakte bewusteloos in elkaar op de bevroren grond.

Stevie Rae rende op hem af zonder bewust die beslissing te nemen. Toen ze naast hem stond, aarzelde ze maar heel even. Hij lag op zijn buik dus ze kon heel makkelijk zijn vleugels opzijschuiven en hem onder zijn oksels vastpakken. Hij was groot, enorm groot, en ze had verwacht dat hij zwaar zou zijn, maar dat was hij niet. Hij was zelfs zo licht dat ze hem makkelijk kon wegslepen, wat ze onbewust deed, terwijl een inwendige stem schreeuwde: *Wat voor de duivel? Wat voor de duivel? Wat voor de duivel?*

Wat voor de duivel was ze aan het doen?

Stevie Rae wist het niet. Het enige wat ze wist was wat ze níét deed. Ze doodde de Raafspotter niet.

3

Zoey

'Komt het goed met hem?' Ik probeerde te fluisteren zodat ik Stark niet wakker zou maken, wat klaarblijkelijk niet het gewenste effect had, want zijn gesloten oogleden trilden en zijn lippen krulden licht op in een pijnlijke zweem van zijn brutale, scheve lachje.

'Ik ben nog niet dood, hoor,' zei hij.

'En ik heb het niet tegen jou,' zei ik, met meer ergernis in mijn stem dan mijn bedoeling was.

'Beheers je, *u-we-tsi-a-ge-ya*,' zei oma Redbird berispend, terwijl zuster Mary Angela, priores van de benedictijner nonnen, haar de kleine ziekenkamer binnen reed.

'Oma! Daar bent u!' Ik haastte me naar haar toe en hielp zuster Mary Angela haar voorzichtig op een stoel te zetten.

'Ze is bezorgd om me.' Starks ogen waren weer dicht, maar om zijn mond lag nog steeds die zweem van een glimlach.

'Dat weet ik, *tsi-ta-ga-a-s-ha-ya*. Maar Zoey is een hogepriesteres in opleiding en moet leren haar emoties te beheersen.'

Tsi-ta-ga-a-s-ha-ya! Daar zou ik hardop om hebben gelachen als oma er niet zo bleek en broos had uitgezien en als ik niet zo, nou, bezorgd in het algemeen was geweest. 'Neem me niet kwalijk, oma. Ik had me natuurlijk moeten beheersen, maar dat is erg moeilijk als de mensen om wie ik het meest geef voortdurend bijna doodgaan!' gooide ik er in één adem uit, en ik moest een keer diep in- en uitademen om mezelf te kalmeren. 'En hoort u eigenlijk niet in bed te liggen?'

'Aanstonds, u-we-tsi-a-ge-ya, aanstonds.'

'Wat betekent tsi-ta-ga-a-s-nog-wat eigenlijk?' Starks stem was hees van de pijn doordat Darius een dikke laag zalf op zijn brandwonden smeerde, maar ondanks zijn verwonding klonk hij geamuseerd en nieuwsgierig.

'Tsi-ta-ga-a-s-ha-ya,' zei oma, zijn uitspraak verbeterend, 'betekent "haan".'

In zijn ogen schitterden pretlichtjes. 'Iedereen zegt dat u een wijze vrouw bent.'

'Wat minder interessant is dan wat iedereen over jou zegt, tsi-ta-ga-a-s-ha-ya,' zei oma.

Stark stootte een lachje uit en zoog zijn adem in van de pijn.

'Niet bewegen!' beval Darius.

'Zuster, ik dacht dat u zei dat u hier een dokter had.' Ik probeerde niet zo paniekerig te klinken als ik me voelde.

'Een menselijke arts kan niets voor hem doen,' zei Darius voordat zuster Mary Angela antwoord kon geven. 'Hij heeft vooral rust nodig en...'

'Rust is prima,' zei Stark. 'Zoals ik net al zei: ik ben nog niet dood.' Hij keek Darius in de ogen en ik zag de Zoon van Erebus zijn schouders ophalen en vluchtig knikken, alsof hij op een of ander punt de jongere vampier zijn ongelijk bekende.

Ik had natuurlijk die kleine interactie tussen hen moeten negeren, maar mijn geduld was uren daarvoor al uitgeput geraakt. 'Oké, wat vertellen jullie me niet?'

De non die Darius had geholpen wierp me een lange, kille blik toe en zei: 'Misschien is het voor de gewonde jongen belangrijk om te weten dat zijn offer niet tevergeefs is geweest.'

De harde woorden van de non bezorgden me een schuldgevoel dat mijn keel dichtkneep en het me onmogelijk maakte om daarop te reageren. Het offer dat Stark bereid was geweest te brengen, was zijn leven in plaats van dat van mij. Ik slikte krampachtig. Wat was mijn leven waard? Ik was nog maar een tiener, net zeventien. Ik had er keer op keer een puinhoop van gemaakt. Ik was de reïncarnatie van een meisje dat was geschapen om een gevallen engel in de val te lokken, en dat betekende dat ik diep vanbinnen van hem hield, of ik het wilde of niet, terwijl ik heel goed wist dat het verkeerd was.

Nee. Ik was het offer van Starks leven niet waard.

'Dat weet ik al.' Starks stem klonk opeens krachtig en zeker. Ik knipperde mijn tranen weg en ontmoette zijn blik. 'Ik deed gewoon mijn plicht,' zei hij. 'Ik ben een krijger. Ik heb een gelofte van dienstbaarheid afgelegd aan Zoey Redbird, hogepriesteres en gunsteling van Nux. Dat betekent dat ik werk voor onze godin, en tegen de grond geslagen worden en een brandwondje oplopen stelt niks voor als ik Zoey heb geholpen de slechteriken te verslaan.'

'Goed gezegd, tsi-ta-ga-a-s-ha-ya,' zei oma.

'Zuster Emily, ik ontlast je van je taak in de ziekenafdeling voor de rest van de nacht. Stuur zuster Bianca alsjeblieft hiernaartoe zodat zij het van je kan overnemen. Het lijkt me een goed idee dat je je enige tijd rustig gaat bezinnen over de betekenis van Lucas 6:37,' zei zuster Mary Angela.

'Zoals u wilt, zuster,' zei de non, en ze haastte zich de kamer uit.

'Lucas 6:37? Wat is dat?' vroeg ik.

'"Oordeel niet, dan zal er niet over je geoordeeld worden. Veroordeel niet, dan zul je niet veroordeeld worden. Vergeef, dan zal je vergeven worden."' zei mijn oma. Ze wisselde met zuster Mary Angela een glimlach uit toen Damien zacht op de op een kier staande deur klopte.

'Mogen we binnenkomen? Er is hier iemand die vreselijk graag Stark wil zien.' Damien keek over zijn schouder en maakte een 'blijf'-gebaar. Het zachte blafje waarmee daarop werd gereageerd vertelde me dat die 'iemand' in werkelijkheid een hond was.

'Laat haar niet binnenkomen.' Starks gezicht vertrok van pijn toen hij abrupt zijn hoofd opzij draaide zodat hij Damien en de deuropening niet kon zien. 'Zeg maar tegen die Jack dat ze nu van hem is.'

'Nee.' Ik hield Damien tegen toen hij zich wilde omdraaien. 'Laat Jack Duchess naar binnen brengen.'

'Zoey, nee, ik...' begon Stark, maar ik snoerde hem met mijn opgestoken hand de mond.

'Breng haar maar naar binnen,' zei ik. Toen keek ik Stark in de ogen. 'Vertrouw je me?'

Hij bleef me wat een eeuwigheid leek aankijken zonder iets te zeggen. Ik zag duidelijk zijn kwetsbaarheid en pijn, maar uiteindelijk knikte hij en zei: 'Ik vertrouw je.'

'Doe maar, Damien,' zei ik.

Damien draaide zich om, mompelde iets en ging opzij. Jack, Damiens vriendje, kwam als eerste de kamer binnen. Zijn wangen waren roze en zijn ogen glansden verdacht. Een meter van de deur bleef hij staan en keek achterom.

'Kom maar. Het is oké. Hij is hier,' zei Jack vleiend.

De blonde labrador kwam de kamer binnen trippelen en het verbaasde me dat ze zich zo stilletjes bewoog voor zo'n grote hond. Ze bleef even naast Jack staan en keek kwispelstaartend naar hem op.

'Het is oké,' zei Jack nog eens. Hij glimlachte naar Duchess en veegde de tranen weg die langs zijn wangen biggelden. 'Hij is weer beter.' Jack gebaarde naar het bed. Duchess draaide haar kop in de richting die hij aanwees en zag Stark.

De gewonde jongen en de hond keken elkaar aan en ik zweer dat we allemaal onze adem inhielden.

'Hallo, knappe meid.' Stark sprak aarzelend; zijn stem was gesmoord door ingehouden tranen.

Duchess' oren gingen rechtop staan en ze hield haar kop schuin.

Stark stak een hand uit en maakte een wenkend gebaar. 'Kom, Duch.'

Alsof het bevel een dam in de hond had doorgebroken, sprong Duchess naar voren, jankend, kronkelend en blaffend. Kortom, ze klonk en gedroeg zich eerder als een puppy dan als de uit de kluiten gewassen labrador die ze was.

'Nee!' beval Darius. 'Niet op het bed!'

Duchess gehoorzaamde de krijger en stelde zich ermee tevreden haar kop tegen Starks zij te drukken en haar grote neus onder zijn oksel te duwen, terwijl haar hele lijf kwispelde. Stark aaide haar met een van geluk stralend gezicht en vertelde haar keer op keer dat hij haar vreselijk had gemist en dat ze zo braaf was.

Ik had niet beseft dat ik ook stond te huilen tot Damien me een tissue aanreikte.

'Bedankt,' mompelde ik, en ik veegde de tranen ermee van mijn gezicht.

Hij glimlachte vluchtig naar me. Toen liep hij naar Jack, sloeg zijn arm om zijn vriendje heen en klopte hem op zijn schouder (en gaf ook hem een tissue). Ik hoorde Damien zeggen: 'Kom, we gaan die kamer opzoeken die de zusters voor ons gereed hebben gemaakt. Je moet rusten.'

Jack maakte een geluid dat het midden hield tussen gesnotter, een snik en een hik, knikte en liet zich door Damien naar de deur leiden.

'Wacht, Jack,' riep Stark hem achterna.

Jack keek naar het bed, waar Duchess nog steeds haar kop tegen Stark aan drukte, terwijl Stark zijn arm om de nek van de labrador had geslagen.

'Je hebt uitstekend voor Duch gezorgd toen ik dat zelf niet kon.'

'Het was echt geen moeite. Ik had nog nooit een hond gehad en wist niet hoe geweldig ze zijn.' Jacks stem stokte. Hij schraapte zijn keel en ging verder. 'Ik... Ik ben blij dat je niet, eh, slecht en akelig en zo meer bent zodat ze weer bij jou kan zijn.'

'Ja, wat dat betreft...' Stark zweeg even en zijn gezicht vertrok toen de pijn van zijn bewegingen hem overweldigde. 'Ik ben nog niet wat je noemt honderd procent en zelfs als ik straks weer helemaal de oude ben, weet ik niet hoe mijn dagen eruit gaan zien. Je zou me een grote dienst bewijzen als je ermee instemt om Duchess samen te delen.'

'Echt waar?' Jacks gezicht klaarde helemaal op.

Stark knikte vermoeid. 'Echt waar. Kunnen Damien en jij Duch meenemen naar jullie kamer en misschien later nog eens met haar terugkomen?'

'Absoluut!' zei Jack, en toen schraapte hij zijn keel en zei: 'Ja, zoals ik al zei, ik heb helemaal geen last van haar gehad.'

'Fijn,' zei Stark. Hij nam Duchess' snuit in zijn hand en keek de labrador in haar ogen. 'Het gaat weer een stuk beter met me, knappe meid. Ga jij nu maar met Jack mee zodat ik helemaal kan herstellen.'

Ik wist dat het hem ondraaglijke pijn moet hebben bezorgd, maar Stark ging rechtop zitten en boog zich voorover om Duchess te zoenen en de hond zijn gezicht te laten likken. 'Brave meid... brave, knappe meid...' fluisterde hij, en toen zoende hij haar nog een keer en zei: 'Ga nu met Jack mee! Vooruit!' en hij gebaarde naar Jack.

Na een laatste lik over Starks gezicht en onwillig jankend draaide ze zich om en trippelde naar Jack. Ze keek kwispelstaartend naar hem op en duwde haar snuit tegen hem aan terwijl hij met zijn ene hand de tranen uit zijn ogen veegde en met de andere haar aaide.

'Ik zal heel goed voor haar zorgen en kom direct na zonsondergang weer met haar bij je langs. Oké?'

Stark wist nog net een glimlach op te brengen en 'Oké, bedankt, Jack' te zeggen en liet zich toen op de kussens achterovervallen.

'Hij heeft rust nodig,' zei Darius tegen ons, en toen boog hij zich weer over Stark heen.

'Zoey, kun jij me misschien helpen je oma naar haar kamer te brengen? Ook zij heeft rust nodig. Het is voor ieder van ons een lange nacht geweest,' zei zuster Mary Angela.

Ik verplaatste mijn bezorgdheid van Stark naar oma en keek heen en weer tussen de twee mensen om wie ik zo veel gaf.

Stark hield mijn blik vast. 'Hé, zorg jij nu maar voor je oma. Ik voel dat de zon weldra opkomt. En tegen die tijd ben ik in een diepe slaap.'

'Nou... oké.' Ik liep naar zijn bed en keek verlegen op hem neer. Wat moest ik doen? Hem zoenen? Een kneepje in zijn hand geven? Met een mallotige glimlach mijn duim opsteken? Ik bedoel, hij was niet officieel mijn vriendje, maar hij en ik hadden een band die verder ging dan alleen maar vriendschap. Verward en bezorgd, kortom met een heel erg ongemakkelijk gevoel, legde ik mijn hand op zijn schouder en fluisterde: 'Bedankt dat je mijn leven hebt gered.'

Zijn ogen ontmoetten die van mij en de rest van de kamer vervaagde. 'Ik zal altijd je hart beschermen, zelfs als dat betekent dat het mijne moet ophouden met kloppen,' zei hij zacht.

Ik boog me voorover, zoende hem op zijn voorhoofd en mompelde: 'Laten we ons best doen om te voorkomen dat dat gebeurt, oké?'

'Oké,' fluisterde hij.

'Ik kom terug zodra de zon weer onder is,' zei ik tegen Stark, en toen ging ik eindelijk naar oma. Zuster Mary Angela en ik hielpen haar overeind en ondersteunden haar terwijl we Starks kamer uit en door een korte gang naar een andere ziekenhuisachtige kamer liepen. Oma voelde heel klein en breekbaar aan onder mijn ondersteunende arm, en mijn maag verkrampte van bezorgdheid om haar.

'Hou op met dat getob, u-we-tsi-a-ge-ya,' zei ze toen zuster Mary Angela kussens om haar heen legde om het haar gemakkelijk te maken.

'Ik ga nu je pijnstillingsmedicijnen halen,' zei zuster Mary Angela tegen oma. 'Ik ga ook even controleren of de jaloezieën in Starks kamer zijn neergelaten en de gordijnen goed dicht zijn. Jullie hebben dus een paar minuten om bij te praten, maar als ik terug ben zal ik erop staan dat je je pijnstiller inneemt en gaat slapen.'

'Je bent wel streng, Mary Angela,' zei oma.

'De pot verwijt de ketel dat die zwart ziet, Sylvia,' zei de non. En toen haastte ze zich de kamer uit.

Oma glimlachte naar me en klopte op het bed. 'Kom bij me zitten, u-we-tsi-a-ge-ya.'

Ik ging naast oma zitten, trok mijn benen onder me op en deed mijn best om het bed niet al te veel te laten schudden. Haar gezicht was bont en blauw en verbrand door de airbag die haar het leven had gered. In haar lip en haar wang zaten donkere hechtingen. Ze had een verband om haar hoofd en haar rechterarm zat in een griezelig ogend gipsverband.

'Ironisch, nietwaar, dat mijn wonden er zo akelig uitzien, terwijl ze veel minder pijnlijk en verstrekkend zijn dan de onzichtbare wonden in jouw binnenste,' zei ze.

Ik wilde tegen oma zeggen dat met mij echt alles goed ging, maar haar volgende woorden maakten korte metten met mijn ontkenning.

'Hoe lang weet je al dat je de reïncarnatie bent van de maagd A-ya?'

4

Zoey

'Vanaf het moment dat ik Kalona zag, voelde ik me tot hem aangetrokken,' zei ik langzaam. Ik zou tegen oma nooit liegen, maar dat betekende nog niet dat het makkelijk was om haar de waarheid te vertellen. 'Maar bijna alle halfwassen en zelfs de vampiers voelden zijn aantrekkingskracht. Het was net of hij ze behekste.'

Oma knikte. 'Dat had Stevie Rae me al verteld. Maar was het voor jou anders? Meer dan alleen die magische aantrekkingskracht?'

'Ja. Bij mij was het geen kwestie van beheksen.' Mijn keel voelde kurkdroog aan en ik slikte krampachtig. 'Ik werd er niet toe gebracht om te denken dat hij Erebus was die op aarde was gekomen, en ik wist dat hij samen met Neferet kwade plannen smeedde. Ik zag zijn duisternis. Maar ik wilde ook bij hem zijn, niet omdat ik geloofde dat hij er nog steeds voor kon kiezen om goed te zijn, maar omdat ik naar hem verlangde, hoewel ik wist dat dat verkeerd was.'

'Maar je hebt tegen dat verlangen gevochten, u-we-tsi-a-ge-ya. Je hebt je eigen pad gevolgd, dat van liefde en goedheid en je godin, en daardoor werd het wezen verjaagd. Je koos liefde,' herhaalde ze langzaam. 'Laat dat een balsem zijn voor de wond die hij je ziel heeft toegebracht.'

Het gespannen, paniekerige gevoel in mijn borst nam iets af. 'Ik kán mijn eigen pad volgen,' zei ik met meer overtuiging dan ik had gevoeld sinds ik was gaan beseffen dat ik de reïncarnatie van A-ya was. Toen fronste ik mijn voorhoofd. Het viel niet te ontkennen dat zij en ik met elkaar verbonden waren. In wezen, in ziel, in geest, hoe je het ook wilt noemen, was ik verbonden aan een onsterfelijk wezen en dat was net zo zeker als het feit dat de aarde hem eeuwenlang gevangen had gehouden. 'Ik ben A-ya niet,' zei ik, 'maar ik ben nog niet van Kalona af. Wat moet ik doen, oma?'

Oma pakte mijn hand vast en gaf er een kneepje in. 'Zoals je zelf al zei: je pad volgen. En op dit moment leidt dat pad je naar een zacht, warm bed en een hele dag slapen.'

'Eén crisis tegelijk?'

'Eén díng tegelijk,' zei ze.

'En het wordt tijd dat je je eigen raad opvolgt, Sylvia,' zei zuster Mary Angela, die de kamer binnen kwam met een kartonnen bekertje met water in haar ene hand en pillen in de andere.

Oma keek met een vermoeide glimlach naar de non op en pakte de pillen van haar aan. Ik zag dat haar handen beefden toen ze de pillen op haar tong legde en een slokje water nam.

'Oma, u gaat nu lekker slapen.'

'Ik hou van je, u-we-tsi-a-ge-ya. Je hebt het vannacht goed gedaan.'

'Ik had het zonder u niet kunnen doen. Ik hou ook van u, oma.' Ik boog me over haar heen en kuste haar voorhoofd, en toen ze haar ogen dichtdeed en met een tevreden glimlach gemakkelijk ging liggen, volgde ik zuster Mary Angela de kamer uit. Zodra we in de gang stonden, bestookte ik haar met vragen. 'Hebt u voor iedereen een kamer gevonden? Gaat het goed met de rode halfwassen? Weet u of Stevie Rae met Erik en Heath en wie dan ook nog meer het terrein rond de abdij heeft uitgekamd? Is het buiten veilig?'

Zuster Mary Angela stak haar hand op om mijn woordenstroom te stuiten. 'Kind toch, neem even tijd om te ademen en geef mij de kans om iets te zeggen.'

Ik onderdrukte een zucht maar slaagde erin om mijn mond te houden terwijl ik met haar door de gang liep en ze me uitlegde dat zij en de nonnen in de kelder een behaaglijke slaapruimte voor de rode halfwassen hadden ingericht, nadat Stevie Rae haar had verteld dat ze zich daar het prettigst zouden voelen. Mijn clubje was boven in de gastenkamers, en ja, ze had gehoord dat buiten alles veilig was en dat er geen Raafspotters meer waren.

'U bent echt geweldig, weet u dat?' Ik glimlachte naar haar toen we voor een dichte deur aan het eind van een lange gang bleven staan. 'Dank u voor alles.'

'Ik ben dienares van Onze-Lieve-Vrouwe, en je bent me geen dank verschuldigd,' zei ze, en ze hield de deur voor me open. 'Dit is de trap die naar de kelder leidt. Mij is gezegd dat de meeste jongens en meisjes al beneden zijn.'

'Zoey! Daar ben je. Ik moet je iets laten zien. Je wilt niet geloven wat Stevie Rae heeft gedaan,' zei Damien, die de trap op kwam rennen.

Ik voelde mijn maag verkrampen. 'Wat dan?' Ik liep hem meteen tegemoet. 'Wat is er aan de hand?'

Hij glimlachte breed naar me. 'Er is niks aan de hand. Het is ongelooflijk.' Damien pakte mijn hand vast en trok me mee.

'Daar heeft Damien gelijk in,' zei zuster Mary Angela, die achter ons aan de trap af kwam. 'Maar ik vind "ongelooflijk" het verkeerde woord ervoor.'

'Is het juiste woord misschien "afschuwelijk" of "gruwelijk"?' vroeg ik.

Damien gaf een kneepje in mijn hand. 'Hou toch eens op met dat getob. Je hebt vannacht Kalona en Neferet verslagen. Alles komt goed.'

Ik gaf ook een kneepje in zijn hand en dwong mezelf te glimlachen en er minder tobberig uit te zien, hoewel ik diep in mijn hart, diep in mijn ziel wist dat wat er vannacht was gebeurd geen einde was geweest of zelfs een overwinning, maar een afschuwelijk, gruwelijk begin.

'Wauw.' Ik keek in geschokt ongeloof om me heen.

'"Wauw in het kwadraat" zul je bedoelen,' zei Damien.

'Heeft Stevie Rae dit gedaan?'

'Dat is wat Jack me vertelde,' zei Damien. We stonden naast elkaar de duisternis van de onlangs uitgeholde grond in te turen.

'Oké... griezelig.' Ik dacht hardop.

Damien keek me vreemd aan. 'Wat bedoel je?'

'Nou...' ik aarzelde omdat ik zelf niet precies wist wat ik bedoelde, hoewel de tunnel me echt een onbehaaglijk gevoel gaf. 'Eh... het is... eh... zo vreselijk donker.'

Damien lachte. 'Natuurlijk is het donker. Uiteraard is het donker. Het is een gat in de grond.'

'Het voelt voor mij natuurlijker aan dan een gat in de grond,' zei zuster Mary Angela, toen ze naast ons kwam staan aan het begin van de tunnel en ook de duisternis in keek. 'Om de een of andere reden vind ik het vertroostend. Misschien door de geur.'

We snoven alle drie de geur op. Ik rook, nou, áárde. Maar Damien zei: 'Het ruikt vruchtbaar en gezond.'

'Als een pas omgeploegd veld,' zei de non.

'Zie je wel, Z, het is niet griezelig. Ik zou daar absoluut gaan schuilen tijdens een tornado,' zei Damien.

Misschien gingen mijn zenuwen gewoon met me op de loop en stelde ik me aan, dus slaakte ik een diepe zucht en tuurde ik nog eens de tunnel in, in een poging die met nieuwe ogen te bekijken en met een accurater instinct waar te nemen. 'Mag ik uw zaklantaarn even vasthouden, zuster?'

'Natuurlijk.'

Zuster Mary Angela gaf me de grote, zware zaklantaarn die ze in de hoofdkelder had gepakt om mee te nemen naar deze ruimte, die ze hun voorraadkelder noemde. Door de ijsstorm die Tulsa al dagenlang teisterde, zat bijna de hele stad, waaronder de abdij, zonder stroom. Ze hadden wel noodaggregaten, dus in het hoofdgedeelte van de abdij brandden enkele lampen en een massa kaarsen, waar de nonnen zo dol op waren, maar ze verspilden geen elektriciteit in de voorraadkelder, en het enige licht kwam van de zaklamp van de non. Ik richtte de lichtbundel op het gat in de grond.

De tunnel was niet erg groot. Als ik mijn armen spreidde kon ik makkelijk beide wanden raken. Ik keek omhoog. Het plafond was maar een centimeter of dertig boven mijn hoofd. Ik snoof nog eens de lucht op in een poging de vertroosting te ontdekken die de non en Damien kennelijk voelden. Ik trok mijn neus op. Ik rook duisternis en vocht, wortels en dingen die naar de oppervlakte waren gebracht. Ik vermoedde dat die 'dingen' kronkelden en kropen, wat me automatisch kippenvel bezorgde.

Toen schudde ik mezelf mentaal door elkaar. Waarom bezorgde een tunnel in de aarde me zo'n akelig gevoel? Ik had een affiniteit voor aarde. Ik kon aarde oproepen. Waarom joeg die me opeens angst aan?

Ik klemde mijn tanden op elkaar en deed een stap de tunnel in. Toen nog een. En nog een.

'Zeg, eh, Z, ga niet te ver. Jij hebt het enige licht en ik wil niet dat zuster Mary Angela in het donker achterblijft. Straks wordt ze bang.'

Ik schudde mijn hoofd, glimlachte, richtte de lichtbundel op de ingang en bescheen Damiens bezorgde en zuster Mary Angela's serene gezicht.

'Wil je niet dat de nón bang wordt in het donker?'

Damien schuifelde schuldbewust met zijn voeten.

Zuster Mary Angela legde haar hand op zijn schouder. 'Het is heel lief van je om aan mij te denken, Damien, maar ik ben niet bang voor het donker.'

Ik keek naar Damien met een blik van 'wees niet zo'n slappeling' toen het gevoel me bekroop. De lucht achter me veranderde. Ik wist dat ik niet meer alleen was in die tunnel. Angst kroop langs mijn ruggengraat omhoog en ik voelde plotseling de drang om te vluchten, om zo snel mogelijk die tunnel uit te rennen en nooit meer terug te komen.

Ik gaf bijna aan die drang toe, maar toen verbaasde ik mezelf door kwaad te worden. Ik had zojuist een gevallen onsterfelijke het hoofd geboden, een wezen waarmee ik op een zielsdiep niveau verbonden was, en toen was ik ook niet op de vlucht geslagen.

En dat ging ik ook nu niet doen.

'Zoey? Wat is er?' Damiens stem klonk ver weg toen ik me met een ruk omdraaide om de duisternis tegemoet te treden.

Er verscheen opeens een flikkerend licht, net het gloeiende oog van een ondergronds monster. Het licht was niet groot, maar zo fel dat ik vlekken voor mijn ogen kreeg en even verblind was. Toen ik opkeek, leek het monster drie koppen te hebben, wild zwiepende manen en groteske, scheve schouders.

Toen deed ik wat ieder zinnig persoon zou doen. Ik zoog mijn longen vol lucht en slaakte een hoge meisjesgil, die onmiddellijk werd beantwoord door een huiveringwekkende gil uit de drie monden van het eenogige monster. Ik hoorde Damien achter me ook gillen en ik zweer dat zelfs zuster Mary Angela van schrik een kreetje slaakte. Ik wilde net doen wat ik mezelf had beloofd om niet te doen – als een angsthaas op de vlucht slaan – toen een van de koppen ophield met gillen en de lichtbundel van de zaklamp in stapte.

'Shit, Zoey! Wat mankeert je? Het zijn gewoon de tweeling en ik. Je hebt ons de stuipen op het lijf gejaagd,' zei Aphrodite.

'Aphrodite?' Ik klemde mijn hand tegen mijn borst in een poging te voorkomen dat mijn hart mijn lichaam uit zou bonzen.

'Ja, natuurlijk ben ik het,' zei ze, terwijl ze verontwaardigd langs me heen liep. 'Goeie godin! Beheers je, alsjeblieft.'

De tweeling stond nog steeds in de tunnel. Erin hield een dikke kaars zo stevig vast dat haar knokkels wit waren. Shaunee stond naast haar, dicht tegen haar aan gedrukt. Ze stonden er als bevroren bij en keken me met grote angstogen aan.

'O, hoi,' zei ik. 'Ik wist niet dat jullie in de tunnel waren.'

Shaunee ontdooide als eerste. 'Je meent het.' Ze streek met een trillende hand voorzichtig over haar voorhoofd en vroeg aan Erin: 'Tweelingzus, ben ik wit geworden van schrik?'

Erin keek knipperend met haar ogen naar haar beste vriendin voor altijd. 'Volgens mij is dat niet mogelijk.' Ze tuurde naar Shaunee. 'Maar, nee, je bent niet wit. Je hebt nog steeds een beeldschoon cappuccinokleurtje.' Erins hand die niet de kaars vasthield vloog naar haar dikke, gouden haardos en streek erdoorheen. 'Valt mijn haar uit of is het onaantrekkelijk en vroegtijdig grijs geworden?'

Ik fronste naar de tweeling. 'Erin, je haar valt niet uit en is niet grijs geworden, en, Shaunee, jij kunt onmogelijk van schrik wit worden. Godsamme, ík ben me trouwens eerst doodgeschrokken van júllie,' zei ik.

'Hoor eens, de volgende keer dat je Neferet en Kalona moet wegjagen, hoef je alleen maar zo te gillen,' zei Erin.

'Ja, je klonk alsof je volslagen krankzinnig was geworden,' zei Shaunee toen ze langs me heen vloog.

Ik liep achter hen aan de voorraadkelder in, waar Damien zich koelte stond toe te wuiven en er erg gay uitzag, en zuster Mary Angela juist een kruisje sloeg. Ik zette de zaklamp rechtop neer op een tafel die vol stond met glazen potten, waarvan de inhoud in het sombere licht griezelig veel leek op drijvende foetussen.

'Even serieus, wat deden jullie hier?' vroeg ik.

'Die Dallas vertelde ons dat ze vanaf de remise via de tunnel hiernaartoe zijn gekomen,' zei Shaunee.

'Hij zei dat het hier cool was en dat Stevie Rae de tunnel had gemaakt,' zei Erin.

'Dus besloten we om er even een kijkje te gaan nemen,' zei Shaunee.

'En waarom ben jij met de tweeling meegegaan?' vroeg ik Aphrodite.

'Het dynamische duo had bescherming nodig. Uiteraard wendden ze zich tot mij.'

'Hoe konden jullie opeens verschijnen?' vroeg Damien voordat de meisjes weer aan het kibbelen konden slaan.

'Fluitje van een cent.' Erin, die nog steeds de kaars in haar hand had, liep snel een eindje de tunnel in. Niet verder dan een meter voorbij het punt tot waar ik was gekomen, draaide ze zich met haar gezicht naar ons toe. 'De tunnel maakt hier een scherpe bocht naar links.' Ze deed een stap opzij en haar licht verdween, toen deed ze een stap terug en was ze er weer. 'Daardoor zagen we elkaar pas op het laatste moment.'

'Het is werkelijk verbluffend dat Stevie Rae dit op de een of andere manier heeft gemaakt,' zei Damien. Het viel me op dat hij niet dichter naar de tunnel toe ging, maar bij de zaklamp bleef staan.

Zuster Mary Angela naderde wel de ingang. Ze raakte de zijkant van het pas uitgegraven gat eerbiedig aan en zei: 'Stevie Rae heeft dit gedaan, maar ze deed het met goddelijke tussenkomst.'

'Als u "goddelijke tussenkomst" zegt, slaat dat dan op dat gedoe van de-Maagd-Maria-is-gewoon-een-andere-vorm-van-Nux?'

Iedereen schrok toen Stevie Raes boerenaccent plotseling aan de andere kant van de voorraadkelder opklonk.

'Ja, kind. Dat is precies wat ik bedoel.'

'Ik wil u niet beledigen, maar dat is zo ongeveer het raarste wat ik ooit heb gehoord,' zei Stevie Rae. Ze kwam naar ons toe en ik vond dat ze erg bleek zag. Toen ze dichterbij kwam, rook ik iets vreemds, maar haar glimlach veranderde haar gezicht in haar leuke, vertrouwde zelf. 'Z, kwam die vette meisjesgil uit jouw mond?'

'Eh... ja.' Ik glimlachte onwillekeurig terug. 'Ik was in de tunnel en had niet verwacht de tweeling en Aphrodite tegen het lijf te lopen.'

'Nou, daar kan ik me wel iets bij voorstellen. Aphrodite heeft wel iets monsterlijks,' zei Stevie Rae.

Ik lachte en maakte van de gelegenheid gebruik om op een ander onderwerp over te stappen. 'Zeg, over monsters gesproken: heb je nog achtergebleven Raafspotters ontdekt?'

Stevie Rae wendde haar blik af.

'Alles is veilig. Je hoeft je nergens zorgen over te maken,' zei ze haastig.

'Gelukkig maar,' zei zuster Mary Angela. 'Die wezens waren gruwelijk, een mengeling van man en beest.' Ze huiverde. 'Ik ben blij dat we van ze af zijn.'

'Maar het was hun schuld niet,' zei Stevie Rae abrupt.

'Pardon?' De non begreep niets van Stevie Raes verdedigende toon.

'Ze hebben er niet om gevraagd om als gedrochten geboren te worden als gevolg van verkrachting en kwaad. Eigenlijk waren ze slachtoffers.'

'Ik heb geen medelijden met ze,' zei ik, en ik vroeg me af waarom

Stevie Rae klonk alsof ze het voor die akelige Raafspotters opnam.

Damien huiverde. 'Moeten we echt over ze praten?'

'Nee, beslist niet,' zei Stevie Rae vlug.

'Goed, en à propos, de reden dat wij hier zijn is omdat ik Zoey de tunnel wilde laten zien die jij hebt gemaakt, Stevie Rae. Ik moet je zeggen dat ik het verbluffend vind.'

'Bedankt, Damien! Het was te gek toen ik erachter kwam dat ik het echt zou kunnen.' Stevie Rae liep langs me heen de mond van de tunnel in, waar ze onmiddellijk werd omlijst door de volslagen duisternis die zich achter haar uitstrekte als het inwendige van een reusachtige zwarte slang. Ze strekte haar armen en drukte haar handpalmen tegen de wanden van de tunnel. Ze deed me opeens denken aan een scène uit *Simson en Delila*, een oude film die ik om en nabij een maand geleden samen met Damien had gekeken. Het beeld dat door mijn hoofd flitste was de scène waarin Delila de blinde Simson tussen twee zuilen had neergezet die de tempel ondersteunden die vol zat met mensen die hem beschimpten. Hij had zijn magische kracht terug en hij duwde de zuilen uit elkaar en vernietigde zichzelf en...

'Waar of niet, Zoey?'

'Huh?' Ik knipperde met mijn ogen, met mijn gedachten nog bij de trieste, verwoestende scène die voor mijn geestesoog was afgedraaid.

'Ik zei dat niet Maria de aarde voor mij had verplaatst toen ik de tunnel maakte, maar de kracht die Nux me gaf. Jeetje, je luistert helemaal niet naar me,' zei Stevie Rae. Ze had haar handen van de tunnelwanden gehaald en keek me aan met haar 'wat gaat er door je hoofd'-blik.

'Neem me niet kwalijk. Wat zei je over Nux?'

'Dat volgens mij Nux en die Maagd Maria niks met elkaar te maken hebben; de moeder van Jezus heeft me beslist niet geholpen om de aarde te verplaatsen om deze tunnel te maken.' Ze haalde een schouder op. 'Ik wil u niet beledigen of zo, zuster, maar zo denk ik erover.'

'Je hebt het recht op een eigen mening, Stevie Rae,' zei de non, even kalm als altijd. 'Maar je moet weten dat zeggen dat je niet in iets gelooft het niet minder mogelijk maakt dat het bestaat.'

'Nou, ik heb erover nagedacht en ik persoonlijk vind het niet zo'n vreemde hypothese,' zei Damien. 'Vergeet niet dat in je *Handboek voor halfwassen 101* Maria wordt genoemd als een van de vele gezichten van Nux.'

'Huh,' zei ik. 'Echt waar?'

Damiens strenge blik zei duidelijk dat ik meer tijd aan mijn studie moest wijden. Toen knikte hij, en hij vervolgde op zijn beste schoolmeesterstoon: 'Ja. Het is goed gedocumenteerd dat tijdens de influx van het christendom in Europa, aan Gaea en Nux gewijde tempels werden veranderd in tempels gewijd aan Maria, lang voordat mensen zich bekeerden tot de nieuwe...'

Damiens eentonige uiteenzetting was een geruststellend achtergrondgeluid toen ik de tunnel in tuurde. De duisternis was diep en dicht. Achter Stevie Rae zag ik niets. Helemaal niets. Ik staarde ernaar en stelde me voor dat daar dingen verborgen waren. Iemand of iets kon nog geen meter bij ons vandaan op de loer liggen, en als ze niet gezien wilden worden, zouden we dat nooit weten. En dat joeg me angst aan.

Oké, maar dat is bespottelijk! zei ik tegen mezelf. *Het is gewoon een tunnel.* Maar mijn irrationele angst gaf me een duwtje. Wat me, helaas, pissig maakte, waardoor ik de neiging kreeg om terug te duwen. Dus als ieder debiel blond figurantje in een horrorfilm deed ik een stap de duisternis in. En toen nog een.

De duisternis slokte me op.

Mijn verstand wist dat ik maar een meter of zo bij de voorraadkelder en mijn vrienden vandaan was. Ik hoorde Damien over godsdienst en de godin kletsen. Maar mijn verstand bonkte niet in doodsangst in mijn borst. Mijn hart, mijn geest, mijn ziel, hoe je het ook wilt noemen, gilde me geluidloos toe: *Vlucht! Maak dat je wegkomt! Wegwezen!*

Ik voelde de druk van de aarde alsof het gat in de grond was opgevuld en me bedekte... me verstikte... me insloot.

Ik ging steeds sneller ademen. Ik wist dat ik hyperventileerde, maar ik kon er niets aan doen. Ik wilde achteruit weglopen van het gat dat vanaf mijn voeten de duisternis in kronkelde, maar het enige wat ik kon was een halve struikelende stap naar achteren zetten. Mijn voeten wilden me niet gehoorzamen! Lichtstippen dansten voor mijn ogen, verblindden me, terwijl verder alles grijs werd. Toen viel ik...

5

Zoey

De duisternis was intens en ontnam me niet alleen mijn zicht, maar al mijn zintuigen. Ik dacht dat ik naar adem snakte en wild met mijn armen zwaaide in een poging iets te vinden, iets wat ik kon aanraken, horen of ruiken, iets wat me grip op de werkelijkheid zou geven. Maar ik bespeurde niets. De cocon van duisternis en mijn op hol geslagen hartslag waren het enige wat ik gewaarwerd.

Was ik dood?

Nee, ik dacht van niet. Ik herinnerde me dat ik in de tunnel onder de benedictijnerabdij was geweest, niet meer dan een meter bij mijn vrienden vandaan. De duisternis had me een paniekaanval bezorgd, maar dat is toch niet iets waaraan je doodgaat?

Maar bang was ik wel geweest. Ik herinnerde me dat ik vreselijk bang was.

Toen was er alleen nog deze duisternis geweest.

Wat is er met me gebeurd? Nux! *schreeuwde mijn geest.* Help me, godin! Laat me alstublieft licht zien!

'Luister met je ziel...'

Ik dacht dat ik het uitschreeuwde van blijdschap toen ik het heerlijke, geruststellende geluid van de stem van de godin in mijn binnenste hoorde, maar toen haar woorden vervlogen waren, was er niets dan de niet-aflatende stilte en duisternis.

Hoe moest ik in hemelsnaam naar mijn ziel luisteren?

Ik probeerde mezelf te kalmeren en iets te horen, maar er was alleen maar stilte, een zwarte, lege, volslagen stilte als niets wat ik ooit van mijn leven had ervaren. Ik had hier niets waardoor ik me kon laten leiden, ik wist alleen...

En toen kwam het besef, en mijn geest duizelde.

Ik had wel degelijk iets waardoor ik me kon laten leiden. Een deel van me had deze duisternis eerder ervaren.

Ik kon niet zien. Ik kon niet voelen. Het enige wat ik kon doen, was naar binnen keren en op zoek gaan naar het deel van me dat hier misschien wijs uit kon worden, dat me misschien de weg naar buiten kon wijzen.

Herinnering roerde zich weer en nam me nu mee naar een tijd heel ver voor de nacht in de tunnel onder de abdij. De jaren vielen weg en tegelijkertijd mijn weerstand, tot ik eindelijk weer vóélde.

Mijn zintuigen keerden langzaam terug. Ik begon meer te horen dan mijn eigen gedachten. Er was een drumritme dat rondom me pulseerde en daarmee verweven waren de verre stemmen van vrouwen. Mijn reukzin keerde terug, en ik herkende de bedompte geur die me deed denken aan de tunnel onder de abdij. Toen voelde ik de aarde tegen mijn naakte rug. Ik had maar een ogenblik om me door de stroom van mijn teruggekeerde zintuigen heen te werken voordat de rest van mijn bewustzijn wakker werd geschud. Ik was niet alleen! Mijn rug werd tegen de aarde gedrukt, maar iemand hield me stevig in zijn armen.

Toen sprak hij.

'O, godin, nee! Laat dit niet waar zijn!'

Het was Kalona's stem, en mijn eerste ingeving was om om hulp te roepen en me blindelings uit zijn armen te worstelen, maar ik had geen controle over mijn lichaam en de woorden die uit mijn mond kwamen, waren niet mijn woorden.

'Sst, wanhoop niet. Ik ben bij je, mijn lief.'

'Je hebt me in de val gelokt!' Zelfs terwijl hij me beschuldigde, trokken zijn armen me steviger tegen zich aan, en ik herkende de koude hartstocht van zijn onsterfelijke omhelzing.

'Ik heb je gered,' antwoordde mijn vreemde stem, terwijl mijn lichaam zich intiem tegen het zijne drukte. 'Jij hoort deze wereld niet te bewandelen. Daarom ben je zo ongelukkig geweest, zo onverzadigbaar.'

'Ik had geen keus! De stervelingen begrijpen het niet.'

Mijn armen gleden om zijn hals. Mijn vingers verstrengelden zich in zijn zachte, dikke haar. 'Ik begrijp het. Vind rust hier met mij. Zet je droeve rusteloosheid van je af. Ik zal je troosten.'

Ik voelde zijn overgave nog voor hij de woorden sprak. 'Ja,' prevelde Kalona. 'Ik zal mijn droefenis in jou begraven, en dan zal mijn vertwijfeld verlangen eindelijk ten einde komen.'

'Ja, mijn lief, mijn levensgezel, mijn krijger... ja...'

Op dat moment verloor ik mezelf in A-ya. Ik kon niet zeggen waar haar verlangen eindigde en mijn ziel begon. Als ik nog steeds een keus had, wilde ik die niet. Ik wist dat ik was waar ik voorbestemd was te zijn: in Kalona's armen.

Zijn vleugels bedekten ons, voorkwamen dat de kou van zijn aanraking me verbrandde. Zijn lippen ontmoetten de mijne. We verkenden elkaar langzaam, grondig, met een gevoel van verwondering en overgave. Toen onze lichamen zich verenigden, ervoer ik het hoogste genot.

En toen, opeens, begon ik op te lossen.

'Nee!' De kreet werd ontrukt aan mijn keel en mijn ziel. Ik wilde niet weggaan! Ik wilde bij hem blijven. Mijn plaats was bij hem!

Maar ik had weer geen controle over mezelf, en ik voelde mezelf langzaam verdwijnen, me weer verenigen met de aarde, terwijl A-ya snikte en haar huilende stem drie woorden door mijn hoofd deed galmen: VERGEET HET NIET...

Mijn wang brandde van de klap en ik zoog een diepe teug lucht in, die de resterende duisternis in mijn hoofd verdreef. Ik opende mijn ogen, maar knipperde en kneep ze tot spleetjes tegen de felle lichtbundel van de zaklamp. 'Ik ben het niet vergeten.' Mijn stem klonk even rauw als mijn geest aanvoelde.

'Weet je wie je bent of moet ik je nog een klap geven?' zei Aphrodite.

Mijn hoofd werkte traag doordat het nog steeds 'nee' schreeuwde omdat ik uit de duisternis was weggerukt. Ik knipperde nog eens met mijn ogen en schudde mijn hoofd in een poging mijn gedachten te verhelderen. 'Nee!' riep ik zo fel dat Aphrodite onwillekeurig een stap achteruit deed.

'Oké,' zei ze. 'Bedank me later maar.'

Zuster Mary Angela nam haar plaats in. Ze boog zich over me heen en streek mijn haar uit mijn gezicht, dat bezweet en koud was. 'Zoey, ben je er weer?'

'Ja,' zei ik met stokkende stem.

'Zoey, wat is er? Waardoor ging je hyperventileren?' vroeg de non.

'Je voelt je toch niet ziek, hè?' Erins stem klonk een beetje beverig.

'Je voelt toch niet de drang om een long op te hoesten of zo?' vroeg Shaunee, die er net zo overstuur uitzag als haar tweelingzus klonk.

Stevie Rae duwde de tweeling opzij zodat ze dicht bij me kon komen. 'Even serieus, Z. Ben je echt oké?'

'Niks aan de hand. Ik ga niet dood of zo.' Mijn gedachten hadden zich weer geordend, al leek ik de laatste sporen van de vertwijfeling die ik als A-ya had gevoeld niet van me af te kunnen schudden. Ik begreep dat mijn vrienden bang waren dat mijn lichaam de Verandering afstootte. Ik dwong mezelf om me te concentreren op het hier en nu en stak Stevie Rae mijn hand toe. 'Help me opstaan. Ik ben er weer helemaal.'

Stevie Rae trok me overeind. Toen ik wankelde, hield ze haar hand onder mijn elleboog tot ik mijn evenwicht had gevonden.

'Wat is er met je gebeurd, Z?' vroeg Damien terwijl hij me vorsend aankeek.

Wat moest ik zeggen? Moest ik mijn vrienden bekennen dat ik een onvoorstelbaar levendige herinnering had aan een eerder leven waarin ik me aan onze huidige vijand had gegeven? Ik had niet eens de tijd gehad om me door het labyrint van nieuwe gevoelens heen te worstelen die de herinnering bij me had opgewekt. Hoe moest ik dat aan mijn vrienden uitleggen?

'Vertel het ons, kind. De gesproken waarheid is altijd minder angstaanjagend dan gissingen,' zei zuster Mary Angela.

Ik slaakte een zucht en gooide eruit: 'De tunnel joeg me angst aan!'

'Hoezo? Omdat daarbinnen iets is?' Damien was eindelijk opgehouden met me aan te staren en tuurde nu zenuwachtig de donkere opening in.

De tweeling deed een paar stappen verder de voorraadkelder in en bij de tunnel vandaan.

'Nee, er is daar niets.' Ik aarzelde. 'Tenminste, niet dat ik weet. Hoe dan ook, dat is niet wat me angst aanjoeg.'

'Verwacht je nou echt dat we geloven dat je flauwviel omdat je bang was voor het donker?' zei Aphrodite.

Ze staarden me allemaal aan.

Ik schraapte mijn keel.

'Hoor eens, jongens. Er zijn misschien dingen waarover Zoey gewoon niet wil praten,' zei Stevie Rae.

Ik keek naar mijn beste vriendin en besefte dat als ik niets zei over wat me zojuist was overkomen, ik haar niet kon confronteren met de dingen die me dwarszaten over haar.

'Je hebt gelijk,' zei ik tegen Stevie Rae. 'Ik wil er niet over praten, maar jullie verdienen het om de waarheid te horen.' Terwijl ik met mijn blik de hele groep omvatte, zei ik: 'Die tunnel joeg me zo'n angst aan omdat mijn ziel die herkende.' Ik schraapte mijn keel en ging verder: 'Ik herinnerde me dat ik met Kalona in de aarde gevangenzat.'

'Bedoel je dat er werkelijk een deel van A-ya in je zit?' vroeg Damien zacht.

Ik knikte. 'Ik ben ik, maar ik ben ook op de een of andere manier nog steeds een deel van haar.'

'Interessant...' Damien slaakte een diepe zucht.

'Maar wat betekent dat in godsnaam voor jou en Kalona nu?' vroeg Aphrodite.

'Dat weet ik niet! Dat weet ik niet! Dat weet ik niet!' barstte ik uit. De stress en de volslagen verwarring over wat er zojuist was gebeurd, werden me te veel. 'Ik heb geen antwoorden. Het enige wat ik heb is de herinnering en geen tijd om die te verwerken. Is het te veel gevraagd dat jullie me even met rust laten en me de gelegenheid geven om een beetje orde te scheppen in de chaos in mijn hoofd?'

Ze schuifelden met hun voeten en mompelden 'oké' terwijl ze me aankeken met een blik van 'ze is haar verstand kwijt'. Ik negeerde mijn vrienden en de onbeantwoorde Kalona-vragen die bijna zichtbaar in de lucht hingen, en wendde me tot Stevie Rae. 'Vertel me precies hoe je de tunnel hebt gemaakt.'

Ik zag aan het vraagteken in haar blauwe ogen dat ze schrok van mijn toon. Ik had niet geklonken als Zoey die iets zei in de trant van 'Genoeg! Ik ben gewoon flauwgevallen en wil op een ander onderwerp overgaan omdat ik van mijn stuk ben gebracht door het feit dat ik een gereïncarneerd meisje ben'. Ik had geklonken als een hogepriesteres.

'Nou, zo bijzonder was dat helemaal niet.' Stevie Rae zag er gespannen en ongemakkelijk uit, alsof ze veel te hard haar best deed om nonchalant over te komen. 'Zeg, weet je wel zeker dat je oké bent? Kunnen we niet beter naar boven gaan en voor jou een blikje bruine frisdrank of zo regelen? Ik bedoel, als deze plek je flashbacks geeft, lijkt het me een beter idee om ergens anders te gaan praten.'

'Ik voel me prima en wil gewoon op dit moment alles horen over de tunnel.' Met een vaste blik keek ik haar aan. 'Dus vertel me nu maar hoe je dit hebt gedaan.'

Ik voelde dat iedereen, zuster Mary Angela incluis, naar ons keek met een mengeling van nieuwsgierigheid en verwarring, maar ik bleef mijn aandacht op Stevie Rae richten.

'Oké, nou, zoals je weet lopen de tunnels uit de tijd van de drooglegging onder zogoed als alle gebouwen in de binnenstad door.'

Ik knikte. 'Dat weet ik.'

'Weet je nog dat ik je heb verteld dat ik op verkenning uit ben geweest om te zien waar al die tunnels uitkwamen?'

'Ja. dat weet ik nog.'

'Oké, nou, ik heb die kleine doorgang gevonden waarover Ant

jullie een dag of wat geleden heeft verteld, een vertakking van de tunnels die onder de Philtower en zo door lopen.' Ik knikte weer ongeduldig. 'Nou, die was opgevuld met aarde, maar toen ik met mijn hand de kleine opening in het midden aftastte, viel er aarde weg, en toen ik mijn arm door de opening stak, voelde ik koele lucht. Dat gaf me het idee dat er aan de andere kant waarschijnlijk meer tunnel was. Dus duwde ik met mijn geest, mijn handen en mijn element. En de aarde reageerde.'

'Hoe reageerde de aarde? Door te gaan beven of zo?' vroeg ik.

'Nee, de aarde verplaatste zich. Zoals ik had gewild. In mijn hoofd.' Ze zweeg even. 'Het is moeilijk uit te leggen. Wat er gebeurde was dat de aarde die de tunnel had afgesloten, wegbrokkelde, en toen stapte ik door de nieuwe, grotere opening een heel erg oude tunnel in.'

'En die oude tunnel was dus helemaal van aarde en niet met beton bekleed, zoals de tunnels onder de remise en de binnenstad?' zei Damien.

Stevie Rae glimlachte en knikte zo heftig dat haar blonde haar om haar schouders danste. 'Ja! En in plaats van dat die in de richting van de binnenstad liep, ging die de andere kant op.'

'Helemaal tot hier?' Ik probeerde in mijn hoofd uit te rekenen hoeveel kilometer dat was. Ik ben geen rekenwonder, maar zelfs ik wist dat het een behoorlijke afstand was.

'Nee. Wat er gebeurde was dat toen ik de aarden tunnel had gevonden en min of meer open had gemaakt, ik hem ben gaan verkennen. Oké, hij begint als een zijtak van de tunnel onder de Philtower. Ik vond het vreemd en tegelijkertijd cool dat die van de binnenstad af liep.'

'Hoe wist je dat?' vroeg Damien. 'Hoe kon je zelfs maar gissen welke kant je op ging?'

'Dat is voor mij een fluitje van een cent. Ik weet altijd waar het noorden is, weet je, de richting van mijn element aarde. En als ik het noorden heb gevonden, kan ik alles vinden.'

'Hm,' zei hij.

'Ga verder,' zei ik. 'Wat gebeurde er toen?'

'Toen hield de tunnel gewoon op. Zo ver was ik gekomen toen je me dat briefje gaf over dat we naar de nonnen moesten gaan. Ik bedoel, ik was van plan geweest om later terug te gaan en verder rond te kijken, maar het had voor mij geen hoge prioriteit. Toen je zei dat de mogelijkheid bestond dat ik met de halfwassen hierheen moest verkassen, moest ik steeds aan die aarden tunnel denken. Ik herinnerde me dat die deze kant op ging voordat hij ophield. Dus ben ik teruggegaan. Ik dacht aan waar ik naartoe wilde en hoe graag ik zou willen dat de tunnel daarheen ging. Toen duwde ik weer, zoals ik had gedaan om de opening groter te maken, alleen harder. En wat denk je? De aarde deed wat ik wilde, en voilà, daar staan we dan!' besloot ze met een brede glimlach en een zwierig gebaar.

In de stilte die volgde op Stevie Raes uitleg klonk zuster Mary Angela's stem heel normaal en verstandig, wat me haar nog meer deed waarderen dan ik al deed. 'Opmerkelijk, is het niet? Stevie Rae, jij en ik mogen dan van mening verschillen over de bron van je gave, maar ik heb niettemin groot ontzag voor de grootsheid ervan.'

'Dank u, zuster! Ik vind u ook behoorlijk ontzagwekkend, vooral voor een non.'

'Hoe kon je daarbeneden iets zien?' vroeg ik.

'Nou, ik heb totaal geen moeite met zien in het donker, maar de halfwassen zijn daar minder goed in dan ik, dus heb ik een paar lampen uit de remisetunnels meegenomen.' Stevie Rae wees naar een stel olielampen die ik niet eerder had opgemerkt, in de donkere hoeken van de voorraadkelder.

'Maar toch, het was een behoorlijk eind,' zei Shaunee.

'Wat heet. Het moet erg donker en griezelig zijn geweest,' zei Erin.

'Welnee, de aarde is voor mij niet griezelig, en voor de rode halfwassen ook niet.' Ze haalde haar schouders op. 'Zoals ik al zei, het stelde eigenlijk niks voor. In feite was het zo makkelijk als wat.'

'En het is je gelukt om alle rode halfwassen veilig over te brengen?' vroeg Damien.

'Ja!'

'Echt allemaal?' vroeg ik.

'Wat bedoel je daar nou weer mee? Dat slaat nergens op, Z,' zei ze. 'Ik heb alle rode halfwassen die ik aan jullie heb voorgesteld hierheen gebracht, plus Erik en Heath. Wie bedoel je nog meer?' Haar woorden klonken normaal, maar ze besloot met een vreemd, gespannen lachje en ontweek mijn blik.

Mijn maag verkrampte. Stevie Rae loog nog steeds tegen me. En ik wist niet wat ik daartegen moest doen.

'Ik denk dat Zoey een beetje in de war is omdat ze uitgeput is, wat te verwachten is na wat er vannacht is gebeurd.' Zuster Mary Angela's warme hand op mijn schouder was net zo geruststellend als haar stem. 'We zijn allemaal moe,' voegde ze eraan toe. Haar glimlach omvatte Stevie Rae, de tweeling, Aphrodite en Damien. 'De dag breekt weldra aan. Ik breng jullie naar jullie vrienden. Ga slapen. Alles zal duidelijker lijken als jullie goed zijn uitgerust.'

Ik knikte vermoeid en liet zuster Mary Angela ons de voorraadkelder uit loodsen en de trap op waarover we kort daarvoor naar beneden waren gegaan. Maar in plaats van helemaal de trap op te lopen naar de gang van de abdij, maakte de non op de overloop een deur open, die me niet was opgevallen toen ik achter Damien aan naar beneden was gerend. Een kortere trap leidde naar de hoofdkelder, een grote, normaal ogende cementen kelder, die door de nonnen was veranderd van een enorme wasruimte in een tijdelijke slaapzaal. Langs twee tegenoverstaande muren waren stretchers neergezet, die opgemaakt waren met dekens en kussens, en het geheel zag er knus uit. Op een van de stretchers was een bult te zien, en de pluk rood haar die boven de deken uit stak, die hij tot over bijna zijn hele hoofd had opgetrokken, vertelde me dat Elliott al lag te slapen. De overige rode halfwassen zaten bij elkaar in de hoek waar de wasmachines en drogers stonden. Ze zaten op van die metalen klapstoeltjes waarvan ik altijd een koud achterwerk krijg, en keken naar een grote flatscreen-tv, die op een van de wasmachines stond. Ze zaten breeduit te geeuwen, wat betekende dat het bijna zonsopgang moest zijn, maar ze leken gefascineerd te zijn door wat het ook was waarnaar ze keken. Ik wierp een blik op het scherm en voelde een brede glimlach op mijn vermoeide gezicht verschijnen.

'*The Sound of Music*? Kijken ze naar *The Sound of Music*?' Ik barstte in lachen uit.

Zuster Mary Angela trok een wenkbrauw op. 'Het is een van onze favoriete dvd's. Ik dacht dat de halfwassen de film ook wel leuk zouden vinden.'

'Het is een klassieker,' zei Damien.

'Ik vond die nazi-jongen altijd erg leuk,' zei Shaunee.

'Maar hij verraadt de Von Trapps!' zei Erin.

'Op dat moment werd hij minder leuk,' zei Shaunee, en de tweeling pakte ieder een klapstoeltje en ging bij de andere halfwassen voor de tv zitten.

'Maar iedereen is dol op Julie Andrews,' zei Stevie Rae.

'Ze had die godvergeten verwende krengen van kinderen een pak op hun donder moeten geven,' zei Kramisha vanaf haar plek voor de tv. Ze keek over haar schouder en glimlachte vermoeid naar zuster Mary Angela. 'Sorry voor dat "godvergeten", zuster, maar het zijn rotkinderen.'

'Ze hadden gewoon behoefte aan liefde en aandacht, zoals alle kinderen,' zei de zuster.

'Oké, mag ik een teiltje? Serieus,' zei Aphrodite. 'Voordat een van jullie opeens uit volle borst "How Do You Solve a Problem Like Maria?" gaat zingen en ik mijn slanke polsen moet doorknagen, ga ik Darius en mijn kamer opzoeken.' Ze wiebelde met haar wenkbrauwen en liep heupwiegend naar de keldertrap.

'Aphrodite,' riep zuster Mary Angela haar achterna. Toen Aphrodite bleef staan en achteromkeek, zei de non: 'Ik vermoed dat Darius nog steeds bij Stark is. Je kunt hem natuurlijk goedenacht wensen, maar je vindt je kamer op de derde verdieping. Die deel je met Zoey en niet met de krijger.'

'Bah,' zei ik binnensmonds.

Aphrodite rolde met haar ogen. 'Waarom komt dat niet als een verrassing?' En binnensmonds mopperend vervolgde ze heupwiegend haar weg.

'Sorry, Z,' zei Stevie Rae nadat ze met haar ogen had gerold naar Aphrodites rug. 'Ik zou graag weer je kamergenote zijn geweest, maar ik kan beter hier blijven. Ik voel me ondergronds veel prettiger als de zon op is, en bovendien moet ik bij de rode halfwassen in de buurt blijven.'

'Dat geeft niet,' zei ik een beetje te snel. *Wilde ik nu niet eens meer met mijn-beste-vriendin-voor-altijd alleen zijn?*

'Zijn de anderen nog boven?' vroeg Damien. Ik zag dat hij om zich heen keek en ik wist bijna zeker dat hij Jack zocht.

Ik daarentegen had helemaal niet rondgekeken of ik wie dan ook van mijn vriendjes zag. Eerlijk gezegd leek het me na hun stakkerige testosteronvertoon toen we nog buiten stonden een heerlijk idee om helemaal geen vriendjes te hebben.

En dan was daar nog Kalona en de herinnering die ik het liefst niet had gehad.

'Ja, de anderen zijn allemaal nog boven in de eetzaal of al naar bed. Hallo! Aarde aan Zoey! Moet je kijken. De nonnen hebben een enorm assortiment Doritos, en ik heb zelfs bruine frisdrank voor je gevonden, vol cafeïne en suiker,' zei Heath, die de laatste drie treden van de keldertrap af sprong.

6

Zoey

'Bedankt, Heath.' Ik onderdrukte een zucht toen Heath grijnzend aan kwam lopen en me een handje Nacho Cheese Doritos en een blikje bruine frisdrank aanbood.

'Z, als jij zeker weet dat je weer helemaal in orde bent, dan wil ik graag Jack gaan zoeken en zien of Duchess oké is, en dan ga ik een stukje eeuwigheid slapen,' zei Damien.

'Geen probleem,' zei ik vlug. Ik wilde liever niet dat Damien Heath over mijn A-ya-herinnering vertelde.

'Waar is Erik?' vroeg Stevie Rae aan Heath terwijl ik het blikje bruine frisdrank gulzig leegdronk.

'Die is nog steeds buiten en hangt de kasteelheer uit.'

'Hebben jullie nog iets gevonden toen ik weg was?' Stevie Raes stem klonk opeens zo scherp dat verscheidene van de rode halfwassen verstoord opkeken van Maria en de Von Trapps, die 'My Favorite Things' zongen.

'Welnee, hij is gewoon een zak en controleert alles wat Dallas en ik al hadden gecontroleerd.'

Dallas keek op van het tv-scherm toen hij zijn naam hoorde noemen. 'Buiten is alles cool, Stevie Rae.'

Stevie Rae maakte een 'kom hier'-beweging naar Dallas, en hij kwam haastig naar ons toe. Ze dempte haar stem en zei: 'Details graag.'

'Ik heb je buiten alles al verteld voordat je hierheen kwam,' zei Dallas, terwijl zijn blik afdwaalde naar het tv-scherm en de opsomming van al die 'favoriete dingen'.

Stevie Rae gaf hem een klap op zijn arm. 'Wil je alsjeblieft even opletten? Ik ben niet meer buiten. Ik ben nu hier. Dus vertel het me nog maar een keer.'

Dallas slaakte een zucht, richtte zijn volle aandacht op haar en glimlachte toegeeflijk. 'Oké, oké, omdat je het zo vriendelijk vraagt.' Stevie Rae fronste naar hem en hij zei: 'Erik, Johnny B, Heath...' hij knikte naar Heath, '... en ik hebben alles uitgekamd zoals je ons opgedragen had, wat echt geen lolletje was, want het ijs is spiegelglad en het is buiten berekoud.' Hij zweeg even. Stevie Rae keek hem zwijgend aan tot hij verderging. 'Hoe dan ook, zoals je al weet, dat deden we terwijl jij het terrein aan de kant van Twenty-first Street controleerde. Na een tijdje troffen we elkaar bij de grot. Toen hebben we je verteld dat we op de hoek van Lewis en Twenty-first Street die drie lijken hadden gevonden. Jij zei dat we ze moesten opruimen. Toen ging je weg. We deden wat je zei en toen zijn Heath, Johnny B en ik naar binnen gegaan om ons af te drogen, te eten en tv te kijken. Ik neem aan dat Erik nog steeds buiten loopt te zoeken.'

'Waarom?' Stevie Raes stem was scherp.

Dallas haalde zijn schouders op. 'Misschien omdat die jongen een zak is, zoals Heath al zei.'

'Lijken?' zei zuster Mary Angela.

Dallas knikte. 'Ja, we vonden drie dode Raafspotters. Darius heeft ze uit de lucht geschoten, want er zaten kogelgaten in.'

Zuster Mary Angela dempte haar stem. 'Wat hebben jullie met de dode wezens gedaan?'

'In de afvalcontainers achter de abdij gedumpt, zoals Stevie Rae zei. Het vriest buiten, dus blijven ze voorlopig goed. En de eerste tijd wordt er echt geen vuilnis opgehaald met al dat ijs en zo. We dachten dat ze wel in die containers konden blijven liggen tot jullie hadden besloten wat jullie ermee wilden doen.'

'O! Lieve help!' Het gezicht van de non was wit weggetrokken.

'Hebben jullie ze in de afvalcontainers gestopt? Ik heb helemaal niet gezegd dat jullie ze in de afvalcontainers moesten stoppen!' schreeuwde Stevie Rae.

‘Sst!’ zei Kramisha, terwijl alle tv-kijkers ons een nijdige blik toewierpen.

Zuster Mary Angela gebaarde dat we haar moesten volgen, en we liepen met z’n vijven snel de kelder uit en de trap op naar de gang van de abdij.

‘Dallas, ik kan niet geloven dat jullie ze in de afvalcontainers hebben gestopt!’ viel Stevie Rae tegen hem uit zodra we buiten gehoorsafstand van de anderen waren.

‘Wat had je dan verwacht? Dat we een graf zouden graven en de mis zouden lezen?’ zei Dallas. Toen keek hij naar zuster Mary Angela. ‘Neem me niet kwalijk. Ik bedoel het niet als godslastering, zuster. Mijn ouders zijn katholiek.’

‘Het was vast niet kwaad bedoeld,’ zei de non. Ze klonk een beetje trillerig. ‘Lijken... Ik... Ik had niet aan lijken gedacht.’

‘Zit er maar niet over in, zuster.’ Heath gaf haar een onbeholpen klopje op haar arm. ‘U hoeft zich er niet mee bezig te houden. Ik begrijp precies hoe u zich voelt. Dit hele gedoe: die gevleugelde vent, Neferet, de Raafspotters. Nou ja, het is moeilijk te...’

‘Ze kunnen verdikkeme niet in die afvalcontainers blijven liggen,’ zei Stevie Rae, Heath onderbrekend alsof ze helemaal niet had gehoord dat hij sprak. ‘Dat is verkeerd.’

‘Waarom?’ vroeg ik rustig. Ik had tot dan toe mijn mond gehouden omdat ik Stevie Rae had gadegeslagen en had gezien dat ze steeds meer van streek raakte.

Stevie Rae leek er opeens geen moeite meer mee te hebben om me in de ogen te kijken. ‘Omdat het verkeerd is, daarom,’ zei ze nog eens.

‘Het waren monsters die deels onsterfelijk waren en die ons zonder aarzelen zouden hebben gedood als Kalona ze daartoe opdracht zou hebben gegeven,’ zei ik.

‘Deels onsterfelijk en deels wat?’ vroeg Stevie Rae.

Ik fronste naar haar, maar Heath was me voor en zei: ‘Deels vogel?’

‘Nee.’ Stevie Rae keek niet eens naar hem. Ze bleef mij aankijken. ‘Niet deels vogel; dat is het onsterfelijke deel. In hun bloed zijn ze deels onsterfelijk en deels mens. Méns, Zoey. Ik heb medelijden met het menselijke deel en vind dat dat beter verdient dan bij het afval te worden gedumpt.'

Er was iets aan de blik in haar ogen, de toon van haar stem, wat me vreselijk dwarszat. Ik antwoordde met het eerste wat bij me opkwam. 'Er is meer voor nodig dan dat iemand de pech heeft toevallig een bizarre mengeling van bloed te hebben om medelijden met diegene bij me op te wekken.'

Stevie Raes ogen schoten vuur en haar lichaam verstrakte, bijna alsof ik haar een klap had gegeven. 'Daarin verschillen we dus van mening.'

Opeens besefte ik waarom Stevie Rae medelijden met de Raafspotters had. Op een bizarre manier herkende ze zichzelf in die wezens. Ze was gestorven en toen, door wat zij waarschijnlijk 'toeval' zou noemen, ondood geworden zónder het grootste deel van haar menselijkheid. Toen, weer 'toevallig', had ze haar menselijkheid teruggekregen. Als je het zo bekeek, kon het zijn dat ze medelijden met ze had omdat ze wist hoe het was om deels monster, deels mens te zijn.

'Hé,' zei ik zacht, terwijl ik vurig wenste dat we weer in het Huis van de Nacht waren en zo makkelijk met elkaar konden praten als vroeger. 'Er is een groot verschil tussen een toevalligheid waardoor iemand of iets als iets bizars geboren wordt en iets afschuwelijks wat ná de geboorte gebeurt. Bij het eerste ben je zo gemaakt, bij het laatste heeft iets geprobeerd je te veranderen in iets wat je niet bent.'

'Huh?' zei Heath.

'Ik geloof dat Zoey probeert te zeggen dat ze begrijpt waarom Stevie Rae empathie voelt voor de dode Raafspotters, terwijl ze in werkelijkheid niets met ze gemeen heeft,' zei zuster Mary Angela. 'En Zoey zou wel eens gelijk kunnen hebben. Die schepsels zijn duistere wezens, en hoewel ook ik door de dood van mijn stuk raak, weet ik dat ze gedood moesten worden.'

Stevie Rae wendde haar blik van me af. 'Jullie hebben het allebei mis. Zo denk ik helemaal niet, maar ik wil er niet meer over praten.' Ze draaide zich om en liep snel bij ons vandaan.

‘Stevie Rae?’ riep ik haar achterna.

Ze keek niet eens achterom. ‘Ik ga Erik zoeken en me ervan vergewissen dat er buiten echt geen gevaar meer dreigt, en dan stuur ik hem naar binnen. Ik spreek je later wel.’ Toen verdween ze door een deur die naar ik veronderstelde naar buiten leidde en sloeg hem met een klap achter zich dicht.

‘Zo gedraagt ze zich anders nooit,’ zei Dallas.

‘Ik zal voor haar bidden,’ fluisterde zuster Mary Angela.

‘Wees maar niet bang,’ zei Heath. ‘Ze komt zo weer naar binnen. Het is bijna zonsopgang.’

Ik veegde met mijn hand over mijn gezicht. Wat ik had moeten doen was Stevie Rae naar buiten volgen, haar in een hoek drijven en haar dwingen me precies te vertellen wat er aan de hand was. Maar ik kon er op dat moment niets bij hebben. Ik had niet eens mijn A-ya-herinnering verwerkt, die ik als een schuldig geheim achter in mijn hoofd voelde zitten.

‘Zo, gaat het wel goed met je? Je ziet eruit alsof je hard aan slaap toe bent. Dat zijn we allemaal,’ zei Heath geeuwend.

Ik knipperde met mijn ogen en schonk hem een vermoeide glimlach. ‘Ja, dat klopt. Ik ga naar bed. Maar eerst wil ik nog even snel bij Stark gaan kijken.’

‘Heel snel dan,’ zei zuster Mary Angela.

Ik knikte. Zonder Heath aan te kijken zei ik: ‘Oké, nou, eh... dan zie ik jullie wel weer over een uur of acht.’

‘Welterusten, kind.’ Zuster Mary Angela omhelsde me en fluisterde: ‘En moge Onze-Lieve-Vrouwe je zegenen en over je waken.’

‘Bedankt, zuster,’ fluisterde ik terug, terwijl ik haar omhelzing beantwoordde.

Toen ik haar losliet, verraste Heath me door mijn hand vast te pakken. Ik keek hem vragend aan.

‘Ik loop met je mee naar Starks kamer,’ zei hij.

Met een verslagen gevoel haalde ik mijn schouders op en toen liepen we hand in hand de gang door. We zeiden niets, we liepen alleen maar. Heath’ hand voelde warm en vertrouwd aan en ik paste mijn passen makkelijk aan die van hem aan. Ik begon me net een beetje te ontspannen toen Heath zijn keel schraapte.

'Zeg, eh, sorry voor dat idiote gedoe tussen Erik en mij. Het was stom. Ik moet me niet zo door hem laten opnaaien,' zei Heath.

'Je hebt gelijk, dat zou je niet moeten doen, maar hij kan behoorlijk irritant doen,' zei ik.

Heath grijnsde breed. 'Vertel mij wat. Je gaat hem binnenkort dumpen, toch?'

'Heath, ik ga echt niet met jou over Erik praten.'

Zijn grijns werd nog breder. Ik rolde met mijn ogen.

'Mij hou je niet voor de gek. Ik ken je veel te goed. Jij hebt het niet op bazige jongens.'

'Hou nou maar je mond en loop door,' zei ik, maar ik gaf een kneepje in zijn hand en hij kneep terug. Hij had gelijk: ik had het niet op bazige jongens, en hij kende me inderdaad erg goed.

Aan het eind maakte de gang een hoek. Op die plek was een groot raam in een nis, compleet met een bank met zachte kussens, een perfect plekje om te zitten lezen. Op de vensterbank stond een prachtig Mariabeeld met aan weerszijden verscheidene brandende votiefkaarsen. Heath en ik gingen langzamer lopen en bleven voor het raam staan.

'Wat mooi,' zei ik zacht.

'Ja. Ik heb eigenlijk nooit veel aandacht geschonken aan Maria, maar al die beelden van haar verlicht door kaarsen zijn echt cool. Denk jij dat de non gelijk heeft? Zou Maria Nux kunnen zijn en Nux Maria?'

'Ik heb geen flauw idee.'

'Nux praat toch tegen je?'

'Ja, soms, maar de moeder van Jezus is nooit ter sprake gekomen,' zei ik.

'Nou, ik vind dat je het haar de volgende keer moet vragen.'

'Misschien doe ik dat wel,' zei ik.

We bleven hand in hand naar het spel van de gloed van de warme, gele vlammen op het glanzende beeld staan kijken. Ik bedacht juist dat het erg fijn zou zijn als mijn godin bij me op bezoek zou komen op een tijdstip dat niet gevuld was met leven-en-doodstress, toen Heath eruit gooide: 'Ik heb gehoord dat Stark heeft gezworen om je als krijger te dienen.'

Ik speurde zijn gezicht af op zoek naar een teken dat hij kwaad was of jaloers, maar het enige wat ik in zijn blauwe ogen zag was nieuwsgierigheid.

'Ja, dat klopt.'

'Als ik het goed begrijp is dat wat je noemt een bijzondere verbintenis.'

'Ja, ook dat klopt,' zei ik.

'Hij is toch die jongen die nooit misschiet met een pijl?'

'Ja.'

'Dus hem aan je kant hebben is zo ongeveer hetzelfde als beschermd worden door de Terminator.'

Daar moest ik om glimlachen. 'Nou, hij is niet zo groot als Arnold, maar eigenlijk is het een goede vergelijking.'

'Is hij ook verliefd op je?'

Zijn vraag overrompelde me en ik wist niet wat ik moest zeggen. Zoals altijd, vanaf dat we op de basisschool zaten, leek Heath precies te weten wat hij moest zeggen. 'Vertel me gewoon de waarheid.'

'Ja, ik geloof dat hij verliefd op me is.'

'En jij op hem?'

'Misschien,' zei ik aarzelend. 'Maar dat verandert niets aan mijn gevoelens voor jou.'

'Maar wat betekent dat voor jou en mij nu?'

Het was bizar dat zijn woorden een echo leken van Aphrodites vraag over wat de A-ya-herinnering voor Kalona en mij betekende. Ik voelde me overweldigd doordat ik voor geen van beiden een antwoord had. Ik wreef over mijn rechterslaap, waarachter hoofdpijn begon te kloppen. 'Wij zitten opgescheept met een stempelband en een vervelend gevoel.'

Heath zei niets. Hij keek me alleen maar aan met die lieve, verdrietige, vertrouwde blik die meer zei over hoeveel pijn ik hem deed dan een hoop geschreeuw en getier zou hebben gedaan.

Hij brak mijn hart.

'Heath, het spijt me zo. Maar ik... ik...' Mijn stem haperde en ik probeerde het nog eens. 'Er spelen op dit moment zo veel dingen en ik weet gewoon niet wat ik daarmee aan moet.'

'Ik wel.' Heath ging op de bank zitten en strekte zijn armen naar me uit. 'Zo, kom hier.'

Ik schudde mijn hoofd. 'Heath, ik kan niet...'

'Ik vraag helemaal niks van jou,' zei hij, me resoluut onderbrekend. 'Ik gééf je iets. Kom hier.'

Toen ik hem niet-begrijpend aankeek, slaakte hij een zucht, pakte mijn handen en trok mijn stijve, maar zich niet verzettende lichaam op zijn schoot en in zijn armen. Hij hield me vast en legde zijn wang boven op mijn hoofd, zoals hij al deed sinds hij langer was geworden dan ik, ongeveer in de tweede klas van de middelbare school. Mijn gezicht lag tegen de kromming van zijn hals en ik ademde zijn geur in. Het was de geur van mijn kinderjaren, van lange zomeravonden in de achtertuin bij de muggenvanger terwijl we naar muziek luisterden en met elkaar praatten, van feestjes na een wedstrijd, hij met zijn arm om me heen, terwijl een heleboel meisjes (en jongens, wat dat betreft) niet uitgepraat raakten over de geweldige passes die hij had gegeven, van lange afscheidszoenen en de hartstocht die het ontdekken van de liefde meebracht.

En opeens besefte ik dat, terwijl ik vertrouwdheid en geborgenheid inademde, mijn spanning langzaam verdween. Met een zucht kroop ik dichter tegen hem aan.

'Beter?' prevelde Heath.

'Beter,' zei ik. 'Heath, ik weet werkelijk niet...'

'Sst!' Ik voelde zijn armen even verstrakken en toen weer ontspannen. 'Denk nu even niet aan Erik of die nieuwe jongen. Denk alleen aan óns. Denk aan hoe het al die jaren tussen ons is geweest. Ik ben er voor je, Zo. Ondanks al die rottigheid waar ik geen snars van begrijp, ben ik er. En wij horen bij elkaar. Dat zegt mijn bloed.'

'Waarom?' vroeg ik, terwijl ik heerlijk in zijn armen lag. 'Waarom ben je er nog steeds, waarom wil je nog steeds bij me zijn terwijl je weet dat ik gevoelens heb voor Erik en Stark?'

'Omdat ik van je hou,' zei hij. 'Ik hou al van je zolang als ik me kan herinneren en ik zal tot aan mijn dood van je blijven houden.'

Tranen prikten in mijn ogen en ik knipperde verwoed omdat ik niet wilde huilen. 'Maar, Heath, Stark gaat nergens heen. En ik weet werkelijk niet wat ik met Erik aan moet.'

'Dat weet ik.'

Ik ademde een keer diep in en uit, en terwijl ik uitademde, zei ik: 'En in mijn binnenste zit een gevoelsband met Kalona waar ik niks aan kan doen.'

'Maar je hebt "nee" tegen hem gezegd en hem verjaagd.'

'Dat wel, maar ik... ik heb herinneringen die in mijn ziel vastzitten, en die hebben te maken met wie ik was in een ander leven, en tijdens dat leven was ik met Kalona.'

In plaats van me met vragen te bestoken of zich van me los te maken, trok hij me dichter naar zich toe. 'Het komt allemaal goed,' zei hij, en hij klonk alsof hij dat echt meende. 'Je vindt wel een oplossing.'

'Ik zoù niet weten hoe. Ik weet niet eens wat ik met jou aan moet.'

'Dat is makkelijk: niks. Ik hoor bij jou. Punt uit.' Hij zweeg even en voegde er toen snel aan toe: 'Als ik je met de vampiers moet delen, dan doe ik dat.'

Ik boog me in zijn armen achterover zodat ik hem aan kon kijken. 'Heath, je bent zo jaloers aangelegd dat ik moeilijk kan geloven dat je het oké zou vinden als ik met een andere jongen ben.'

'Ik zei niet dat ik het oké zou vinden. Leuk is anders, maar ik wil je niet kwijt, Zoey.'

'Dat is bizar,' zei ik.

Hij nam mijn kin in zijn hand toen ik mijn blik wilde afwenden. 'Ja, het is bizar. Maar zolang we een stempelband hebben, weet ik dat ik iets met je heb wat niemand anders heeft. Ik kan je iets geven waaraan die grote, slechte Dracula-imitaties niet kunnen tippen. Ik kan je iets geven waaraan zelfs een onsterfelijke niet kan tippen.'

Ik keek hem aan. Heath' ogen schitterden van de tranen. Hij leek zo veel ouder dan achttien dat ik er bijna bang van werd. 'Ik wil je geen verdriet doen,' zei ik. 'Ik wil je leven niet in het honderd sturen.'

'Hou dan op met proberen me weg te sturen. Wij horen bij elkaar.'

Oké, ik weet dat het verkeerd was, maar in plaats van hem erop te wijzen dat een relatie tussen ons niet kon werken, gaf ik me over aan zijn omhelzing. Ja, het was egoïstisch van me, maar ik verloor mezelf in Heath en zijn vertrouwde aanraking. De manier waarop hij me vasthield was perfect. Hij probeerde niet met me te flikflooien. Hij betastte me niet en kronkelde niet met zijn onderlichaam. Hij bood niet eens aan om zich te snijden en me zijn bloed te laten drinken, wat automatisch een hartstocht tussen ons had ontketend waardoor we de macht over onszelf zouden zijn kwijtgeraakt. Heath hield me teder vast en vertelde me hoeveel hij van me hield. Hij zei dat alles goed zou komen. Ik voelde zijn hartslag. Ik was me bewust van zijn krachtige, verlokkelijke bloed, zo warm en zo dichtbij, maar waaraan ik op dat moment meer behoefte had dan aan zijn bloed, was vertrouwdheid, ons gezamenlijk verleden, en de kracht van zijn begrip.

En op dat moment werd Heath Luck, mijn vriendje van de middelbare school, mijn gade.

7

Stevie Rae

Met een rotgevoel smeet Stevie Rae de deur van de abdij achter zich dicht en liep de ijzige nacht in. Ze was eigenlijk niet kwaad op Zoey of op die superaardige, zij het enigszins aan waanideeën lijdende non. Eigenlijk was ze op niemand kwaad behalve op zichzelf.

'Verdikkeme! Ik haat het dat ik er zo'n puinhoop van maak!' schreeuwde ze tegen zichzelf. Ze had het gevoel dat ze een berg shit stond weg te graven, maar dat ze er steeds dieper in wegzakte, hoe hard ze ook schepte.

Zoey was niet gek. Ze wist dat er iets aan de hand was. Dat was overduidelijk, maar Stevie Rae wist niet wat ze moest doen. Er was zo verschrikkelijk veel om uit te leggen. Hoe moest ze hém uitleggen? En ze had echt niet gewild dat het allemaal was gebeurd. Vooral niet dat gedoe met de Raafspotter. Verdikkeme! Voordat ze hem had gevonden, op sterven na dood, had ze het zelf niet eens voor mogelijk gehouden. Als iemand het haar van tevoren had verteld, zou ze lachend hebben gezegd: 'Ben je gek, dat gebeurt écht niet!'

Maar het was mogelijk, want het was gebeurd. Híj was gebeurd.

Terwijl Stevie Rae over het stille terrein rond de abdij liep, op zoek naar die onuitstaanbare Erik, uit vrees dat hij dit laatste, afschuwelijkste geheim van allemaal zou ontdekken en echt alles in de war zou schoppen, probeerde ze voor zichzelf uit te maken hoe het in godsnaam mogelijk was dat ze zich zo vreselijk in de nesten had gewerkt. Waarom had ze hem gered? Waarom had ze niet gewoon Dallas en de anderen geroepen en hem door hen laten afmaken?

Hij had nota bene zelf gezegd dat hij dat wilde voordat hij bewusteloos raakte.

Maar hij had gesproken. Hij had zo menselijk geklonken. En ze had hem niet kunnen doden.

'Erik!' Waar hing die jongen toch uit? 'Erik, kom hier!' Ze onderbrak haar innerlijke strijd en riep de nacht in. Nacht? Stevie Rae tuurde naar het oosten en kon zweren dat de duisternis daar de rijpepruimenkleur van voor de dageraad kreeg. 'Erik! Tijd om rapport uit te brengen!' riep Stevie Rae voor de derde keer. Ze bleef staan en liet haar blik over het stille terrein van de abdij gaan.

Stevie Raes blik gleed naar de broeikas, die als tijdelijke stal was ingericht voor de paarden waarop Z en haar clubje het Huis van de Nacht waren ontvlucht. Eigenlijk werd haar blik niet naar de broeikas getrokken, maar naar de onschuldig ogende gereedschapsschuur ernaast. De schuur leek volkomen normaal, gewoon een bijgebouwtje zonder ramen. De deur was niet eens op slot geweest. Dat wist ze omdat ze er nog niet zo lang geleden binnen was geweest.

'Hé, wat is er? Heb je iets gezien?'

'O shit!' Stevie Rae schrok zich wild en draaide zich met een ruk om. Haar hart bonsde zo hard in haar borst dat ze nauwelijks adem kon halen. 'Erik! Je bezorgt me zowat een hartverzakking! Kun je alsjeblieft geluid maken of zo voordat je iemand overvalt?'

'Sorry, Stevie Rae, maar je riep me toch?'

Stevie Rae streek een blonde lok achter haar oor en probeerde geen acht te slaan op het feit dat haar hand trilde. Ze was gewoon echt niet goed in dat stiekeme gedoe en dingen voor je vrienden verborgen houden. Maar ze stak haar kin vooruit en bedwong haar zenuwen, en de beste manier om dat te doen was door zich op Erik af te reageren.

Stevie Rae keek hem met tot spleetjes geknepen ogen aan. 'Ja, ik riep je omdat je al lang binnen hoort te zijn bij de anderen. Wat doe je hier voor de donder nog? Je maakt Zoey doodongerust en ze zit echt niet te wachten op nog meer stress over jou.'

'Zocht Zoey mij?'

Het kostte Stevie Rae moeite om niet met haar ogen te rollen. Wat was het toch een onuitstaanbare kwal. Zo gedroeg hij zich als het perfecte vriendje, om even later opeens te veranderen in een arrogante hufter. Ze zou het echt met Z over hem moeten hebben, dat wil zeggen, als Z nog steeds naar haar wilde luisteren. Ze waren de laatste tijd niet echt close met elkaar geweest. Te veel geheimen... te veel problemen die hun relatie in de weg zaten...

'Stevie Rae! Let even op. Zei je dat Zoey naar me zocht?'

Toen rolde Stevie Rae wel met haar ogen. 'Je hoort binnen te zijn. Heath, Dallas en de anderen zijn allemaal binnen. Dat weet Zoey. Ze wilde weten waar jij uithing en waarom je niet bent waar je hoort te zijn.'

'Als ze zich zorgen over me maakte, dan had ze zelf ook naar buiten kunnen komen.'

'Ik zei niet dat ze zich zorgen over je maakte!' snauwde Stevie Rae, geërgerd omdat Erik zo verdiept was in zichzelf. 'En Z heeft veel te veel aan haar hoofd om ook nog op jou te moeten babysitten.'

'Ik heb verdomme geen babysitter nodig.'

'O nee? Waarom moet ik je dan komen halen?'

'Weet ik veel, waarom doe je dat eigenlijk? Ik was op weg naar binnen. Ik wilde gewoon nog een keer de buitengrens uitkammen. Het leek me wel slim om te controleren of Heath niks over het hoofd heeft gezien. Je weet dat mensen 's nachts geen fluit kunnen zien.'

'Johnny B is geen mens en hij was bij Heath.' Stevie Rae slaakte een zucht. 'Ga nou maar naar binnen. Pak iets te eten en trek droge kleren aan. Een van de nonnen zal je vertellen waar je je bed kunt vinden. Ik maak nog een laatste ronde over het terrein voordat de zon opkomt,' zei Stevie Rae.

'Áls de zon opkomt,' zei Erik, terwijl hij naar de hemel tuurde.

Stevie Rae volgde zijn blik, en met een gevoel van godallemachtig-hoe-stom-kan-ik-zijn, besefte ze dat het weer regende, maar aangezien de temperatuur nog steeds tussen vriezen en dooien in hing, spuwde de lucht weer ijs.

'Dit hondenweer is niet echt wat we nodig hebben,' mompelde Stevie Rae.

'Nou, het zal in elk geval het bloed van die Raafspotters verbergen.'

Stevie Raes blik vloog naar Eriks gezicht. Shit! Ze had helemaal niet aan het bloed gedacht! Hadden ze een bloedspoor naar de schuur getrokken? Een in het oog springend pad dat schreeuwde: 'Hier ben ik!' Het drong tot haar door dat Erik verwachtte dat ze iets zou zeggen. 'Ja, eh, daar zit wat in. Misschien kan ik wat ijs en gebroken takken en zo in het rond trappen over het bloed van die drie vogels heen,' zei ze met geforceerde onverschilligheid.

'Dat lijkt me wel een goed idee voor het geval er overdag mensen naar buiten gaan. Zal ik je even helpen?'

'Nee,' antwoordde ze te snel, en toen haalde ze haar schouders op. 'Met mijn super-rodevampiervaardigheden is het een fluitje van een cent.'

'Oké dan.' Erik wilde weglopen, maar aarzelde. 'Zeg, je zou misschien wat extra aandacht kunnen schenken aan de bloedsporen bij de rand van de bomenrij bij het flatgebouw hiernaast en de weg. Daar was het behoorlijk smerig.'

'Oké, ik weet waar je bedoelt.' Dat wist ze zeker.

'O, en waar zei je dat Zoey was?'

'Eh, Erik, dat heb ik volgens mij niet gezegd.'

Erik fronste zijn voorhoofd, wachtte, en toen Stevie Rae hem alleen maar bleef aankijken, vroeg hij eindelijk: 'Nou? Waar is ze?'

'De laatste keer dat ik haar zag stond ze met Heath en zuster Mary Angela te praten, in de gang voor de keldertrap. Maar ik denk dat ze inmiddels bij Stark langs is geweest en nu in bed ligt. Ze was doodmoe.'

'Stark...' Erik mompelde iets onverstaanbaars en draaide zich weer om naar de abdij.

'Erik!' riep Stevie Rae terwijl ze zich inwendig vervloekte omdat ze zo stom was geweest om Heath en Stark te noemen. Ze wachtte tot hij over zijn schouder naar haar keek en zei toen: 'Als Z's beste vriendin voor altijd wil ik je iets zeggen: ze heeft vandaag te veel meegemaakt om zich te willen bezighouden met vriendjesproblemen. Als ze bij Heath is, is dat omdat ze zich ervan vergewist dat hij oké is, niet omdat ze met hem zit te flikflooien. Datzelfde geldt voor Stark.'

'En?' zei Erik met een wezenloze uitdrukking op zijn gezicht.

'En dat betekent dat je iets te eten moet pakken, die natte kleren moet uittrekken en je bed in moet duiken zónder haar op te sporen en lastig te vallen.'

'Zij en ik zijn weer bij elkaar, Stevie Rae. We gaan met elkaar. Dus hoe kan het feit dat haar vriendje genoeg om haar geeft om bij haar te willen zijn, worden beschouwd als haar "lastigvallen"?'

Stevie Rae onderdrukte een glimlach. Zoey zou hem met huid en haar opvreten, uitspugen en overgaan tot de orde van de dag. Ze haalde haar schouders op. 'Hoe dan ook, ik zeg het maar even.'

'Ja, nou, tot straks.' Erik draaide zich om en zette er flink de pas in naar de abdij.

'Voor een slimme vent maakt hij behoorlijke stomme keuzes,' zei Stevie Rae zacht terwijl ze zijn brede rug nakeek tot hij uit het zicht verdwenen was. 'Ja ja, de pot verwijt de ketel dat hij zwart ziet, zou mijn moeder zeggen.'

Zuchtend liet Stevie Rae haar blik onwillig naar de rij grote afvalcontainers gaan, die nauwelijks opvielen doordat ze naast de carport stonden. Ze wendde haar blik af en wilde niet denken aan de lichamen die daarin waren gedumpt. 'Bij het afval.' Ze sprak de woorden langzaam uit, alsof ze elk een eigen gewicht hadden. Stevie Rae gaf aan zichzelf toe dat Zoey en zuster Mary Angela voor een deel misschien gelijk hadden gehad tijdens hun kleine counselsessie met haar, maar dat maakte wat ze hadden gezegd niet minder ergerlijk.

Oké, ze had te sterk gereageerd, maar het feit dat de jongens de lichamen van de Raafspotters in de afvalcontainers hadden gegooid had haar echt geschokt, en niet alleen vanwege hém. Haar ogen gleden naar de schuur naast de broeikas.

Wat ze met de lichamen van de Raafspotters hadden gedaan had haar dwarsgezeten omdat ze niet geloofde in waardevermindering van leven, welk soort leven ook. Het was gevaarlijk om jezelf als een god te beschouwen die kon bepalen wie het waard was om te leven en wie niet. Stevie Rae wist dat beter dan de non en zelfs Zoey dat ooit konden weten. Niet alleen was er met haar leven, nou, eigenlijk met haar dóód geknoeid door een hogepriesteres die was gaan geloven dat ze eigenlijk een godin was, maar Stevie Rae had zelf een tijdlang gedacht dat ze het recht had om naar behoefte of in een opwelling mensen te doden. De herinnering aan hoe het was geweest toen ze in de greep van die woede en gewelddadigheid verkeerde, maakte haar misselijk. Ze had die duistere periode achter zich gelaten, ze had gekozen voor goed en licht en de godin, en dat was het pad dat ze zou blijven volgen. Dus wanneer iemand besloot dat een leven niets betekende, welk leven ook, raakte ze daardoor van streek.

Dat was tenminste wat Stevie Rae zichzelf vertelde toen ze over het terrein van de abdij liep, bij de gereedschapsschuur vandaan.

Niet je hoofd verliezen, meid... niet je hoofd verliezen... zei ze keer op keer tegen zichzelf terwijl ze zich door de greppel en langs de bomenrij naar de grote plas bloed haastte die ze zich maar al te goed herinnerde. Ze vond een dikke, afgebroken tak met een heleboel zijtakjes en pakte hem met gemak van de grond. Ze was blij met de extra kracht die haar nieuwe status als volledig Veranderde rode vampier meebracht. Ze haalde de tak als een bezem over het bloed en hield af en toe op om een andere afgebroken tak en één keer zelfs een halve doormidden gebroken hulststruik op de felrode plassen te gooien.

Ze volgde dezelfde route als eerder bij de straat vandaan en binnen het hek linksaf het gazon van de abdij op. Ze had nog maar een klein stukje gelopen toen ze weer een grote plas bloed vond.

Alleen lag er deze keer geen lichaam bovenop.

Ze leidde zichzelf af door '(Baby) You Save Me' van Kenny Chesney te neuriën, veegde haastig de bloedvlekken weg en volgde het spoor van druppels. Ze schopte ijs en takken over het bloedpad dat haar rechtstreeks naar de tuinschuur leidde.

Ze staarde naar de deur, slaakte een zucht, wendde haar blik af en liep om de schuur heen naar de broeikas. De deur was niet op slot en ging makkelijk open. Ze liep naar binnen, bleef even staan, ademde diep in en liet de geuren van aarde en groeiende dingen vermengd met de nieuwe geur van de drie paarden die tijdelijk daar waren gestald, haar zintuigen strelen, terwijl de warmte de ijzige vochtigheid ontdooide die tot in haar ziel leek te zijn doorgedrongen. Maar ze gunde zichzelf niet veel rust. Dat kon ze niet. Ze moest dingen regelen en had nog maar weinig tijd voor zonsopgang. Zelfs als de zon door wolken en ijs versluierd zou zijn, was het voor een rode vampier nooit prettig om overdag buiten te zijn, onbeschut en kwetsbaar.

Stevie Rae vond al snel wat ze zocht. De nonnen deden de dingen kennelijk graag op de ouderwetse manier. In plaats van een systeem met moderne tuinslangen, elektrische schakelaars en metalen gevalletjes, hadden de zusters emmers en schepbakjes, gieters met een lange, geperforeerde tuit om babyplantjes voorzichtig te begieten, en een heleboel gereedschap dat zo te zien veel werd gebruikt en goed werd onderhouden. Bij een van de vele kranen vulde Stevie Rae een emmer met vers water. Ze pakte een schenkkan en een paar handdoeken van een stapel op een plank waar ook tuinhandschoenen lagen en lege bloempotten stonden. Op weg naar de deur bleef ze staan bij een bak mos, dat haar deed denken aan een dik, groen tapijt. Ze kauwde weifelachtig op haar lip terwijl haar instinct oorlog voerde met haar bewuste geest, tot ze zich eindelijk gewonnen gaf en een lange strook mos uit de bak trok. Terwijl ze binnensmonds iets mompelde in de trant van niet weten hoe ze wist wat ze wist, liep Stevie Rae de broeikas uit en terug naar de schuur.

Voor de deur bleef ze staan en concentreerde zich; ze stemde haar scherpe, roofdierachtige zintuigen af op bespeuren, ruiken of zien of er iets of iemand op de loer lag. Niets. Er was niemand buiten. De ijsregen en het late tijdstip hielden iedereen veilig en warm binnen.

'Iedereen met een beetje verstand,' mompelde ze tegen zichzelf.

Ze wierp nog een laatste blik om zich heen, verplaatste haar vracht zodat ze één hand vrij had en legde die op de deurkruk. *Oké... oké. Even door de zure appel heen bijten. Misschien is hij dood en hoef je geen oplossing te zoeken voor de grootste, stomste nieuwe vergissing die je hebt begaan.*

Stevie Rae drukte de deurkruk naar beneden en duwde de deur open. Ze trok automatisch haar neus op. Het was schokkend na de aardse eenvoud van de broeikas, dit gebouwtje dat stonk naar benzine en olie en bedompte lucht vermengd met de foute geur van zijn bloed.

Ze had hem achter in de schuur neergelegd, achter de rijdende grasmaaier en de planken met heggenscharen, mest en reserveonderdelen voor de tuinsproeier. Ze tuurde de duisternis in en zag vaag een donkere, roerloze hoop. Ze spitste haar oren, maar het enige wat ze hoorde was het getik van het ijs op het dak.

Ze zag erg op tegen het onafwendbare moment dat ze tegenover hem zou staan, maar ze dwong zich ertoe de schuur in te gaan en de deur stevig achter zich te sluiten. Ze liep om de grasmaaier en de planken heen naar het wezen dat achter in de schuur lag. Zo te zien had hij zich niet bewogen sinds ze hem enkele uren eerder half slepend, half dragend hiernaartoe had gebracht en hem letterlijk in die achterste hoek had laten vallen. Hij lag op zijn linkerzij, in een ongemakkelijke foetushouding. De kogel was dwars door zijn borst gegaan, hoog aan de rechterkant naar binnen en door zijn vleugel weer naar buiten. De enorme, zwarte vleugel was finaal aan flarden geschoten en lag bebloed en onbruikbaar naast zijn lichaam. Stevie Rae dacht dat een van zijn enkels ook gebroken was, want die was sterk opgezwollen, en zelfs in de donkere schuur kon ze zien dat die bont en blauw was. Eigenlijk zag zijn hele lichaam er behoorlijk gehavend uit, wat haar niet verbaasde. Hij was uit de lucht geschoten, en de grote, oude eiken op de grens van het terrein van de abdij hadden zijn val genoeg gebroken om te voorkomen dat hij te pletter viel, maar ze wist niet hoe ernstig hij gewond was. Voor hetzelfde geld was zijn binnenste even ernstig beschadigd als zijn buitenkant eruitzag. Misschien was hij wel dood. Hij zag er beslist dood uit. Ze keek naar zijn borst, maar ze dacht niet dat ze die zag rijzen en dalen. Hij was waarschijnlijk dood. Ze bleef naar hem staan kijken. Ze wilde niet dichter naar hem toe lopen, maar ze kon zich ook niet omdraaien en weglopen.

Was ze niet goed bij haar hoofd of zo? Waarom had ze niet nagedacht voordat ze hem hiernaartoe had gesleept? Ze staarde naar hem. Hij was niet menselijk. Hij was niet eens een dier. Het was geen kwestie van God spelen om hem te laten sterven; hij had nooit geboren mogen worden.

Stevie Rae huiverde. Ze bleef maar naar hem staren alsof ze verlamd was door afgrijzen over wat ze had gedaan. Wat zouden haar vrienden zeggen als ze erachter kwamen dat ze een Raafspotter had verstopt? Zou Zoey zich van haar afwenden? En hoe zouden de rode halfwassen, álle rode halfwassen reageren op de aanwezigheid van dit wezen? Alsof die nog niet genoeg duister, duivels kwaad hadden om zich mee bezig te houden!

De non had gelijk gehad. Het sloeg nergens op dat hij medelijden bij haar opwekte. Ze zou de handdoeken en zo terugbrengen naar de broeikas, teruggaan naar de abdij, Darius zoeken en hem vertellen dat er een Raafspotter in de schuur lag. Dan zou ze de krijger zijn werk laten doen. Als hij niet al dood was, zou Darius hem uit de weg ruimen. Eigenlijk was het een kwestie van de vogelman uit zijn lijden verlossen. Ze liet opgelucht door haar beslissing haar adem ontsnappen – ze had niet eens gemerkt dat ze die ingehouden had – en toen gingen zijn rode ogen open en keek hij haar aan.

'Maak er een eind aan...' De stem van de Raafspotter was zwak en vervuld van pijn, maar duidelijk, absoluut, onmiskenbaar menselijk.

En dat was dat. Stevie Rae besefte opeens waarom ze Dallas en de anderen niet had geroepen toen ze hem had gevonden. Toen hij had gesproken en haar had gevraagd om hem te doden, had hij geklonken als een echte jongen, een jongen die gewond was geraakt, in de steek gelaten en bang was. Toen had ze hem niet kunnen doden en nu kon ze hem niet aan zijn lot overlaten. Zijn stem maakte het verschil, want hoewel hij eruitzag als een wezen dat onmogelijk kon bestaan, klonk hij als een gewone jongen die zo vertwijfeld was en zo veel pijn had dat hij het ergste verwachtte.

Nee, dat klopte niet. Hij verwachtte niet dat het ergste gebeurde, hij wílde dat. Wat hij had doorgemaakt was zo afschuwelijk dat hij de dood als zijn enige uitweg zag. Dat maakte hem in Stevie Raes ogen heel erg menselijk, al had hij wat hij had doorgemaakt grotendeels aan zichzelf te danken. Ze kende dat. Ze begreep volslagen uitzichtloosheid.

8

Stevie Rae

Stevie Rae onderdrukte haar automatische impuls om achteruit te deinzen, want jongensstem of geen jongensstem en de kwestie van zijn menselijkheid tijdelijk terzijde geschoven, het feit bleef dat hij een grote vogelvent was wiens bloed heel erg fout rook. En Stevie Rae was helemaal alleen met hem.

'Hoor eens, ik weet dat je gewond bent en zo en dat je niet helder kunt denken, maar als ik van plan was geweest om je te doden, dan had ik je echt niet hierheen gesleept.' Ze dwong haar stem om normaal te klinken en in plaats van achteruit te deinzen, zoals ze eigenlijk wilde doen, bleef ze rustig staan en keek ze in die koude, rode ogen die er zo bizar menselijk uitzagen.

'Waarom wil je me niet doden?' De woorden waren nauwelijks een gekwelde fluistering, maar de nacht was zo stil dat Stevie Rae hem makkelijk verstond.

Ze had kunnen doen alsof ze hem niet had gehoord of niet had verstaan, maar ze had haar buik vol van uitvluchten en leugens, dus bleef ze hem strak aankijken en vertelde ze hem de waarheid. 'Nou, dat heeft eigenlijk veel meer te maken met mij dan met jou, en dat maakt het een behoorlijk lang, verwarrend verhaal. Ik weet eerlijk gezegd niet precies waarom ik je niet wil doden, behalve dat ik de neiging heb om de dingen op mijn eigen manier te doen, en ik kan met zekerheid zeggen dat doden geen liefhebberij van me is.'

Hij keek haar aan tot ze zich ongemakkelijk ging voelen door die vreemde, rode blik. Eindelijk zei hij: 'Dat zou je wel moeten.'

Stevie Raes wenkbrauwen gingen omhoog. 'Ik zou het moeten

weten, ik zou je moeten doden of ik zou de dingen op mijn manier moeten doen? Je moet echt wat specifieker zijn. O, en je zou ook kunnen overwegen om wat minder bazig te doen. Je bent niet bepaald in een positie om me te vertellen wat ik zou moeten doen.'

Hij was duidelijk aan het eind van zijn krachten, en zijn ogen vielen dicht, maar door haar woorden gingen ze weer open. Ze zag dat zijn uitdrukking veranderde, maar zijn gezicht was zo ongewoon, zo totaal anders dan wat ze gewend was, dat ze niet begreep welk gevoel ze daarop zag. Zijn zwarte snavel ging open alsof hij iets wilde zeggen. Op dat moment trok een huivering door zijn lichaam, en in plaats van te spreken kneep hij kreunend zijn ogen stijf dicht. De pijn die in het geluid lag was volslagen menselijk.

Ze deed automatisch een stap dichter naar hem toe. Zijn ogen gingen weer open en hoewel ze dof waren van de pijn, zag ze dat zijn rode blik op haar was gericht. Stevie Rae bleef staan en sprak langzaam en duidelijk. 'Oké, luister goed. Ik heb water meegebracht en spullen om je wonden te verbinden, maar ik kom liever niet dichterbij, tenzij je me belooft dat je niks gaat proberen wat me niet aanstaat.'

Nu wist Stevie Rae zeker dat het gevoel dat ze in het rood van die mensenogen zag, verbazing was.

'Ik kan me niet bewegen.' Zijn stem haperde en het kostte hem duidelijk erg veel moeite om te praten.

'Betekent dat dat ik erop kan vertrouwen dat je me niet gaat bijten of iets anders gaat doen wat ik niet prettig zou vinden?'

'Absssoluut.'

Zijn stem was hees en hij siste, wat Stevie Rae niet bepaald geruststellend vond. Toch rechtte ze haar rug en knikte alsof hij niet zojuist als een slang had geklonken. 'Nou. Goed dan. Oké, ik zal eens kijken wat ik kan doen om je je wat beter te laten voelen.'

Toen, voordat haar gezond verstand de kans kreeg om haar op andere gedachten te brengen, liep ze naar de Raafspotter. Ze liet de handdoeken en het mos naast hem op de grond vallen en zette de emmer met water iets voorzichtiger neer. Hij was verschrikkelijk groot. Dat was ze vergeten. Nou, misschien was het eerder zo dat ze het van zich af had gezet, want het zou moeilijk zijn om te 'vergeten' hoe groot hij was. Het was bepaald niet makkelijk geweest om hem naar de schuur te slepen/dragen zonder dat Erik of Dallas of wie dan ook haar had gezien, al was hij veel lichter geweest dan hij eruitzag.

'Water,' zei hij schor.

'O, ja, natuurlijk!' Stevie Rae schrok, pakte de schenkkan en liet die uit haar handen glippen. Ze pakte hem op, maar in verlegenheid gebracht en op van de zenuwen liet ze hem weer vallen. Ze pakte hem weer van de grond, veegde hem aan een handdoek af en dompelde hem eindelijk in het water. Hij probeerde zijn arm op te tillen toen ze met het water naar hem toe kwam, maar de inspanning ontlokte hem weer een kreun; zijn arm lag even onbruikbaar als zijn vleugel naast zijn lichaam. Zonder erbij na te denken boog Stevie Rae zich voorover, tilde zijn schouders voorzichtig op, kantelde zijn kop iets achterover en bracht de schenkkan naar zijn snavel. Hij dronk gulzig.

Toen hij zijn dorst had gelest, legde ze een van de handdoeken onder zijn kop en legde ze hem weer voorzichtig neer.

'Oké, het enige wat ik heb om je wonden te verzorgen is water, maar ik doe mijn best. O, en ik heb een paar stroken mos meegebracht om op je wonden te leggen; dat is geneeskrachtig.' Ze nam niet de moeite om uit te leggen dat ze geen flauw idee had hoe ze kon weten dat mos heilzaam was voor zijn wonden. Dat was gewoon zo'n brokje informatie dat nu en dan bij haar opkwam, uit het niets. Het ene moment had ze geen idee hoe ze iets moest doen en het volgende wist ze opeens precies hoe ze bijvoorbeeld een wond moest verzorgen. Ze wilde geloven dat Nux haar dingen influisterde, zoals de godin ook bij Zoey deed, maar dat wist ze niet zeker. 'Blijf gewoon goed boven kwaad kiezen...' mompelde ze binnensmonds terwijl ze een van de handdoeken in repen scheurde.

De Raafspotter deed zijn ogen open en keek haar vragend aan.

'O, let maar niet op mij. Ik praat tegen mezelf. Zelfs als ik niet alleen ben. Je kunt het zien als mijn eigen versie van therapie.' Ze zweeg even en ontmoette zijn blik. 'Dit gaat pijn doen. Ik bedoel, ik probeer zo voorzichtig mogelijk te doen, maar je bent behoorlijk gehavend.'

'Ga je gang,' zei hij met die van pijn vervulde fluisterstem die veel te menselijk klonk voor zo'n monsterlijk wezen.

'Oké, daar gaat-ie dan.' Stevie Rae werkte zo snel en voorzichtig mogelijk. Het gat in zijn borst zag er afschuwelijk uit. Ze spoelde de wond met water en haalde zo veel mogelijk twijgjes en vuil eromheen weg. Zijn veren maakten wat ze deed superfreaky. Daaronder lag borst en huid, maar het was gewoon te bizar voor woorden! Hij had véren, en daaronder vond ze donzige zwarte plukjes die net zo zacht aanvoelden als suikerspin van de kermis.

Ze keek vluchtig naar zijn gezicht. Zijn kop lag op het handdoekkussen. Zijn ogen waren dichtgeknepen en hij ademde met korte stootjes.

'Sorry, ik weet dat het pijn doet,' zei ze. Zijn enige reactie was gegrom, wat hem ironisch genoeg nog meer op een jongen deed lijken. Serieus – grommen was algemeen bekend als een belangrijke communicatiemethode van jongens. 'Oké, ik denk dat ik nu het mos erop kan doen.' Ze sprak meer om haar eigen zenuwen te sussen dan die van hem. Ze scheurde een stukje mos af en drukte het voorzichtig in de wond. 'Het ziet er een stuk minder ernstig uit nu het niet meer bloedt.' Ze bleef praten, hoewel hij nauwelijks reageerde. 'Ik moet je even draaien.' Stevie Rae rolde hem verder op zijn buik zodat ze de wond op zijn rug kon verzorgen. Hij drukte zijn gezicht in de handdoek en smoorde een kreun. Stevie Rae sprak snel; ze haatte dat gekwelde geluid. 'Het gat waar de kogel je rug uit kwam is groter, maar minder vuil, dus schoonmaken hoeft niet.' Ze had een groter stuk mos nodig om de exitwond te bedekken, maar ze werkte snel en had het zo voor elkaar.

Toen richtte ze haar aandacht op zijn vleugels. De linkervleugel lag stevig tegen zijn rug gedrukt en was zo te zien niet gewond. Maar zijn rechtervleugel was een ander verhaal. Die was zwaar gehavend en hing bebloed en levenloos naast zijn lichaam.

'Nou, ik denk dat het tijd is om toe te geven dat ik niet weet wat ik hiermee aan moet. Ik bedoel, de kogelwond was akelig, maar ik wist hoe ik die moest verzorgen – min of meer. Je vleugel is iets anders. Ik heb geen flauw idee hoe ik die moet oplappen.'

'Bind hem aan me vast. Met de repen doek.' Zijn stem knarste. Hij keek haar niet aan en hield zijn ogen stijf dicht.

'Weet je dat zeker? Misschien kan ik hem beter met rust laten.'

'Minder pijnlijk... als-ie is vastgebonden,' zei hij met stokkende stem.

'Nou, shit. Oké.' Stevie Rae scheurde nog een handdoek in lange repen en knoopte ze aan elkaar. 'Goed dan. Ik ga je vleugel op je rug leggen in dezelfde positie als je andere vleugel. Is dat de bedoeling?'

Hij knikte.

Ze hield haar adem in en pakte zijn vleugel op. Zijn lichaam schokte en hij hapte naar lucht. Ze liet de vleugel vallen en sprong achteruit.

'Shit! Sorry!'

Met tot spleetjes geknepen ogen keek hij naar haar op. Hijgend zei hij: 'Gewoon doen.'

Ze klemde haar kiezen op elkaar, boog zich over hem heen en terwijl ze zich afsloot voor zijn gesmoorde gekreun van pijn legde ze de zwaar gehavende vleugel in min of meer dezelfde positie als de intacte vleugel. Toen zei ze in één adem: 'Je zult jezelf even overeind moeten houden zodat ik hem vast kan binden.'

Stevie Rae voelde zijn lichaam verstrakken en toen duwde hij zichzelf overeind. Leunend op zijn linkerarm manoeuvreerde hij zich in een scheve, half zittende houding. Zijn bovenlichaam was nu ver genoeg van de vloer van de schuur om het haar mogelijk te maken de repen handdoek snel om hem heen te wikkelen en de vleugel vast te zetten.

'Oké, klaar.'

Hij zakte in elkaar. Zijn hele lichaam trilde.

'Nu ga ik je enkel omzwachtelen. Volgens mij is die ook gebroken.'

Hij knikte.

Ze scheurde nog een handdoek in repen en omwikkelde daarmee zijn verrassend menselijk ogende enkel. Toen ze op haar middelbare school Henrietta High zat, thuis van de vechtende hennen, had ze haar volleybalcoach de zwakke enkels van een van haar teamgenoten zien inzwachtelen.

Vechtende hennen? Ze had de mascotte van haar geboorteplaats altijd stom gevonden, maar op dat moment kwam hij haar als hilarisch voor, en ze moest op haar lip bijten om een hysterisch giechellachje te onderdrukken. Gelukkig had ze zichzelf snel weer onder controle en kon ze hem vragen: 'Heb je nog meer verwondingen opgelopen?'

Hij schudde zijn kop, een korte, rukkerige beweging.

'Oké, dan laat ik je verder met rust. Meer kan ik niet doen.' Toen hij instemmend knikte, ging ze naast hem op de vloer zitten en veegde haar trillende handen af aan een van de overgebleven handdoeken. Toen bleef ze gewoon naar hem zitten kijken, terwijl ze zich afvroeg wat ze nu in godsnaam moest doen. 'Ik kan je één ding vertellen,' zei ze hardop. 'Ik hoop dat ik nooit van mijn leven meer een gebroken vleugel hoef vast te binden.'

Zijn ogen gingen open, maar hij zei niets.

'Nou, het was absoluut afschuwelijk. Die vleugel doet veel meer pijn dan een gebroken arm of been, hè?'

Ze praatte omdat ze zenuwachtig was en Stevie Rae verwachtte niet dat hij zou reageren, dus ze was verbaasd toen hij zei: 'Dat klopt.'

'Ja, dat dacht ik al,' zei ze, alsof ze twee normale mensen waren die een gewoon gesprek voerden. Zijn stem was nog steeds zwak, maar hij leek makkelijker te kunnen praten, en ze vermoedde dat door het vastzetten van zijn vleugel de pijn iets draaglijker was.

'Ik heb nog wat water nodig,' zei hij.

'O, natuurlijk.' Ze pakte de schenkkan, blij dat haar handen niet meer trilden. Deze keer was hij in staat om zichzelf overeind te duwen en zijn kop achterover te kantelen. Ze hoefde alleen maar het water in zijn mond of snavel of hoe die ook mocht heten, te gieten.

Aangezien ze toch al stond, besloot Stevie Rae dat ze net zo goed de bebloede handdoekrepen kon verzamelen, en ze bedacht dat ze die niet in de schuur kon laten liggen. De reukzin van de rode halfwassen was minder goed dan die van haar, maar beter dan die van de blauwe halfwassen. Ze wilde niet het risico lopen dat ze een reden hadden om hier rond te gaan snuffelen. Ze doorzocht snel de schuur en vond extra grote zakken voor tuinafval. Daar stouwde ze de lappen in. Er waren drie ongebruikte handdoeken en ze vouwde ze open en spreidde ze over de Raafspotter uit.

'Ben jij de Rode?'

Ze schrok toen hij opeens iets zei. Zijn ogen waren dicht geweest en hij had zich zo stil gehouden terwijl ze aan het opruimen was dat ze had gedacht dat hij sliep of misschien van zijn stokje was gegaan. Nu waren die mensenogen weer open en op haar gericht.

'Ik weet niet wat ik daarop moet zeggen. Ik ben een rode vampier, als je dat bedoelt. De eerste rode vampier ooit.' Ze dacht aan Stark en zijn uitgebreide rode tatoeages, wat hem tot de tweede rode vampier maakte, en vroeg zich af waar hij in hun wereld zou passen, maar ze was echt niet van plan om de Raafspotter over hem te vertellen.

'Jij bent de Rode.'

'Nou, oké, dat zal dan wel.'

'Mijn vader zei dat de Rode over bijzondere krachten beschikt.'

'Dat klopt,' zei Stevie Rae zonder aarzeling. Toen keek ze hem aan en vroeg: 'Je vader? Bedoel je Kalona?'

'Ja.'

'Hij is weg, weet je.'

'Dat weet ik.' Hij wendde zijn blik af. 'Ik zou bij hem moeten zijn.'

'Het is niet kwaad bedoeld, maar gezien wat ik van hem weet, vind ik het prettig dat jij hier bent en hij niet. Hij is niet bepaald een aardige vent. En daar komt nog bij dat Neferet volslagen gek is geworden en dat die twee een duivels duo vormen.'

'Je praat veel,' zei hij met een van pijn vertrokken gezicht.

'Ja, dat is een gewoonte van me.' Vooral als ik zenuwachtig ben, dacht ze, maar dat zei ze er niet bij. 'Hoor eens, jij moet rusten en ik ga nu weg. Bovendien is de zon vijf minuten geleden opgegaan en dat betekent dat ik naar binnen moet. De enige reden dat ik buiten kan rondlopen is omdat de hemel zo bewolkt is.' Ze bond de afvalzak dicht, schoof de emmer met water en de schenkkan binnen zijn bereik – voor het geval hij tot reiken in staat was. 'Dus, dag. Tot kijk.' Ze draaide zich om en haastte zich naar de deur, maar zijn stem hield haar tegen.

'Wat ga je met me doen?'

'Daar ben ik nog niet uit.' Ze slaakte een zucht en ging zenuwachtig aan haar vingernagels friemelen. 'Kijk, volgens mij zit je hier minstens een dag veilig. De storm is nog steeds niet uitgeraasd en de nonnen gaan hier echt niet lopen rondneuzen. Alle halfwassen blijven tot zonsondergang binnen. Tegen die tijd weet ik hopelijk wat ik met je aan moet.'

'Ik begrijp nog steeds niet waarom je de anderen niets vertelt over mij.'

'Ja. Nou, dan kun je me de hand geven. Probeer wat te rusten. Ik kom terug.'

Haar hand lag op de deurkruk toen hij weer sprak. 'Mijn naam is Rephaim.'

Stevie Rae glimlachte over haar schouder naar hem. 'Hallo. Ik ben Stevie Rae. Aangenaam, Rephaim.'

Rephaim keek de Rode na toen ze naar buiten liep. Hij telde tot honderd nadat de deur met een klik was dichtgevallen en manoeuvreerde zijn lichaam toen in een zithouding. Nu hij weer volledig bij bewustzijn was, wilde hij de balans opmaken van zijn verwondingen.

Zijn enkel was niet gebroken. Hij kon hem bewegen, al deed dat wel pijn. Zijn ribben waren gekneusd, maar ook daar was volgens hem niets gebroken. De kogelwond in zijn borst was ernstig, maar de Rode had de wond schoongemaakt en er mos op gelegd. Als de wond niet ging ontsteken en etteren, zou die wel genezen. Hij kon zijn rechterarm bewegen, al ging dat niet makkelijk en voelde de arm onnatuurlijk stijf en zwak aan.

Ten slotte richtte hij zijn aandacht op zijn vleugel. Rephaim deed zijn ogen dicht en onderzocht zijn lichaam met zijn geest. Hij volgde pezen en ligamenten, spier en bot, door zijn rug en langs de lengte van zijn verbrijzelde slagpen. Hij hapte naar lucht, kon nauwelijks ademhalen, toen tot hem doordrong wat de volle omvang was van de schade toegebracht door de kogel gevolgd door de afschuwelijke val.

Hij zou nooit meer vliegen.

De realiteit van dat besef was zo gruwelijk dat hij de gedachte wegduwde. Hij zou aan de Rode denken en proberen zich alles te herinneren wat zijn vader hem over haar krachten had verteld. Misschien zou hij in zijn geheugen een aanwijzing vinden voor haar opmerkelijke gedrag. Waarom had ze hem niet gedood? Misschien zou ze dat alsnog doen, of zou ze op z'n minst haar vrienden vertellen dat hij in de schuur zat.

Als ze dat deed, dan was het maar zo. Het leven dat hij had gekend was voor hem voorbij. Hij zou de kans verwelkomen om met wie dan ook die probeerde hem gevangen te houden te strijden tot in de dood.

Maar hij had niet het gevoel dat ze hem gevangenzette. Hij dacht diep na, dwong zijn geest door pijn, uitputting en vertwijfeling heen te werken. *Stevie Rae.* Dat was de naam die ze had genoemd. Wat kon haar beweegreden om hem te redden anders zijn dan om hem gevangen te zetten en te gebruiken? Marteling. Ze had hem natuurlijk in leven gehouden zodat zij en haar bondgenoten hem ertoe konden dwingen om haar alles te vertellen wat hij over zijn vader wist. Welke andere reden kon ze hebben om hem niet te doden? Als hij het geluk had gehad om in haar schoenen te staan, zou hij precies hetzelfde hebben gedaan.

Ze zullen ontdekken dat de zoon van een onsterfelijke zich niet zo makkelijk laat onderwerpen, dacht hij.

Het laatste restje van Rephaims enorme kracht was nu toch echt uitgeput, en hij zakte in elkaar. Hij probeerde een houding te vinden waarin de martelende pijn die met elke hartslag door zijn lichaam trok iets draaglijker werd, maar vond die niet. Alleen tijd kon zijn fysieke pijn verlichten. Niets zou de zielsdiepe pijn van nooit meer kunnen vliegen, van nooit meer volledig zijn, kunnen verlichten.

Ze had me moeten doden, dacht hij. Misschien kan ik haar daartoe brengen als ze alleen terugkomt. En als ze terugkomt met haar bondgenoten en probeert door middel van marteling de geheimen van mijn vader aan me te ontfutselen, dan zal ik niet de enige zijn die het uitgilt van de pijn.

Vader? Waar bent u? Waarom hebt u me in de steek gelaten?

Dat was het laatste wat Rephaim dacht toen zijn concentratie verzwakte en hij eindelijk in slaap viel.

9

Zoey

'Zeg, heb je die non niet beloofd dat je naar bed zou gaan? En ik weet zeker dat ze niet bedoelde naar *zíjn* bed.' Heath gebaarde met zijn kin naar de deur van Starks kamer.

Ik keek hem met opgetrokken wenkbrauwen aan.

Hij slaakte een zucht. 'Ik zei dat ik je zo nodig met die stomme vampiers zou delen, maar ik zei niet dat ik het leuk zou vinden.'

Ik schudde mijn hoofd. 'Vannacht hoef je me met niemand te delen. Ik ga alleen even kijken hoe het met Stark gaat en dan ga ik naar mijn eigen bed. Alleen. In mijn eentje. Begrepen?'

'Begrepen.' Hij grijnsde en toen kuste hij me teder. 'Tot gauw, Zo.'

'Tot gauw, Heath.'

Ik keek hem na toen hij wegliep door de gang. Hij was lang en gespierd en helemaal de sterquarterback. Volgend jaar ging hij naar de universiteit van Oklahoma op een volledige footballbeurs en na zijn studie wilde hij of bij de politie of bij de brandweer. Eén ding was zeker: wat het ook werd, Heath zou een van de goodguys zijn.

Maar kon hij dat allemaal doen, zou hij dat allemaal doen en tegelijkertijd ook de gade van een vampier-hogepriesteres zijn?

Ja. Zeker weten. Ik ga ervoor zorgen dat Heath de toekomst krijgt waarover hij heeft gedroomd sinds we kinderen waren. Zeker, sommige dingen zullen anders zijn. We hebben geen van beiden ooit rekening gehouden met het vampiergedoe. Sommige dingen zullen moeilijk zijn, zoals, nou ja, dat vampiergedoe. Maar het punt is dat ik te veel om Heath geef om hem uit mijn leven te bannen en dat ik ook te veel om hem geef om zijn leven in het honderd te sturen. Dus zullen we er gewoon voor moeten zorgen dat het werkt. Punt uit!

'Ga je naar binnen of blijf je buiten staan stressen?'

'Godsammekrakepitte, Aphrodite! Wil je alsjeblieft nooit meer zo aan komen sluipen? Ik schrik me een hoedje!'

'Niemand sluipt, en is "godsammekrakepitte" eigenlijk een vloek? Want als dat zo is, dan vrees ik dat ik de Vloekwoordpolitie wakker moet maken om je te laten arresteren.' Darius kwam ook de kamer uit en keek haar aan met een blik die zei 'doe niet zo lelijk', en ze slaakte een zucht en zei: 'Dus, Stark is nog niet dood.'

'Jeetje, bedankt voor die update. Ik voel me opeens stukken beter,' zei ik sarcastisch.

'Doe niet zo hatelijk terwijl ik juist probeer om aardig te doen.'

Ik richtte mijn aandacht op de enige verstandige volwassene in de buurt en vroeg aan Darius: 'Heeft hij nog iets nodig?'

De krijger aarzelde, heel kort, maar toch ontging het me niet. Toen zei hij: 'Nee. Hij maakt het goed. Ik geloof dat hij volledig zal herstellen.'

'Hij maakt het dus "goed",' zei ik, met de nadruk op 'goed', terwijl ik me afvroeg wat er in werkelijkheid aan de hand was. Was Stark er ernstiger aan toe dan Darius wilde toegeven? 'Ik ga even snel bij hem kijken en dan ga ik naar bed.' Ik trok een wenkbrauw op naar Aphrodite. 'Jij en ik zijn kamergenoten. Darius deelt een kamer met Damien en Jack. Eh, dat betekent dat je níét bij hem slaapt, omdat dat aanstootgevend is voor de nonnen. Dat begrijp je toch wel, neem ik aan?'

'O. Kom op, zeg. Alsof ik jou nodig heb om me te vertellen wat wel of niet gepast is! Alsof ik me niet fatsoenlijk weet te gedragen! Vergeet je niet dat mijn ouders fatsoen voor Tulsa hebben verworven? Mijn. Pa. Is. De. Burgemeester. Niet te geloven dat ik deze shit over me heen krijg.'

Darius en ik keken elkaar met stomheid geslagen aan toen Aphrodite zo woedend tekeerging.

'Ik heb verdomme die non gehoord. Bovendien is de abdij niet echt wat je "romantisch" zou noemen. Denk je nou echt dat ik me als een wild beest in een hitsige vrijpartij zou storten terwijl de pinguïns kruisjes slaan en bidden? Jegh. Écht niet. Godin! Ik zou kunnen smelten als ik hier te lang blijf!'

Toen ze even zweeg om adem te halen, zei ik: 'Ik bedoelde niet dat je je niet fatsoenlijk weet te gedragen. Ik wilde je er alleen maar aan herinneren.'

'O ja? Bullshit. Je bent geen goede leugenaar, Z.' Ze liep naar Darius en zoende hem hard op de mond. 'Tot kijk, lover. Ik zal je missen in mijn bed.' Ze keek me vol afkeer aan. 'Wens jij vriendje nummer drie nou maar welterusten en maak dat je boven komt. Ik word niet graag wakker gemaakt nadat ik me ter ruste heb begeven in mijn boudoir.' Toen zwiepte ze met haar lange, prachtige blonde haar en liep heupwiegend weg.

'Ze is werkelijk verbluffend,' zei Darius, terwijl hij haar liefdevol nakeek.

'Als je met "verbluffend" "onuitstaanbaar" bedoelt, dan ben ik het helemaal met je eens.' Ik stak mijn hand op en hield zijn zo-erg-is-ze-helemaal-nietopmerking tegen voor hij die kon maken. 'Ik wil nu niet over je vriendinnetje praten. Het enige wat ik wil weten is hoe het echt met Stark gaat.'

'Stark is herstellende.'

Ik kon bijna het grote hiaat in de rest van zijn zin zien. Ik trok mijn wenkbrauwen op naar de krijger. 'Maar...'

'Maar, niets. Stark is herstellende.'

'Waarom heb ik het idee dat er meer achter zit?'

Darius aarzelde even en glimlachte toen ietwat schaapachtig. 'Wellicht omdat je intuïtief genoeg bent om aan te voelen dat er meer achter zit.'

'Oké, vertel op.'

'Het gaat om energie en geestkracht en bloed. Of beter gezegd, Starks behoefte en gebrek daaraan.'

Ik knipperde een paar keer met mijn ogen en probeerde te begrijpen wat Darius precies zei, en zoog lucht in toen het muntje viel. Ik voelde me een volslagen debiel dat ik het niet eerder had begrepen. 'Hij is gewond geraakt, net als ik, en hij heeft bloed nodig om te genezen, net als ik. Waarom heb je niet eerder iets gezegd? Verdorie!' Ik ratelde door terwijl mijn hersenen op hoge toeren draaiden. 'Ik wil eigenlijk niet dat hij Aphrodite bijt, maar...'

'Nee!' viel Darius me in de rede. Hij leek behoorlijk van streek bij het idee dat Stark het bloed van zijn meisje zou drinken. 'Aphrodites stempelband met Stevie Rae maakt haar bloed weerzinwekkend voor andere vampiers.'

'Wel verdraaid nog aan toe! Laten we hem dan een zak bloed geven of zo, en ik zou natuurlijk kunnen proberen een mens te vinden die hij kan bijten...' Mijn stem stierf weg. Ik haatte het idee dat Stark het bloed van een ander zou drinken. Ik bedoel, ik had al genoeg te stellen gehad met zijn buitensporige bijtgewoonten voordat hij mij zijn krijgerseed had gezworen en vervolgens was Veranderd. Ik had gehoopt dat zijn dagen van andere meisjes bijten achter hem lagen. Dat hoopte ik nog steeds! Maar ik zou niet zo egoïstisch zijn om mijn gevoelens te laten verhinderden dat hij kreeg wat hij nodig had om te herstellen.

'Ik heb hem al wat bloed gegeven dat de zusters in de infirmerie in de koelkast hadden liggen. Hij verkeert niet in levensgevaar. Hij zal herstellen.'

'Maar?' Het irriteerde me mateloos dat Darius' zinnen aan het eind allemaal een groot hiaat leken te hebben.

'Maar wanneer een krijger trouw heeft gezworen aan een hogepriesteres, is er sprake van een bijzondere band tussen hen.'

'Ja, dat weet ik.'

'Die band is meer dan alleen een eed. Sinds het verre verleden heeft Nux altijd haar hogepriesteressen en de krijgers die hen dienen gezegend. Jullie tweeën zijn verbonden door de zegen van de godin. Dat verschaft hem intuïtieve kennis over jou, wat het hem makkelijker maakt om je te beschermen.'

'Intuïtieve kennis? Je bedoelt zoals bij een stempelband?' *Godin! Wilde dat zeggen dat ik een stempelband had met twee jongens?*

'Een stempelband en een krijgerseed vertonen overeenkomsten.

Beide verbinden twee personen met elkaar. Maar een stempelband is een primitievere verbindingsvorm.'

'Primitiever? Wat bedoel je?'

'Ik bedoel dat hoewel een stempelband dikwijls ontstaat tussen een vampier en een mens voor wie ze diepe gevoelens koestert, het een band is die voortkomt uit het bloed en wordt beheerst door onze primitiefste gevoelens: hartstocht, zinnelijke lust, behoefte, honger, pijn.' Hij aarzelde en deed duidelijk zijn best om zijn woorden voorzichtig te kiezen. 'Daarvan heb je vast wel het een en ander ervaren met je gade, is het niet?'

Ik knikte stijfjes, en mijn wangen gloeiden.

'Vergelijk die band met de door een eed ontstane band die je met Stark hebt.'

'Nou, die heb ik nog niet erg lang en ik kan er eigenlijk nog niet veel over zeggen.' Maar terwijl ik het zei, besefte ik dat ik al wist dat de band die ik met Stark had verder ging dan alleen maar zijn bloed willen drinken. Eerlijk gezegd had ik nog niet eens echt gedacht aan zijn bloed drinken – of hij dat van mij wat dat aangaat.

'Naarmate je krijger je langer dient, zul je meer gaan begrijpen over je band met hem. Je link met je krijger betekent dat hij het vermogen kan ontwikkelen om veel van je gevoelens te bespeuren. Als een hogepriesteres bijvoorbeeld bedreigd wordt, kan de krijger die haar trouw heeft gezworen haar angst voelen en dat emotionele spoor volgen naar zijn priesteres opdat hij haar kan beschermen tegen dat wat haar bedreigt.'

'Dat... Dat wist ik niet,' stamelde ik zenuwachtig.

Darius' glimlach was licht ironisch. 'Ik klink niet graag als Damien, maar je zou echt de tijd moeten nemen om je *Handboek voor halfwassen* door te lezen.'

'Ja, dat staat boven aan mijn actielijst, zodra mijn wereld ophoudt uiteen te barsten. Oké, dus Stark kan het misschien voelen als ik bang ben. Wat heeft dat te maken met het feit dat hij gewond is?'

'Jullie band is niet zo simpel dat het alleen maar een kwestie is van dat hij je angst aanvoelt. Energie en geestkracht spelen ook een rol. Je krijger zal op den duur mogelijk veel van je sterke emoties kunnen voelen, vooral wanneer hij steeds meer tijd in je dienst doorbrengt.'

De herinnering aan de bijzonder emotionele ervaring die ik met A-ya had gedeeld toen ze Kalona in de val had gelokt, deed mijn maag verkrampen bij Darius' uitleg. 'Ga verder,' zei ik.

'Een krijger kan de gevoelens van zijn priesteres absorberen. Hij kan ook geestkracht van haar absorberen, vooral wanneer zijn priesteres een krachtige affiniteit heeft. Hij kan dikwijls van die affiniteit gebruikmaken.'

'Wat betekent dat in hemelsnaam, Darius?'

'Dat betekent dat hij letterlijk energie kan absorberen via je bloed.'

'Bedoel je dat Stark míj moet bijten?' Oké, ik moet toegeven dat mijn hartslag versnelde bij dat idee. Serieus, ik voelde me al enorm tot Stark aangetrokken en ik wist dat bloed met hem delen een zinderende ervaring zou zijn.

Het zou ook Heath' hart breken, en stel dat Stark door mijn bloed te drinken toegang kreeg tot mijn hoofd en hij zag wat er gebeurde in mijn herinneringen aan A-ya? Shit! Shit! Shit! Shit! Shit! Shit! Toen bedacht ik iets. 'Zeg, wacht eens even. Je zei dat Stark Aphrodite niet kon bijten omdat ze een stempelband met een ander heeft en andere vampiers haar bloed niet lusten. Ik heb een stempelband met Heath. Maakt dat mijn bloed niet smerig voor Stark?'

Darius schudde zijn hoofd. 'Nee, de stempelband verandert alleen het bloed van de mens.'

'Dus dat van mij kan Stark helpen?'

'Ja, jouw bloed zou zijn herstel beslist bevorderen, en dat weet hij. Vandaar dat ik de tijd neem om alles aan je uit te leggen.' Darius sprak gewoon verder alsof ik niet onder zijn neus werd overvallen door een kleine emotionele inzinking. 'En je moet ook weten dat hij weigert jouw bloed te drinken.'

'Wát? Weigert hij mijn bloed te drinken?' Oké, ik weet het, een seconde eerder had ik me zorgen gemaakt over wat er zou gebeuren als Stark me beet, maar dat betekende niet dat ik door hem afgewezen wilde worden!

'Hij weet dat je nog maar net bent hersteld van de aanval van die Raafspotter. Het wezen heeft je bijna gedood, Zoey. Stark wil je niets afnemen waardoor je zou kunnen verzwakken. Als hij jouw bloed drinkt, absorbeert hij niet alleen je bloed, maar ook een deel van je energie en geestkracht. Aangezien niemand weet waar Kalona en Neferet zijn, weten we ook niet wanneer je misschien weer tegenover hen staat. Ik ben het eens met zijn beslissing om te weigeren jouw bloed te drinken. Je hebt al je kracht hard nodig.'

'Dat geldt ook voor mijn krijger,' zei ik.

Darius slaakte een zucht en knikte langzaam. 'Dat klopt, maar hij is vervangbaar. Jij niet.'

'Hij is niet vervangbaar!' zei ik fel.

'Het klinkt misschien gevoelloos, maar je moet verstandig zijn... in ál je beslissingen.'

'Stark is niet vervangbaar,' herhaalde ik koppig.

'Zoals je wilt, priesteres.' Hij boog licht zijn hoofd en ging toen abrupt op een ander onderwerp over. 'Nu je de reikwijdte van een krijgerseed begrijpt, verzoek ik om toestemming om mezelf op mijn erewoord te verbinden.'

Ik slikte krampachtig. 'Nou, Darius, ik mag je erg graag en je zorgt erg goed voor me, maar ik zou me er een beetje ongemakkelijk bij voelen om twee jongens te hebben die me dienen.' Alsof ik nog niet genoeg jongensproblemen had!

Darius glimlachte vluchtig. Hij schudde zijn hoofd en ik kreeg sterk het gevoel dat hij zijn best deed om niet in lachen uit te barsten. 'Je begrijpt me verkeerd. Ik blijf bij je en zal degenen die je bewaken leiden, maar ik wil mijn krijgerseed aan Aphrodite zweren. Daarvoor vraag ik je toestemming.'

'Wil je je aan Aphrodite binden?'

'Ja. Ik weet dat het ongewoon is voor een vampier-krijger om de eed aan een mens te zweren, maar Aphrodite is geen gewoon mens.'

'Vertel mij wat,' mompelde ik.

Hij sprak verder alsof ik niets had gezegd. 'Ze is een ware profetes, wat haar in dezelfde categorie plaatst als een hogepriesteres van Nux.'

'Zal het feit dat ze een stempelband met Stevie Rae heeft je krijgerseed niet nadelig beïnvloeden?'

Darius haalde zijn schouders op. 'We zullen wel zien. Ik ben bereid om het risico te nemen.'

'Je houdt van haar, hè?'

Hij keek me met een vaste blik aan en zijn glimlach werd warmer. 'Ja.'

'Ze is nu en dan ongelooflijk onuitstaanbaar.'

'Ze is uniek,' zei hij. 'En ze heeft mijn bescherming nodig, vooral in de komende dagen.'

'Nou, daar zit wat in.' Ik haalde mijn schouders. 'Oké, mijn toestemming heb je. Maar zeg nooit dat ik je niet heb gewaarschuwd voor dat onuitstaanbare trekje van haar.'

'Dat zou niet bij me opkomen. Bedankt, priesteres. Zeg alsjeblieft niets tegen Aphrodite. Ik wil haar mijn aanbod graag onder vier ogen doen.'

'Ik zal er niks over zeggen.' Ik deed net of ik mijn mond op slot deed en de sleutel weggooide.

'Dan wens ik je nu goedenacht.' Hij legde zijn gebalde vuist op zijn hart, maakte een buiging en vertrok.

10

Zoey

Ik bleef nog even in de gang staan en probeerde orde aan te brengen in de chaos van gedachten in mijn hoofd.

Wauw! Darius ging Aphrodite vragen om zijn krijgerseed te aanvaarden. Jeetje. Een vampier-krijger en een menselijke profetes van de godin. Huh. Hoe bestaat het!

Niet minder bizar was het feit dat Stark mijn emoties kon voelen als die sterk genoeg waren. Nou, ik had een erg sterk gevoel dat dat bijzonder lastig zou worden. En toen besefte ik dat ik sterke gevoelens had over sterke gevoelens hebben en probeerde ik mijn gevoelens de kop in te drukken, waardoor ik zo gestrest raakte dat hij dat waarschijnlijk kon voelen. Het zat er dik in dat ik mezelf compleet gek zou maken.

Ik onderdrukte een zucht en deed zachtjes de deur open. Het enige licht kwam van een grote gebedskaars, het soort dat je in kruidenierswinkels ziet met vreselijk rare religieuze afbeeldingen erop. Dit exemplaar was niet zo raar. Hij was roze met een mooie afbeelding van Maria erop, en hij geurde naar rozen.

Ik liep op mijn tenen naar Starks bed.

Hij zag er niet goed uit, maar toch minder bleek en akelig dan nog niet zo lang geleden. Hij leek te slapen; zijn ogen waren dicht, zijn ademhaling was regelmatig en hij lag er ontspannen bij. Hij had geen shirt aan en het ziekenhuislaken was opgetrokken tot onder zijn oksels, zodat ik alleen de witte bovenkant zag van wat waarschijnlijk een groot verband op zijn borst was. Ik herinnerde me hoe afschuwelijk die brandwond eruit had gezien en vroeg me af of ik ondanks de mogelijke gevolgen een snee in mijn arm moest maken, zoals Heath voor mij had gedaan, en die dan tegen zijn mond moest drukken. Hij zou zich er waarschijnlijk onmiddellijk op vastzuigen en zonder erbij na te denken drinken wat hij nodig had om te genezen. Maar zou hij niet kwaad worden als hij besefte wat ik had gedaan? Welhaast zeker. En van Heath en Erik wist ik het heel zeker.

Shit. Erik. Daar had ik nog een appeltje mee te schillen.

'Hou op met dat gestreste gedoe.'

Ik schrok, en mijn blik ging onmiddellijk naar Starks gezicht. Zijn ogen waren niet meer dicht. Hij lag me aan te kijken met een uitdrukking op zijn gezicht die het midden hield tussen geamuseerd en sarcastisch.

'Hou op met psychisch afluisteren.'

'Dat deed ik niet. Ik zag dat je op je lip stond te kauwen en daardoor wist ik dat je zenuwachtig was. Ik veronderstel dat Darius met je heeft gesproken.'

'Ja. Wist jij wat er allemaal vastzat aan het zweren van een krijgerseed voordat je dat deed?'

'Ja, grotendeels. Ik bedoel, ik had er op school over gelezen, en we hebben het het afgelopen jaar bij vampiersociologie behandeld. Maar het is anders om het zelf te ervaren.'

'Kun je echt voelen wat ik voel?' vroeg ik aarzelend, bijna even bang om de waarheid te weten als om die niet te weten.

'Dat begint te komen, maar het is niet zo dat ik je gedachten kan horen of zoiets raars. Ik voel soms dingen en dan weet ik dat ze niet van mij af komen. Ik sloeg er in het begin geen acht op, maar toen ik besefte wat het was, ging ik er meer op letten.' Hij glimlachte.

'Stark, ik moet zeggen dat het me het gevoel geeft dat ik word bespioneerd.'

Zijn gezicht werd op slag ernstig. 'Ik bespioneer je niet. Ik achtervolg je niet met mijn geest. Ik ga echt geen inbreuk maken op je privacy. Ik ga je beschermen. Ik dacht dat je...' Hij zweeg en wendde zijn gezicht af. 'Laat maar. Het doet er niet toe. Je zou moeten weten dat ik wat er tussen ons is niet ga gebruiken om je mentaal te stalken.'

'Je dacht dat ik wat? Maak je zin af.'

Hij slaakte een geërgerde zucht en keek me weer aan. 'Wat ik begon te zeggen is dat ik dacht dat je me meer vertrouwde. Dat is een van de redenen dat ik besloot om je mijn eed te geven, omdat jij me vertrouwde toen verder niemand dat deed.'

'Ik vertrouw je echt wel,' zei ik vlug.

'Terwijl je denkt dat ik je zou bespioneren? Vertrouwen en bespioneren gaan niet samen.'

Nu hij het zo stelde, kon ik niet anders dan hem gelijk geven, en een deel van mijn aanvankelijke benauwdheid verdween. 'Ik geloof niet dat je het met opzet zou doen, maar als mijn gevoelens tegen je kwekken, of wat ze ook doen, dan zou het voor jou erg makkelijk zijn om, nou...' Mijn stem stierf weg en ik stond een beetje onrustig te draaien; ik voelde me erg onbehaaglijk bij het gesprek.

'Je te bespioneren?' maakte hij mijn zin voor me af. 'Nee, dat gebeurt echt niet. Wat vind je van het volgende: ik zal aandacht schenken aan het gevoel dat ik van je doorkrijg als je bang bent. Verder zal ik je gevoelens negeren.'

Hij keek me in de ogen en ik zag zijn gekwetstheid. Shit! Ik had hem echt niet willen kwetsen.

'Zou je álles negeren wat ik voel?' vroeg ik zacht.

Hij knikte en de beweging deed zijn gezicht vertrekken van de pijn, maar zijn stem klonk vast toen hij antwoordde. 'Alles behalve wat ik moet weten om je te beschermen.'

Zonder iets te zeggen stak ik langzaam mijn hand uit en pakte die van hem.

Hij trok zijn hand niet los, maar zei niets.

'Hoor eens, ik ben dit gesprek verkeerd begonnen. Ik vertrouw je echt. Ik was gewoon onthutst over wat Darius me vertelde over dat mentale gedoe.'

'Onthutst?' Starks lippen krulden op.

'Oké, misschien kan ik beter zeggen dat ik me wild ben geschrokken. Maar er spelen gewoon een heleboel dingen en daardoor ben ik een beetje gespannen.'

'Laat dat "een beetje" maar weg,' zei hij. 'En bedoel je met "een heleboel dingen" die twee jongens, Heath en Erik?'

Ik slaakte een zucht. 'Helaas wel.'

Hij verstrengelde zijn vingers met die van mij. 'Die andere jongens veranderen niks. Mijn eed bindt ons.'

Heel even klonk hij precies als Heath en ik moest mezelf dwingen om niet weer ongemakkelijk te gaan staan draaien.

'Ik wil nu echt niet met jou over hen praten.' Eigenlijk nóóit, dacht ik, maar dat zei ik er niet bij.

'Begrepen,' zei hij. 'Ik heb nu ook geen zin om over die onruststokers te praten.' Hij trok aan mijn hand. 'Waarom kom je niet even bij me zitten?'

Ik ging voorzichtig op de rand van het bed zitten; ik wilde niet tegen hem aan stoten en hem pijn doen.

'Ik zal echt niet breken,' zei hij met zijn brutale grijns.

'Je was bijna onherstelbaar gebroken,' zei ik.

'Welnee; jij hebt me gered. En het komt weer helemaal goed met me.'

'Heb je erg veel pijn?'

'Ik heb me wel eens beter gevoeld,' zei hij. 'Maar dat zalfje dat de nonnen aan Darius hebben gegeven om op de brandwond te smeren, helpt. Mijn borst voelt erg strak, maar voor de rest min of meer verdoofd.' Maar zelfs terwijl hij sprak schoof hij onrustig heen en weer alsof hij geen prettige houding kon vinden. 'Hoe staan de zaken er buiten voor?' Hij ging abrupt op een ander onderwerp over voordat ik hem meer kon vragen over hoe hij zich voelde. 'Zijn alle Raafspotters met Kalona vertrokken?'

'Ik geloof van wel. Stevie Rae en de jongens hebben drie dode exemplaren gevonden.' Ik zweeg even en dacht aan Stevie Raes vreemde reactie toen Dallas haar vertelde dat ze de lichamen in de afvalcontainer hadden gestopt.

'Wat is er?' vroeg Stark.

'Dat weet ik niet precies,' antwoordde ik naar waarheid. 'Er zijn dingen met Stevie Rae die me dwarszitten.'

'Zoals?' vroeg hij.

Ik keek neer op onze verstrengelde handen. Hoeveel kon ik

hem vertellen? Kon ik echt met hem praten?

'Ik ben je krijger. Je kunt me vertrouwen met je leven. Dat betekent dat je me ook kunt vertrouwen met je geheimen.' Ik keek hem in de ogen en hij vervolgde met een lieve glimlach: 'We zijn door een eed met elkaar verbonden. Dat is een sterkere band dan de band tussen personen met een stempelband of zelfs tussen levenspartners. Ik zal jou nooit verraden, Zoey. Helemaal nooit. Je kunt altijd op me rekenen.'

Heel even wilde ik hem vertellen over mijn herinnering aan A-ya, maar in plaats daarvan gooide ik eruit: 'Ik geloof dat Stevie Rae rode halfwassen verbergt. Slechte rode halfwassen.'

Zijn glimlach vervloog en hij probeerde te gaan zitten, maar hij zoog scherp zijn adem in en werd zo wit als een doek.

'Nee! Je mag niet overeind komen!' Ik drukte zacht tegen zijn schouders.

'Je moet het Darius vertellen,' zei Stark tussen opeengeklemde tanden door.

'Eerst moet ik met Stevie Rae praten.'

'Ik geloof niet dat dat...'

'Serieus! Ik moet eerst met Stevie Rae praten.' Ik pakte zijn hand weer vast en probeerde het hem met mijn aanraking te doen begrijpen. 'Ze is mijn beste vriendin.'

'Vertrouw je haar?'

'Ik wil haar vertrouwen. Ik heb haar vertrouwd.' Ik liet verslagen mijn schouders hangen. 'Maar als ze me niet de hele waarheid vertelt als ik met haar praat, ga ik naar Darius.'

'Ik moet verdomme dit bed uit zodat ik me ervan kan vergewissen dat je niet door vijanden omringd bent!'

'Ik ben niet omringd door vijanden! Stevie Rae is niet mijn vijand.' Inwendig bad ik tot Nux dat ik daarin gelijk had. 'Hoor eens, ik heb vroeger ook dingen voor mijn vrienden verborgen gehouden... erge dingen.' Ik keek hem met een opgetrokken wenkbrauw aan. 'Ik heb jóú voor mijn vrienden verborgen gehouden.'

Hij grijnsde. 'Nou, dat is heel iets anders.'

Ik bleef ernstig. 'Nee, dat is precies hetzelfde.'

'Oké, ik begrijp wat je bedoelt, maar ik vind het niet oké. Ik kan je zeker niet overhalen om Stevie Rae hiernaartoe te brengen om met haar te praten?'

Ik fronste mijn voorhoofd naar hem. 'Nee, weinig kans.'

'Beloof me dan dat je voorzichtig zult doen en dat je niet in je eentje met haar ergens heen gaat om te praten.'

'Zij zou me nooit iets aandoen!'

'Ik ga er eigenlijk van uit dat ze jou niets kán aandoen gezien het feit dat jij vijf elementen te hulp kunt roepen en zij maar één. Maar je weet niet over wat voor krachten die slechte halfwassen die ze verbergt beschikken, of hoeveel dat er zijn. En ik weet het een en ander over een rotzak van een rode halfwas zijn. Dus beloof me dat je voorzichtig doet.'

'Ja, oké, dat beloof ik.'

'Goed.' Hij ontspande zich een beetje.

'Hé, ik wil niet dat je je zorgen maakt over mij. Je moet je concentreren op beter worden.' Ik ademde een keer diep in en uit en zei: 'Het lijkt me een goed idee als je mijn bloed drinkt.'

'Nee.'

'Hoor eens, je wilt in staat zijn om me te beschermen, waar of niet?'

'Waar,' zei hij met een gespannen knikje.

'Dat betekent dat je snel beter moet worden. Waar of niet?'

'Ja.'

'En dat gaat sneller als je mijn bloed drinkt, dus is het alleen maar logisch dat je dat doet.'

'Heb je de laatste tijd wel eens in een spiegel gekeken?' vroeg hij abrupt.

'Huh?'

'Heb je enig idee hoe moe je eruitziet?'

Ik voelde mijn wangen warm worden. 'Ik heb de laatste tijd echt geen gelegenheid gehad om me druk te maken over dingen als make-up en mijn haar en zo,' zei ik verdedigend.

'Ik heb het niet over make-up of haar. Ik heb het over hoe wit je ziet. Je hebt donkere kringen onder je ogen.' Zijn blik gleed naar de plek waar mijn shirt het lange litteken bedekte. 'Hoe gaat het met je snijwond?'

'Goed.' Met mijn vrije hand trok ik de hals van mijn shirt omhoog, hoewel ik wist dat er van mijn litteken niets te zien was.

'Hé,' zei hij zacht. 'Ik heb het al gezien, weet je nog?'

Ik ontmoette zijn ogen. Ja, ik wist het nog. Hij had niet alleen mijn litteken gezien, maar mijn hele lichaam. Naakt. Oké, nu ging mijn hele gezicht gloeien.

'Dat zeg ik niet om je in verlegenheid te brengen. Ik wil je er alleen aan herinneren dat ook jij pasgeleden op sterven na dood bent geweest. Je moet sterk en gezond voor ons zijn, Zoey. Voor míj. En daarom drink ik nu geen bloed van je.'

'Maar jij moet ook sterk en gezond voor mij zijn.'

'Dat komt goed. Hé, maak je over mij maar niet ongerust. Ik ben kennelijk zogoed als onmogelijk te doden.' Hij lachte zijn leuke, brutale lachje.

'Denk aan mijn stressniveau. Zogoed als onmogelijk is niet hetzelfde als onmogelijk.'

'Ik zal proberen om dat in gedachten te houden.' Hij trok aan mijn hand. 'Kom even naast me liggen. Ik vind het fijn om je dicht bij me te hebben.'

'Weet je zeker dat ik je geen pijn zal doen?'

'Ik weet bijna zeker dat je me pijn zult doen.' Hij glimlachte, waardoor hij zijn woorden iets plagerigs meegaf. 'Maar toch wil ik je dicht bij me hebben. Kom hier.'

Ik liet me door hem omlaag trekken tot ik naast hem lag. Ik ging op mijn zij liggen, met mijn gezicht naar hem toe en legde mijn hoofd voorzichtig tegen zijn schouder. Hij sloeg een arm om me heen en trok me dichter tegen zich aan. 'Ik zei toch dat ik niet zal breken. Ontspan je nu maar.'

Ik slaakte een zucht en voelde mijn spanning afnemen. Ik sloeg mijn arm om hem heen, heel voorzichtig en zonder zijn borst aan te raken. Stark deed zijn ogen dicht en ik zag zijn gezicht van gespannen en bleek naar ontspannen en bleek gaan terwijl zijn ademhaling dieper werd. Ik zweer dat hij binnen een minuut vast in slaap was.

Dat was precies wat ik had gewild om te kunnen doen wat ik had besloten. Ik ademde drie keer diep in en uit, concentreerde me en fluisterde: 'Geest, kom tot mij.'

Ik voelde onmiddellijk het vertrouwde gefladder in mijn buik, alsof ik zojuist iets onvoorstelbaar magisch had beleefd, terwijl mijn ziel reageerde op de komst van het vijfde element: geest.

'Ga nu naar Stark, rustig, heel voorzichtig. Help hem. Vervul hem. Versterk hem, maar maak hem niet wakker.' Ik sprak heel zacht en duimde inwendig dat hij door zou slapen. Toen geest me verliet, voelde ik Starks lichaam even verstrakken. Toen huiverde hij en slaakte hij een diepe, slaperige zucht, terwijl geest hem troostte en hopelijk versterkte. Ik bleef nog even naar hem liggen kijken en gleed toen voorzichtig onder Starks arm vandaan. Na geest fluisterend te hebben gevraagd om bij Stark te blijven terwijl hij sliep, liep ik op mijn tenen de kamer uit en deed de deur voorzichtig achter me dicht.

Ik had nog maar een paar stappen gedaan toen ik besefte dat ik geen flauw idee had waar ik naartoe moest. Ik bleef staan en voelde mijn schouders omlaag zakken. Een non, die met neergeslagen ogen en snelle passen door de gang liep, schrok toen ze bijna tegen me op liep. We keken elkaar aan.

'Zuster Bianca?' Ik meende haar te herkennen.

'O, Zoey, ja, ik ben het. Het is zo donker in de gang dat ik je bijna niet zag.'

'Zuster, ik ben verdwaald. Kunt u me de weg wijzen naar mijn kamer?'

Ze glimlachte vriendelijk en deed me denken aan zuster Mary Angela, hoewel ze veel jonger was. 'Volg deze gang tot je bij de trap komt. De kamer die je met Aphrodite deelt ligt op de bovenste verdieping. Kamer nummer dertien, als ik het wel heb.'

'Het ongeluksgetal,' zei ik met een zucht. 'Dat had ik kunnen weten.'

'Geloof jij dan niet dat we ons eigen geluk maken?'

Ik haalde mijn schouders op. 'Eerlijk gezegd ben ik veel te moe om te weten wat ik geloof, zuster.'

Ze klopte zachtjes op mijn arm. 'Ga dan maar snel naar bed. Ik zal voor je bidden tot Onze-Lieve-Vrouwe. Haar bemoeienis is te allen tijde meer waard dan geluk.'

'Dank u.'

Ik liep in de richting van de trap. Tegen de tijd dat ik de bovenste verdieping had bereikt hijgde ik als een oude vrouw, en het litteken op mijn borst brandde en klopte op de maat van mijn versnelde hartslag. Ik opende de deur, liep de gang in en leunde tegen de muur om op adem te komen. Ik wreef afwezig over mijn borst en kromp ineen omdat het litteken nog erg veel pijn deed. Ik trok de hals van mijn shirt naar beneden en hoopte dat die stomme wond niet weer open was gegaan. Mijn adem stokte toen ik de nieuwe tatoeage zag die aan weerszijden van de opgezette rode streep liep.

'Dat was ik helemaal vergeten,' fluisterde ik tegen mezelf.

'Wat prachtig!'

Met een gilletje van schrik liet ik de voorkant van mijn shirt los en sprong zo plotseling achteruit dat mijn hoofd tegen de muur sloeg.

'Erik!'

11

Zoey

'Ik dacht dat je wist dat ik hier was. Ik probeerde me echt niet te verstoppen.' Erik zat op de grond naast een deur met daarop een koperen bordje met nummer dertien. Hij stond op en kwam met zijn kenmerkende knappefilmsterglimlach naar me toe slenteren. 'Verdomme, Z, ik zit al een eeuwigheid op je te wachten.' Hij boog zich over me heen en voordat ik iets kon zeggen, plantte hij een vette zoen op mijn mond.

Ik duwde tegen zijn borst en deed een stap opzij toen hij me probeerde te omhelzen.

'Erik, ik ben niet in de stemming om te zoenen.'

Een van zijn donkere wenkbrauwen ging omhoog. 'O? Heb je dat ook tegen Heath gezegd?'

'Ik ga daar nu écht niet op in.'

'Wanneer dan wel? De volgende keer dat ik moet toekijken terwijl je het bloed van je menselijke vriendje drinkt?'

'Weet je wat? Je hebt gelijk. Laten we het er nu maar over hebben.' Ik voelde mezelf steeds kwader worden, en dat kwam niet alleen door het feit dat ik doodmoe en gestrest was en dat Erik zo volslagen ongevoelig deed. Ik had mijn buik vol van Eriks bezitterigheid. Punt. 'Heath en ik hebben een stempelband. Dat kun je accepteren of niet. En dit is het enige gesprek dat we ooit daarover gaan hebben.'

Ik zag woede in hem oplaaien, maar tot mijn verbazing wist hij zich te beheersen. Zijn schouders zakten in en hij slaakte een diepe zucht, die uitliep in een soort half lachje. 'Je klinkt echt als een hogepriesteres.'

'Nou, zo voel ik me niet.'

'Hé, sorry.' Hij streek een lok haar uit mijn gezicht. 'Nux heeft je nieuwe tatoeages gegeven, hè?'

'Ja.' Bijna automatisch vloog mijn hand beschermend naar de hals van mijn shirt en ik leunde tegen de muur zodat ik net buiten zijn bereik was. 'Dat gebeurde toen Kalona werd verjaagd.'

'Mag ik ze even zien?'

Zijn stem was diep en verleidelijk, de perfectevriendjestoon. Maar voordat hij dichterbij kon komen met het idee dat ik het toe zou laten dat hij door de hals van mijn shirt naar mijn borst keek, stak ik mijn hand op als een stopteken.

'Niet nu. Ik ben doodmoe en ga naar bed, Erik.'

Hij bleef staan en kneep zijn ogen tot spleetjes. 'Hoe gaat het eigenlijk met Stark?'

'Hij is gewond. Ernstig. Maar Darius zegt dat hij zal herstellen.' Ik bleef op mijn hoede. Door zijn houding voelde ik me in de verdediging gedrongen.

'Je komt net bij hem vandaan, hè?'

'Ja.'

Hevig gefrustreerd haalde hij zijn hand door zijn dikke, donkere haar. 'Het is gewoon te veel.'

'Huh?'

Hij spreidde zijn armen in een in mijn ogen ingestudeerd dramatisch gebaar. 'Al die andere jongens! Ik moet Heath dulden omdat hij je gade is, en terwijl ik mijn best doe om me daarbij neer te leggen, verschijnt die andere jongen op het toneel, die Stárk.' Erik sprak de naam honend uit.

'Erik, ik...'

Hij deed net of hij me niet hoorde en ging gewoon door. 'Ja, je gezworen krijger. Ik weet wat dat betekent! Hij zal geen moment van je zijde wijken.'

'Erik...' Ik deed weer een poging om iets te zeggen, maar hij gaf me geen kans.

'Ik zal hém dus ook moeten dulden. En alsof dat nog niet erg genoeg is, is het overduidelijk dat er iets speelt tussen jou en Kalona!

Kom op, zeg! Iedereen heeft gezien hoe die vent naar je kijkt.' Hij lachte spottend. 'Dat doet me erg aan Blake denken.'

'Genoeg.' Ik sprak het woord zacht uit, maar de woede en ergernis die zich in mijn binnenste hadden opgebouwd barstten uit door zijn sarcastische opmerking over Kalona, en geest, die ik zo kort geleden had opgeroepen, vulde het woord met een kracht die Erik met grote ogen een stap achteruit deed doen. 'Laat ik je maar meteen vertellen waar het op staat,' zei ik. 'Je hóéft geen anderen te dulden omdat jij en ik vanaf dit moment niet meer bij elkaar zijn.'

'Hé, ik...'

'Nee! Nu ben ik aan het woord. Het is afgelopen, Erik. Je bent veel te bezitterig, en zelfs als ik niet doodmoe was en zo veel dingen aan mijn hoofd had dat ik het gevoel heb dat het elk moment uit elkaar kan spatten – twee dingen die jou kennelijk koud laten – zou ik dat gezeik van jou niet tolereren.'

'Denk je dat je me gewoon aan de kant kunt schuiven na alle ellende die je me hebt bezorgd?'

'Nee.' Ik voelde geest om me heen wervelen, en ik stopte de energie in mijn volgende woorden toen ik een stap naar voren deed en hij een stap achteruitging. 'Ik dénk niets. Ik wéét dat het is zoals ik zeg. Ik ben helemaal klaar met je. Het is afgelopen tussen ons. Nu moet je weggaan voordat ik iets doe waar ik over een jaar of vijftig misschien spijt van krijg.' Ik duwde hard met de kracht van het element dat door me heen stroomde, en hij wankelde.

Alle kleur was uit zijn gezicht getrokken. 'Wat is er in godsnaam met je gebeurd? Je was vroeger zo lief. Nu ben je een freak! En ik ben het spuugzat dat je me bedriegt met iedereen die een pik heeft. Je hoort bij Stark en Heath en Kalona. Je verdient ze!' Hij beende woedend langs me heen en gooide de deur van het trappenhuis met een klap achter zich dicht.

Net zo woedend marcheerde ik naar kamer nummer dertien en gooide de deur open.

En Aphrodite viel bijna naar buiten.

'Oeps,' zei ze, terwijl ze haar vingers door haar altijd perfect zittende haar haalde. 'Ik... eh...'

'"Stond mijn heftige uitmaakscène met Erik af te luisteren"?' maakte ik de zin voor haar af.

'Ja, dat zal het zijn. En mag ik zeggen dat ik je geen ongelijk geef? Over een klootviool gesproken. Bovendien bedrieg je hem niet met iedereen die een pik heeft. Jij en Darius zijn gewoon vrienden. En dan heb je natuurlijk ook Damien en Jack... nou, die tellen eigenlijk niet mee, aangezien ze zelf zo dol op een pik zijn. Maar het was evengoed zwaar overdreven.'

'Als het je bedoeling is dat ik me hierdoor beter ga voelen, dan werkt het niet echt.' Ik plofte op het bed neer dat nog niet was gebruikt.

'Sorry. Ik ben niet erg goed in "iemand zich beter laten voelen".'

'Je hebt dus alles gehoord?'

'Ja.'

'Ook dat over Kalona?'

'Ja, en ik maak hem nogmaals uit voor klootviool.'

'Aphrodite, wat is in godsnaam een klootviool?'

Ze rolde overdreven met haar ogen naar me. 'Érik is een klootviool, malloot. Hoe dan ook, wat ik probeerde te zeggen voordat je me in de rede viel: het was zeker niet cool dat hij Kalona ter sprake bracht. Hij had al meer dan genoeg grond voor zijn idiote jaloerse onzekerheid door Heath en Stark. Het was echt niet nodig geweest om die gevleugelde freak erbij te halen.'

'Ik ben níét verliefd op hem.'

'Natuurlijk niet. Je bent Erik ontgroeid. Ik stel voor dat je nu je bed in duikt. Godin weet dat ik het niet graag zeg, maar je ziet er belabberd uit.'

'Bedankt, Aphrodite. Het doet me echt goed om te horen dat ik er net zo belabberd uitzie als ik me voel,' zei ik sarcastisch, zonder haar erop te wijzen dat ik niet Erik maar Kalona had bedoeld toen ik zei dat ik niet verliefd op hem was.

'Geen dank, hoor. Ik ben altijd blij als ik je kan helpen.'

Ik zocht naar een sarcastisch weerwoord toen het opeens tot me doordrong wat ze aanhad en ik onverwachts een lach voelde opborrelen. Aphrodite, de modekoningin, droeg een lang, witkatoenen nachthemd, dat haar van haar hals tot aan haar enkels bedekte. Alsof ze tot de amish was bekeerd. 'Eh, wat is dat beeldschone gevalletje dat je aanhebt?'

'Hou alsjeblieft op. Dit verstaan de pinguïns onder nachtkleding. Ik kan het bijna begrijpen. Ik bedoel, ze leggen die idiote kuisheidsgelofte af, en als dit is wat ze in bed dragen, is die gelofte zogoed als onnodig. Serieus. In dit geval zie ík er zelfs bijna onaantrekkelijk uit.'

'Bijna?' zei ik giechelend.

'Ja, wijsneus, bijna. En voordat je al te vrolijk wordt, kijk daar eens. Dat opgevouwen geval op het voeteneinde van je bed is geen extra laken. Het is een designernonnenslaapjapon, helemaal voor jou alleen.'

'O, nou, hij ziet er in elk geval comfortabel uit.'

'Comfortabel is voor moederskindjes en onaantrekkelijke individuen.'

Terwijl Aphrodite weer nuffig onder de lakens kroop, liep ik naar de kleine wasbak in de hoek van de kamer. Ik waste mijn gezicht en pakte een nieuwe gastentandenborstel uit. Zo achteloos mogelijk zei ik: 'Zeg, eh, mag ik je iets vragen?'

'Ja hoor,' zei ze, terwijl ze haar kussens opschudde.

'Het is een serieuze vraag.'

'Dus?'

'Dus wil ik graag een serieus antwoord.'

'Ja, best hoor. Vraag maar raak,' zei ze luchthartig.

'Je hebt een keer gezegd dat je wist dat Erik te bezitterig werd.'

'Dat is eigenlijk geen vraag,' zei ze.

Ik trok in de spiegel mijn wenkbrauwen naar haar op. Ze slaakte een zucht.

'Oké, ja. Erik was een regelrechte klever.'

'Huh?'

Ze slaakte een zucht. 'Klever. Regelrecht. Absoluut compleet níét cool.'

'Aphrodite, wat voor taal spreek je eigenlijk?'

'Amerikaanse tienertaal. Uit de hogere kringen. Jij zou het ook kunnen spreken met een beetje fantasie en een paar echte kracht-termen.'

'Godin sta me bij,' mompelde ik tegen mijn spiegelbeeld voordat ik verderging. 'Oké, dus Erik was tegenover jou ook te bezitterig.'

'Dat zei ik toch net?'

'En maakte jij je daar kwaad om?'

'Ja, woest. Eigenlijk was dat de reden dat het uitging.'

Ik kneep tandpasta op mijn tandenborstel. 'Je werd dus kwaad. Jij en Erik gingen uit elkaar, maar je was nog steeds, nou, eh...' Ik kauwde even op mijn lip en probeerde het nog eens. 'Ik heb je samen met hem gezien en jij, eh...'

'O, christene zielen! Je kunt het gewoon zeggen zonder dat je door de grond zakt. Je hebt gezien dat ik hem pijpte.'

'Eh, ja,' zei ik ongemakkelijk.

'Dat is ook geen vraag.'

'Oké. Hier komt de vraag: je had met hem gebroken omdat hij een bezitterige zak was, maar toch wilde je bij hem zijn, zo graag dat je zelfs dát deed. Dat begrijp ik niet,' gooide ik eruit en toen stak ik de tandenborstel in mijn mond.

Ik keek naar haar in de spiegel en zag haar wangen felroze worden. Aphrodite zwiepte haar haar naar achteren. Ze schraapte haar keel. Toen keek ze me in de spiegel aan. 'Het was geen kwestie van Erik willen. Het was een kwestie van controle willen houden.'

'Huh?' zei ik door de schuimende tandpasta heen.

'In de school begonnen dingen te veranderen, zelfs al voordat jij verscheen.'

Ik spuugde de tandpasta uit en spoelde mijn mond. 'Wat voor dingen?'

'Ik wist dat er iets niet klopte met Neferet. Dat zat me dwars en dat was raar.'

Ik veegde mijn mond af en liep naar mijn bed. Ik gebruikte mijn schoenen uittrappen, me uitkleden, het zachte, warme katoenen nachthemd aantrekken en in bed stappen als een excuus om niets te zeggen terwijl ik een manier probeerde te vinden om alles wat door mijn hoofd raasde onder woorden te brengen. Maar voordat ik iets had gezegd, ging Aphrodite verder: 'Je weet toch dat ik mijn visioenen vroeger voor Neferet verborgen hield?'

Ik knikte. 'En daardoor zijn mensen gestorven.'

'Ja, je hebt gelijk. Dat is gebeurd. En dat liet Neferet koud. Dat merkte ik aan haar. Toen begon ik me vreemd te voelen. Dat is ook het moment dat mijn leven uit elkaar begon te vallen. Dat wilde ik niet. Ik wilde het kreng blijven dat de touwtjes in handen had, dat op een dag hogepriesteres zou zijn en als het even kon over de wereld zou heersen. Dan kon ik tegen mijn moeder zeggen dat ze dood kon vallen, en zou ik misschien zelfs zo machtig zijn dat ik haar de stuipen op het lijf kon jagen, zoals ze verdient.' Aphrodite slaakte een diepe zucht. 'Zoals je weet is het heel anders gelopen.'

'In plaats daarvan heb je naar Nux geluisterd,' zei ik zacht.

'Nou, aanvankelijk heb ik er alles aan gedaan om de koningin van mijn krengerige rijk te blijven, en omgaan met de grootste spetter van de school, al was hij dan een bezitterige klootviool, maakte daar deel van uit.'

'Ik snap wat je bedoelt,' zei ik.

Aphrodite aarzelde even en voegde er toen aan toe: 'Ik word er naar van als ik eraan denk.'

'Bedoel je hét met Erik doen?'

Haar lippen krulden op en ze schudde lachend haar hoofd. 'Godin, wat ben je toch een preutse trut! Nee, hét met Erik doen was helemaal niet vervelend. Ik word er naar van als ik eraan denk dat ik mijn visioenen voor me hield en in wezen op Nux' pad kakte.'

'Nou, de laatste tijd heb je alle poep die je op Nux' pad hebt gedeponeerd keurig opgeruimd. En ik ben géén preutse trut.'

Aphrodite snoof.

'Je bent echt onaantrekkelijk als je dat doet,' zei ik.

'Ik ben nooit echt onaantrekkelijk,' zei ze. 'Ben je klaar met je serieuze vragen die eigenlijk geen vragen zijn?'

'Ja, ik geloof van wel.'

'Goed. Mijn beurt. Heb je al met Stevie Rae kunnen praten? Onder vier ogen?'

'Nee, nog niet.'

'Maar dat ga je wel doen?'

'Ja.'

'Binnenkort?'

'Wat weet jij?'

Aphrodite zei: 'Ik weet dat ze dingen voor je verborgen houdt.'

'Dingen als rode halfwassen? Wat je me al eerder vertelde?'

Aphrodite zei niets, en mijn maag verkrampte.

'Nou?' drong ik aan. 'Wat voor dingen?'

'Ik heb het gevoel dat Stevie Rae meer voor je verborgen houdt dan alleen een paar rode halfwassen.'

Ik wilde Aphrodite niet geloven, maar zowel mijn gevoel als mijn gezonde verstand zei dat ze de waarheid vertelde. Aphrodites stempelband met Stevie Rae verleende haar een verbinding met mijn beste vriendin voor altijd die niemand anders had. Daardoor wist Aphrodite dingen over haar. Bovendien besefte ik, hoe graag ik het ook anders had gewild, dat er iets niet klopte aan Stevie Raes gedrag. 'Kun je niet een beetje specifieker zijn?'

Aphrodite schudde haar hoofd. 'Nee. Ze is vreselijk gesloten.'

'Gesloten? Wat bedoel je daarmee?'

'Nou, je weet hoe je boeren-beste-vriendin-voor-altijd doorgaans is, zo ongeveer onze eigen overdreven opgewekte versie van een boerse goodwillambassadeur met haar "Hallo, luitjes! Kijk toch hoe leuk en aardig en doorsnee ik ben! Gniffel! Gniffel!"'

Aphrodites overdreven boerse accent was iets te veel van het goede en met mijn wenkbrauwen in een strenge frons zei ik: 'Ja, ik weet dat ze doorgaans eerlijk en open is, als je dat bedoelt.'

'Ja, nou, ze is niet meer zo eerlijk en open. Geloof me als ik zeg – en de godin weet dat ik niks liever zou willen dan dat je me van die ellendige stempelband kon verlossen – dat ze iets verbergt wat veel belangrijker is dan een paar halfwassen.'

'Shit,' zei ik.

'Ja,' zei ze. 'Maar je kunt er op dit moment niks aan doen, dus ga slapen. Onze wereld zal morgen ook nog gered moeten worden.'

'Geweldig,' zei ik.

'O, over geweldig gesproken... hoe gaat het met je vriendje?'

'Welk vriendje?' vroeg ik mistroostig.

'Die van de pijlen.'

Ik haalde mijn schouders op. 'Iets beter, geloof ik.'

'Je hebt hem toch niet zijn tanden in je laten zetten, hè?'

Ik slaakte een zucht. 'Nee.'

'Daarin had Darius gelijk, weet je? Hoe ergerlijk het voor sommigen van ons misschien is en hoe ongeschikt je ook lijkt, je bent momenteel wel dé hogepriesteres.'

'Ik voel me opeens stukken beter.'

'Geen dank, hoor. Kijk, wat ik eigenlijk wil zeggen is dat je honderd procent fit moet zijn en je niet moet laten leegslobberen als een extra droge martini bij de brunch op de countryclub van mijn moeder.'

'Drinkt je moeder martini's bij de brunch?'

'Natuurlijk.' Aphrodite schudde haar hoofd en keek me geërgerd aan. 'Probeer eens wat minder naïef te zijn. Hoe dan ook, doe alsjeblieft niks stoms omdat je met je hoofd in de wolken loopt doordat je verliefd bent op Stark.'

'Hou er nou maar over op. Ik ga echt niks stoms doen!' Ik blies de stompkaars uit die op het nachtkastje tussen onze bedden stond.

De duisternis was rustgevend en toen we een tijdlang geen van beiden iets hadden gezegd, voelde ik mezelf wegdoezelen, tot Aphrodites stem me wegrukte uit mijn soezerige staat.

'Gaan we morgen terug naar het Huis van de Nacht?'

'Ik denk het wel,' zei ik langzaam. 'Hoe je het ook wendt of keert, het Huis van de Nacht is ons thuis, en de halfwassen en vampiers daar zijn ons volk. We moeten naar hen terug.'

'Nou, dan zou ik maar snel gaan slapen, want morgen land je midden in een enorme puinhoop,' zei Aphrodite op haar vrolijkste sarcastische toon.

Zoals gewoonlijk was Aphrodite niet alleen ergerlijk, maar had ze ook helemaal gelijk.

12

Zoey

Ik was bang dat ik na Aphrodites sombere, maar ongetwijfeld accurate voorspelling niet zou kunnen slapen, maar mijn uitgeputte lichaam dacht daar anders over. Ik deed mijn ogen dicht en heel even was er een gelukzalig niets. Helaas hield gelukzaligheid in mijn leven nooit lang stand.

In mijn droom was het eiland zo blauw en prachtig dat ik het nauwelijks kon bevatten. Ik stond op... ik keek om me heen... het dak van een kasteel! Zo'n ontzettend oud ogend kasteel van grote brokken ruwe steen. Het dak was fabelachtig gaaf. Langs de rand stonden van die rechtopstaande stenen dingen die net reuzentanden leken, en het hele dak stond vol met planten. Ik zag zelfs citroen- en sinaasappelbomen, de takken zwaarbeladen met geurige vruchten. Midden op het dak was een fontein in de vorm van een beeldschone naakte vrouw. Ze hield haar handen boven haar hoofd en uit die tot een kom gevormde handen stroomde kristalhelder water. Iets aan de stenen vrouw kwam me bekend voor, maar mijn blik werd steeds weer weggetrokken van de prachtige daktuin naar het nog ontzagwekkender uitzicht vanaf het dak van het kasteel.

Met ingehouden adem liep ik naar de rand van het dak en keek uit over het schitterende blauw van de zee ver beneden me. Het water was onbeschrijflijk mooi. Het was de kleur van dromen en blijdschap en perfecte zomerluchten. Het eiland zelf bestond uit grillige bergen, begroeid met ongewoon ogende naaldbomen die me aan reuzenparaplu's deden denken. Het kasteel stond op de top van de hoogste berg, en in de verte zag ik elegante villa's en een lieflijk stadje.

Alles baadde in het blauw van de zee, wat het geheel iets magisch gaf. Ik inhaleerde de wind en rook zilte zeelucht en sinaasappels. Het was een zonnige dag, er was geen wolkje aan de lucht, maar in mijn droom hadden mijn ogen geen last van het felle licht. Ik vond het heerlijk! Het was een beetje fris en behoorlijk winderig, maar dat maakte me niet uit. Ik genoot van de tintelende wind tegen mijn huid. Op dat moment had het eiland de kleur van aquamarijnen, maar ik kon me voorstellen hoe het eruit zou zien als de schemering viel en de zon niet langer over de lucht heerste. Het blauw zou langzaam donker worden en veranderen in saffierblauw.

Mijn dromende zelf glimlachte... Het eiland zou de kleur aannemen van mijn tatoeages. Ik gooide mijn hoofd achterover, spreidde mijn armen en omhelsde de schoonheid van de plek die mijn slapende verbeelding had geschapen.

'Klaarblijkelijk kan ik niet aan je ontsnappen, zelfs als ik je aanwezigheid ontvlucht,' zei Kalona.

Hij was achter me. Zijn stem kroop over de huid van mijn rug omhoog, over mijn schouders, en wikkelde zich om mijn lichaam. Langzaam liet ik mijn armen zakken. Ik draaide me niet om.

'Jij bent degene die rondsluipt in andermans dromen, niet ik.' Ik was blij dat mijn stem kalm en volledig onder controle klonk.

'Je wilt dus nog steeds niet toegeven dat je je tot me aangetrokken voelt?' Zijn stem was diep en verleidelijk.

'Hoor eens, ik heb niet naar je gezocht. Het enige wat ik wilde toen ik mijn ogen dichtdeed, was slapen.' Ik sprak bijna automatisch, ontweek zijn vraag en dwong mezelf om niet te denken aan de herinnering die ik had aan zijn stem en zijn armen om me heen.

'Je sliep kennelijk alleen. Als je met iemand anders in bed had gelegen, zou het veel moeilijker zijn geweest om mijn aantrekkingskracht te bespeuren.'

Ik onderdrukte het verwarrende verlangen dat zijn stem bij me opwekte en sloeg dat stukje informatie op: slapen met iemand maakte het hem dus inderdaad moeilijker om mij te bereiken, precies zoals Stark me de nacht daarvoor had verteld. 'Dat gaat je niks aan,' zei ik.

'Daarin heb je gelijk. Ik hoef me geen zorgen te maken over al die menszonen die je omzwermen en zich in je aanwezigheid willen koesteren.'

Ik nam niet de moeite om hem terecht te wijzen voor het verdraaien van mijn woorden. Ik had het veel te druk met proberen rustig te blijven en mezelf dwingen om wakker te worden.

'Je jaagt me weg en toch vind je me in je dromen. Wat zegt dat over jou, A-ya?'

'Zo heet ik niet! Niet in dit leven!'

'"Niet in dit leven", zeg je. Dat betekent dat je de waarheid hebt geaccepteerd. Je weet dat je ziel de reïncarnatie is van de maagd die door de Any Yunwiya is gemaakt om van mij te houden. Misschien is dat de reden dat je in je dromen steeds weer naar me toe komt. Omdat, ondanks het verzet van je wakende geest, je ziel, je geest, de kern van je wezen ernaar verlangt om bij mij te zijn.'

Hij gebruikte het eeuwenoude woord voor het Cherokee-volk, het volk van mijn oma en mij. Ik kende de legende. Een mooie, gevleugelde onsterfelijke was bij de Cherokee gaan wonen, maar in plaats van een welwillende, aan de aarde gebonden god, was hij wreed. Hij verkrachtte de vrouwen en onderwierp de mannen. Uiteindelijk waren de wijze vrouwen van de stammen, de Ghigua-vrouwen, bijeengekomen en hadden ze van klei een maagd gemaakt. Ze bliezen A-ya leven in en gaven haar bijzondere geschenken. Het was de bedoeling dat ze Kalona, door gebruik te maken van zijn zinnelijke lust, mee zou lokken naar een plek ondergronds, zodat hij in de aarde gevangengezet kon worden. Hun plan had gewerkt. Kalona had A-ya niet kunnen weerstaan en had in de aarde opgesloten gezeten, tot Neferet hem had bevrijd.

En nu ik een herinnering met A-ya deelde, wist ik maar al te goed dat die legende de waarheid was.

Waarheid, bracht mijn geest me in herinnering. *Gebruik de kracht van de waarheid om hem te bestrijden.*

'Ja,' gaf ik toe. 'Ik weet dat ik de reïncarnatie van A-ya ben.' Ik ademde een keer diep in en uit, draaide me om en keek Kalona in de ogen. 'Maar ik ben de hedendaagse reïncarnatie van haar, en dat betekent dat ik mijn eigen keuzes maak, en ik zal er níét voor kiezen om bij jou te zijn.'

'En toch blijf je in je dromen naar me toe komen.'

Ik wilde ontkennen dat ik naar hem toe was gekomen, ik wilde iets gevats, iets hogepriesteresachtigs zeggen, maar het enige wat ik kon doen, was hem aankijken. Wat was hij mooi! Zoals gewoonlijk was hij erg informeel gekleed. Je kon bijna zeggen dat hij óngekleed was. Hij droeg een spijkerbroek en meer niet. Zijn huid was bronskleurig en perfect, en lag zo strak om zijn spieren dat ik hem wilde aanraken. Kalona's barnsteenkleurige ogen schitterden. De warmte en vriendelijkheid in die ogen deden mijn adem stokken. Hij leek een jaar of achttien, maar wanneer hij glimlachte, leek hij nog jonger, jongensachtiger, toegankelijker. Alles aan hem schreeuwde: *dit is een superspetter op wie ik stapelgek zou moeten worden!*

Maar dat was een leugen. Kalona was superangstaanjagend en supergevaarlijk, en dat mocht ik niet vergeten, ongeacht wat hij léék te zijn, ongeacht wat de herinneringen die diep in mijn ziel ingebed zaten, verlangden dat hij zou zijn.

'Ah, je verwaardigt je eindelijk om me aan te kijken.'

'Nou, aangezien je weigert weg te gaan en me met rust te laten, vond ik dat niet meer dan beleefd,' zei ik met geforceerde onverschilligheid.

Kalona wierp lachend zijn hoofd in zijn nek. Het geluid was aanstekelijk, warm en uiterst verleidelijk. Ik wilde niets liever dan dichter naar hem toe gaan en met hem meelachen. Ik had bijna een stap naar voren gedaan toen zijn vleugels dat moment uitkozen om te bewegen. Ze trilden en spreidden zich een stukje, waardoor het zonlicht op de zwarte diepte viel en het indigo en paars verlichtte die doorgaans in de duisternis verborgen lagen.

De aanblik van die vleugels had het effect van tegen een onzichtbare muur op rennen. Ik herinnerde me weer wat hij was: een gevaarlijke, gevallen onsterfelijke die me van mijn vrije wil en uiteindelijk mijn ziel wilde beroven.

'Ik snap niet waarom je lacht,' zei ik haastig. 'Ik vertel je de waarheid. Ik kijk naar je uit beleefdheid, terwijl ik graag zou willen dat je wegvliegt en me rustig laat dromen.'

'O, mijn A-ya.' Zijn gezicht werd ernstig. 'Ik kan jou niet met rust laten. Jij en ik zijn met elkaar verbonden. We zullen elkaars verlossing zijn, of elkaars ondergang.' Hij deed een stap dichter naar me toe en ik deed een stap achteruit. 'Wat zal het zijn? Verlossing of ondergang?'

'Ik kan alleen voor mezelf spreken.' Ik dwong mijn stem rustig te blijven en het lukte me zelfs om er een sarcastisch toontje aan te geven, hoewel ik het koude steen van de borstwering als de muur van een gevangeniscel tegen mijn rug voelde drukken. 'Maar beide klinken even erg. Verlossing? Jegh, je doet me denken aan de People of Faith, en aangezien die jou als een gevállen engel zouden beschouwen, maakt jou dat niet bepaald tot een deskundige op het gebied van verlossing. Ondergang? Nou, eerlijk gezegd doet dat me ook denken aan de People of Faith. Sinds wanneer ben je zo clichéachtig godsdienstig geworden?'

Met twee stappen stond hij voor me. Zijn armen werden tralies, die me insloten tussen de stenen borstwering en zichzelf. Zijn vleugels trilden en spreidden zich uit, waardoor hij de zon met zijn eigen donkere luister verduisterde. Ik voelde de afschuwelijke, heerlijke kilte die hij altijd uitstraalde. Die had me moeten afstoten, maar dat gebeurde niet. Die afschuwelijke kou trok me op een zielsdiep niveau aan. Ik wilde me tegen hem aan drukken en me overgeven aan de zoete pijn die hij me kon bezorgen.

'Clichéachtig? Kleine A-ya, mijn verloren lief, eeuwenlang hebben stervelingen me veel dingen genoemd, maar nooit "clichéachtig".'

Kalona torende boven me uit. Er was zo veel van hem! En al die naakte huid... Ik rukte mijn blik los van zijn borst en keek op in zijn ogen. Hij keek glimlachend op me neer, volkomen ontspannen en beheerst. Hij was zo ongelooflijk knap dat ik nauwelijks adem kon halen. Tuurlijk waren Stark en Heath, en ook Erik, leuke jongens om te zien, erg leuk zelfs, maar ze vielen in het niet bij Kalona's onsterfelijke schoonheid. Hij was een meesterwerk, het standbeeld van een god die fysieke perfectie belichaamde, maar nog aantrekkelijker omdat hij leefde, en hier was, hier voor mij.

'Ik... Ik wil dat je een stap achteruit doet.' Ik probeerde, zonder succes, te voorkomen dat mijn stem beefde.

'Is dat echt wat je wilt, Zoey?'

Het feit dat hij mijn naam gebruikte, trok als een schok door me heen en greep me meer aan dan wanneer hij me A-ya noemde. Mijn vingers drukten hard tegen het steen van het kasteel terwijl ik mijn best deed om de realiteit niet uit het oog te verliezen en me niet door hem te laten beheksen. Ik ademde een keer diep in en uit en stond op het punt om tegen hem te liegen en te zeggen: ja, zowaar als ik hier sta wil ik dat je een stap achteruit doet.

Gebruik de kracht van de waarheid, hoorde ik fluisteren in mijn hoofd.

Wat was de waarheid? Dat ik met mezelf moest worstelen om te voorkomen dat ik me in zijn armen wierp? Dat A-ya's overgave aan hem voortdurend in mijn hoofd zat? Of die andere waarheid: dat ik het liefst een gewoon meisje zou zijn met als enige problemen huiswerk en valse meiden?

Vertel de waarheid.

Ik knipperde met mijn ogen. Ik kon inderdaad de waarheid vertellen.

'Wat ik op dit moment echt wil is slapen. Ik wil normaal zijn. Ik wil me druk maken over school en over het betalen van mijn autoverzekering en over hoe bespottelijk duur benzine is. En ik zou het bijzonder op prijs stellen als je daar iets aan kunt doen.' Ik bleef hem recht in de ogen kijken en putte kracht uit dat snippertje waarheid.

Zijn glimlach was jong en ondeugend. 'Waarom geef je je niet gewonnen, Zoey?'

'Nou, weet je, daarmee krijg ik geen enkel van de dingen die ik zojuist heb genoemd.'

'Ik zou je zo veel meer kunnen geven dan die alledaagse dingen.'

'Ja, dat zal best, maar niks daarvan zou normaal zijn, en wat ik op dit moment meer wil dan wat dan ook is een enorm grote dosis "normaal".'

Hij bleef me strak aankijken en ik voelde dat hij wachtte op het moment dat ik zou wankelen, dat ik zenuwachtig zou worden en ging stotteren, of erger nog, in paniek zou raken. Maar ik had hem de waarheid verteld, en dat was een kleine overwinning voor mij, iets wat me kracht schonk. Het was Kalona die uiteindelijk zijn blik afwendde, Kalona wiens stem plotseling onzeker klonk. 'Ik hoef niet zo te zijn als ik ben. Voor jou zou ik meer kunnen zijn.' Hij keek me weer aan. 'Met jou aan mijn zijde zou ik een ander pad kunnen kiezen.'

Ik probeerde niet te tonen dat ik werd overspoeld door een vloedgolf van emoties toen hij dat deel van me raakte waarvan A-ya me bewust had gemaakt.

Zoek de waarheid, drong mijn geest aan, en weer vond ik die. 'Ik zou je graag willen geloven, maar dat doe ik niet. Je bent beeldschoon en magisch, maar je bent ook een leugenaar. Ik vertrouw je niet.'

'Maar dat zou je wel kunnen,' zei hij.

'Nee,' zei ik naar waarheid. 'Ik geloof niet dat ik dat ooit zou kunnen.'

'Probeer het. Geef me een kans. Kom tot mij zodat ik je kan bewijzen dat het de waarheid is. Zeg één klein woordje, mijn lief: "ja".' Hij boog zich naar voren en met een beweging die gracieus, krachtig en verleidelijk tegelijk was, bracht de gevallen onsterfelijke zijn mond tot naast mijn oor. Daarbij streken zijn lippen langs mijn huid, heel vluchtig, maar genoeg om me de koude rillingen te bezorgen, en toen fluisterde hij: 'Geef jezelf aan mij en ik beloof je dat ik aan je diepste dromen zal beantwoorden.'

Mijn ademhaling versnelde en ik drukte mijn handpalmen harder tegen het steen achter mijn rug. Op dat moment wilde ik maar één ding zeggen: ja. Ik wist wat er zou gebeuren als ik dat deed. Dat had ik via A-ya al ervaren.

Hij grinnikte, een geluid dat diep en vol zelfvertrouwen was. 'Toe maar, mijn verloren lief. Eén woordje: "ja", en je leven zal voor altijd veranderd zijn.'

Zijn lippen waren niet meer bij mijn oor. Zijn blik hield die van mij weer gevangen. Hij glimlachte in mijn ogen. Hij was jong en volmaakt, krachtig en vriendelijk.

En ik wilde zo graag "ja" zeggen dat ik niet durfde spreken.

'Hou van mij,' prevelde hij. 'Hou alleen van mij.'

Door mijn verlangen naar hem heen verwerkte mijn geest wat hij zei, en toen vond ik eindelijk een ander woord dan 'ja'. 'Neferet,' zei ik.

Hij fronste zijn voorhoofd. 'Wat is er met haar?'

'Je zegt dat ik alleen van jou moet houden, maar je bent zelf niet eens vrij. Je bent samen met Neferet.'

Een deel van zijn ontspannen zelfverzekerdheid verdween. 'Neferet is jouw zorg niet.'

Zijn woorden deden mijn hart verkrampen en ik besefte dat een groot deel van me had gewild dat hij had ontkend dat hij iets met haar had, dat hij had gezegd dat dat voorbij was. Teleurstelling verleende me kracht en ik zei: 'Ik vind van wel. De laatste keer dat ik haar zag, heeft ze geprobeerd me te doden, en dat was toen ik je afwees. Als ik "ja" tegen je zeg, verliest ze haar verstand – wat er nog van over is. En dan keert ze zich weer tegen mij.'

'Waarom hebben we het over Neferet? Ze is niet hier. Kijk naar de schoonheid die ons omringt. Denk eens na over hoe het zou zijn om aan mijn zijde de scepter hierover te zwaaien, om me te helpen de eeuwenoude gebruiken terug te brengen naar deze wereld, die veel te modern is geworden.'

Een van zijn handen gleed naar beneden om mijn arm te strelen. Ik negeerde het gevoel dat huiverend over mijn huid trok en de alarmbelletjes in mijn hoofd, die luid rinkelden bij zijn opmerking over het terugbrengen van de eeuwenoude gebruiken, en zei op mijn beste zeurderigetienertoon: 'Serieus, Kalona, ik wil echt geen drama meer met Neferet. Ik geloof niet dat ik dat aankan.'

Hij wierp gefrustreerd zijn handen in de lucht. 'Waarom spreken we nog steeds over de Tsi Sgili? Ik beveel je om haar te vergeten! Ze betekent niets voor ons.'

Op het moment dat zijn armen me niet langer tegen het steen

gevangenhielden, sprong ik opzij, vastbesloten om ruimte tussen ons te scheppen. Ik moest nadenken en dat kon ik niet met zijn armen om me heen.

Kalona deed ook een stap opzij en drukte me nu tegen een laag deel van de borstwering, een spleet tussen de stenen tanden. De muur kwam tot kniehoogte en daarboven voelde ik de frisse wind die langs mijn rug streek en mijn haar deed opwaaien. Ik hoefde niet achterom te kijken om te weten dat ik op duizelingwekkende hoogte stond en dat de blauwe zee diep beneden op me wachtte.

'Je kunt niet aan me ontsnappen.' Kalona kneep zijn barnsteenkleurige ogen tot spleetjes. Ik zag woede onder zijn onweerstaanbare façade opborrelen. 'En je moet beseffen dat ik binnen korte tijd over deze wereld zal heersen. Ik zal de eeuwenoude gebruiken in ere herstellen en al doende zal ik deze moderne mensen opsplitsen, het kaf van het koren scheiden. Het koren zal aan mijn zijde blijven, groeien en gedijen terwijl het me voedt. Het kaf zal worden verbrand tot er niets van rest.'

De moed zonk me in de schoenen. Hij gebruikte oude, poëtische woorden, maar ik wist dat hij het eind van de wereld zoals ik die kende beschreef, en de vernietiging van ontelbaar veel mensen, vampiers en halfwassen. Met een misselijk gevoel boog ik mijn hoofd achterover en keek ik hem wezenloos aan. 'Koren? Kaf? Sorry, maar ik kan je niet volgen. Je zult het moeten vertalen in iets wat ik begrijp.'

Hij bleef een hele tijd stil en keek me alleen maar zwijgend aan. Toen bracht hij zijn hand omhoog en met een flauw lachje om zijn volle lippen streelde hij mijn wang. 'Je speelt een gevaarlijk spel, mijn kleine, verloren lief.'

Mijn lichaam verstrakte.

Zijn hand gleed langzaam van mijn wang over mijn hals en trok een brandend spoor van koude hitte over mijn huid.

'Je speelt met me. Je speelt het schoolmeisje dat niet verder kan denken dan welke jurk ze zal aantrekken of wie de volgende jongen zal zijn die ze kust. Je hebt me onderschat. Ik ken je, A-ya. Ik ken je maar al te goed.'

Kalona's hand gleed verder naar beneden en mijn adem stokte toen hij mijn borst omvatte. Hij wreef met zijn duim over het gevoeligste plekje en een ijzige steek van verlangen trok door mijn lichaam. Hoe ik me ook inspande, ik kon niet voorkomen dat zijn streling me deed beven. Op het dak van mijn droom met de zee achter me en Kalona voor me, was ik verstrikt in zijn hypnotiserende aanraking, en op dat moment drong het met een gruwelijke zekerheid tot me door dat ik me niet louter door A-ya's herinnering tot hem aangetrokken voelde, maar door mezelf, míjn hart, míjn ziel, míjn verlangens.

'Nee, hou daar alsjeblieft mee op.' Het was de bedoeling dat de woorden luid en krachtig mijn mond uit kwamen, een bevel dat hij niet kon negeren, maar ik klonk ademloos en zwak.

'Ophouden?' Hij grinnikte weer. 'Het schijnt dat je je waarheid kwijt bent. Je wilt niet dat ik ermee ophoud. Je lichaam hunkert naar mijn aanraking. Dat kun je niet ontkennen. Dus laat dat dwaze verzet varen. Accepteer mij en je plaats aan mijn zijde. Verenig je met mij en samen zullen we een nieuwe wereld scheppen.'

Ik wankelde tegen hem aan, maar wist fluisterend uit te brengen: 'Dat kan ik niet.'

'Als je je niet met mij verenigt, dan ben je mijn vijand, en dan zal ik je verbranden met de rest van het kaf.' Terwijl hij sprak, was zijn blik van mijn gezicht naar mijn borsten gegleden. Hij omvatte ze nu beide met zijn handen. Zijn barnsteenkleurige ogen waren zacht en zijn blik was wazig terwijl hij me streelde en ijskoude golven van ongewild verlangen door mijn lichaam joeg, en misselijkheid door mijn hart, mijn geest en mijn ziel.

Ik beefde zo heftig dat mijn woorden bibberig klonken. 'Dit is een droom... niets anders dan een droom. Dit is niet echt.' Ik sprak alsof ik mezelf moest overtuigen.

Zijn verlangen naar mij maakte hem nog verleidelijker. Hij glimlachte intiem naar me terwijl hij mijn borsten bleef strelen. 'Ja, je droomt. Maar er is waarheid en werkelijkheid hier, en ook je diepste, meest geheime verlangens. Zoey, in deze droom staat het je vrij om te doen wat je wilt – wíj kunnen alles doen wat je wilt.'

Het is maar een droom, dacht ik bij mezelf. Alstublieft, Nux, laat de kracht van de volgende waarheid me wakker maken.

'Ik wil inderdaad bij je zijn,' zei ik. Kalona's lippen krulden op in een stralende overwinningslach, maar voordat hij me in zijn onsterfelijke en al te vertrouwde omhelzing kon sluiten, voegde ik eraan toe: 'Maar waar het om gaat is dat ik, hoe hevig ik ook naar je verlang, nog steeds Zoey Redbird ben en niet A-ya, en dat betekent dat ik in dit leven ervoor heb gekozen om Nux te volgen. Kalona, ik zal mijn godin niet verraden door me aan jou over te geven!' Terwijl ik de laatste woorden schreeuwde, wierp ik mezelf achterover, en ik viel van het dak van het kasteel en dook af op de rotsige zeekust in de diepte.

Door mijn gegil heen hoorde ik Kalona mijn naam uitschreeuwen.

13

Zoey

Ik zat rechtop in bed en gilde alsof iemand me zojuist in een kuil met spinnen had gegooid. Mijn oren suisden en mijn lichaam beefde zo heftig dat ik bang was dat ik over moest geven, maar ergens door mijn paniek heen besefte ik dat mijn stem niet de enige was die gilde. Ik tuurde in de duisternis om me heen, legde mezelf het zwijgen op, ademde diep in en uit en probeerde me te oriënteren. Waar was ik in godsnaam? Op de zeebodem? Dood na mijn smak op de rotsen van het eiland?

Nee... nee. Ik was in de benedictijnerabdij... in de kamer die ik deelde met Aphrodite... die op het andere bed zat te gillen als een krankzinnige.

'Aphrodite!' schreeuwde ik boven haar schrille kreten uit. 'Hou op! Ik ben het. Alles is oké.'

Haar gegil hield op, maar ze ademde met korte, paniekerige stootjes. 'Licht! Licht!' zei ze. Ze klonk alsof ze uit Paniekland kwam. 'Ik heb licht nodig! Ik moet kunnen zien!'

'Oké, oké! Een ogenblikje.' Ik wist dat de stompkaars op het nachtkastje tussen onze bedden stond en zocht op de tast naar een aansteker. Ik moest mijn rechterhand stilhouden door met mijn linkerhand mijn pols te omklemmen om de kaars aan te steken, en het kostte me vijf pogingen voordat de pit vlam vatte en de warmte van het kaarslicht Aphrodites spookachtig witte gezicht en bloedrode ogen verlichtte.

'O-mijn-god! Je ogen!'

'Ik weet het! Ik weet het! Shit! Shit! Shit! Ik kan nog steeds niets zien,' snikte ze.

'Rustig maar... wees maar niet bang... dit is al een keer eerder gebeurd. Ik haal een natte doek en een glas water voor je, net als de vorige keer, en...' ik hield abrupt op met praten toen het tot me doordrong wat Aphrodites bloedrode ogen betekenden, en halverwege het bed en de wasbak bleef ik als verlamd staan. 'Je hebt weer een visioen gehad, hè?'

Ze zei niets. Ze sloeg haar handen voor haar gezicht en knikte snikkend.

'Het is oké. Het komt weer helemaal goed,' zei ik keer op keer terwijl ik naar de wasbak snelde, een kleine handdoek pakte, die onder de koude kraan natmaakte en de twee glazen die op de wasbak stonden met water vulde. Toen vloog ik terug naar Aphrodite. Ze zat nog steeds op de rand van het bed met haar gezicht in haar handen. Haar gesnik was overgegaan van hysterisch gesnotter in meelijwekkende korte ademstootjes. Ik reikte om haar heen en schudde haar kussens op. 'Hier. Drink op. Dan wil ik dat je achterover gaat liggen zodat ik deze natte handdoek op je ogen kan leggen.'

Ze liet haar handen zakken en reikte blindelings naar het glas. Ik stopte het in haar hand en keek toe terwijl ze het in één teug leeg dronk. 'Ik zal het glas zo weer vullen. Ga nu eerst liggen en leg dit op je ogen.'

Aphrodite leunde achterover tegen de kussens. Ze keek knipperend met haar nietsziende ogen naar me op. Ze zag er doodeng uit. Haar ogen waren volledig bloedrood en staken bizar en spookachtig af tegen haar doodsbleke gezicht.

'Ik kan je omtrek zien, heel wazig,' zei ze zwak. 'Maar je bent helemaal rood, net of je bloedt.' Aphrodite besloot haar woorden met een hikachtige snik.

'Ik bloed niet; met mij is niks aan de hand. Dit is al eens eerder gebeurd, weet je nog? En alles was weer normaal nadat je een poosje met je ogen dicht rustig was blijven liggen.'

'Dat weet ik nog. Ik kan me alleen niet herinneren dat het toen net zo erg was als nu.'

Ze deed haar ogen dicht. Ik vouwde het handdoekje op en legde het op haar ogen. Toen loog ik. 'De vorige keer was het net zo erg als nu.'

Haar handen gingen even naar het handdoekje maar vielen toen neer naast haar lichaam. Ik ging terug naar de wasbak en vulde haar glas. Terwijl ik in de spiegel naar haar keek, vroeg ik: 'Was het visioen erg akelig?'

Ik zag haar lippen trillen. Ze haalde een keer diep en beverig adem. 'Ja.'

Ik ging terug naar het bed. 'Wil je nog wat water?'

Ze knikte. 'Ik heb het gevoel dat ik zojuist een marathon heb gelopen door een zinderende woestijn... niet dat ik dat ooit zou doen. Al dat gezweet is vreselijk onaantrekkelijk.'

Blij dat ze weer meer als zichzelf klonk, glimlachte ik en stopte het glas water weer in haar hand. Toen ging ik tegenover haar op de rand van mijn bed zitten en wachtte.

'Ik voel dat je naar me kijkt,' zei ze.

'Sorry. Ik dacht dat ik beter niks kon zeggen en gewoon geduldig moest wachten tot jij wat zei.' Ik zweeg even. 'Wil je dat ik Darius ga halen? Of Damien misschien? Of allebei?'

'Nee!' zei Aphrodite haastig. Ik zag dat ze een paar keer slikte en toen zei ze op een rustigere toon: 'Blijf maar gewoon hier, oké? Ik wil niet alleen zijn, niet zolang ik niks kan zien.'

'Oké. Ik ga nergens heen. Wil je me over het visioen vertellen?'

'Niet echt, maar dat zal wel moeten. Ik zag zeven vampiers. Ze zagen er belangrijk uit, machtig, het waren duidelijk hogepriesteressen. Ze waren in een te gek mooie ruimte. Absoluut oud geld en niets van dat nouveauxrichesgedoe dat zich kenmerkt door een twijfelachtige smaak qua inrichting.' Ik rolde met mijn ogen naar haar, wat ze helaas niet kon zien. 'Aanvankelijk had ik niet eens door dat het een visioen was. Ik dacht dat ik droomde. Ik keek naar die vampiers die op troonachtige stoelen zaten en wachtte op iets bizars zoals alleen in dromen gebeurt, bijvoorbeeld dat ze allemaal in Justin Timberlake veranderden, overeind sprongen en voor me gingen strippen terwijl ze "I'm bringing sexy back" zongen.'

'Huh,' zei ik. 'Interessante droom. Hij is echt een spetter van de eerste orde, al begint-ie wel oud te worden.'

'Hou toch op. Je hebt al veel te veel vriendjes om zelfs maar over een ander te dromen. Laat Justin maar aan mij over. Dus, hoe dan ook, ze veranderden niet in Justin en ze gingen niet strippen. Ik vroeg me juist af wat er aan de hand was, toen het me opeens megaduidelijk werd dat ik een visioen had omdat Neferet binnenkwam.'

'Neferet!'

'Ja. Samen met Kalona. Zij deed het woord, maar de vampiers keken helemaal niet naar haar. Ze konden hun ogen niet van Kalona af houden.'

Ik zei het niet, maar ik wist precies hoe ze zich gevoeld moesten hebben.

'Neferet zei iets over de veranderingen accepteren die zij en Erebus brachten, de oude gebruiken in ere herstellen... blabla...'

'Erebus!' Ik onderbrak haar geblabla. 'Beweert ze nog steeds dat Kalona Erebus is?'

'Ja, en ze noemde zichzelf de incarnatie van Nux, wat ze afkortte tot alleen maar "Nux", maar ik hoorde niet alles wat ze zei omdat ik zo ongeveer op dat moment begon te branden.'

'Te branden? Vloog je in brand?'

'Nou, niet ik precies. Sommige van de vampiers. Het was echt bizar, eigenlijk een van de bizarste visioenen die ik ooit heb gehad. Een deel van me keek naar Neferet die tegen de zeven vampiers praatte, en tegelijkertijd ging een ander deel van me de kamer uit samen met de vampiers. Ik kon voelen dat ze niet allemaal geloofden wat Neferet zei, en ik bleef bij die vampiers. Tot ze verbrandden.'

'Bedoel je dat ze gewoon vlam vatten?'

'Ja, maar het was heel raar. Het ene moment wist ik dat ze negatieve dingen over Neferet dachten en het volgende stonden ze in brand, maar toen ze brandden stonden ze midden in een veld. En niet alleen zij verbrandden.' Aphrodite zweeg even en dronk het glas water leeg. 'Een heleboel andere mensen verbrandden ook – mensen, vampiers en halfwassen. Allemaal op datzelfde veld, dat zich leek uit te zetten om de hele wereld te bevatten.'

'Wát?'

'Ja, het was echt gruwelijk. Ik heb nog nooit een visioen gehad over vampiers die doodgaan. Nou, behalve die twee over jou, maar jij bent nog maar een halfwas, dus die tel ik niet mee.'

Ik verspilde energie door naar haar te fronsen, wat ze niet kon zien. 'Herkende je iemand tussen de brandende vampiers? Waren Neferet en Kalona daar ook?'

Aphrodite gaf niet meteen antwoord. Ze haalde het vochtige handdoekje van haar ogen en knipperde. Ik zag dat het rood al aardig begon weg te trekken. Ze tuurde naar me. 'Dat is beter. Ik kan je weer bijna goed zien. Oké, het visioen eindigt als volgt. Kalona was er. Neferet niet. Maar jij wel. Met hem. En ik bedoel echt mét hem. Hij kon zijn handen niet van je af houden en jij vond het lekker. Eh, mag ik even "jegh" zeggen omdat ik naar dat walgelijke geflikflooi heb moeten kijken, en dan ook nog vanuit het perspectief van degenen die werden gebraden terwijl jij stond te rotzooien? Kortom, het was overduidelijk dat het feit dat jij en Kalona een stelletje waren, er de oorzaak van was dat de wereld zoals wij die kennen tot een einde kwam.'

Ik wreef met een trillende hand over mijn gezicht, alsof ik de herinnering van mij als A-ya in Kalona's armen kon uitwissen. 'Ik zal mezelf nooit aan Kalona geven.'

'Oké, wat ik nu ga zeggen, zeg ik niet omdat ik een kreng ben... nu niet tenminste.'

'Zeg het maar.'

'Je bent de reïncarnatie van A-ya.'

'Dat hadden we al vastgesteld,' zei ik; mijn stem klonk scherper dan ik had bedoeld.

Aphrodite stak haar hand op. 'Wacht even. Ik beschuldig je nergens van. Maar dat eeuwenoude Cherokee-meisje wier ziel je min of meer met haar deelt, werd geschapen om Kalona lief te hebben, waar of niet?'

'Ja, maar je moet begrijpen dat. Ik. A-ya. Niet. Ben.' Ik sprak elk woord langzaam en duidelijk uit.

'Hoor eens, Zoey, dat weet ik. Maar ik weet ook dat je je veel sterker tot Kalona aangetrokken voelt dan je ooit zou willen toegeven, niet eens tegenover jezelf. Je hebt al één herinnering aan A-ya gehad die zo intens was dat je van je stokje ging. Stel dat je niet in staat bent om je gevoelens voor hem in toom te houden omdat die aantrekking in je ziel ingebakken zit?'

'Denk je dat ík daar niet aan heb gedacht? Jeetje, Aphrodite, ik blijf gewoon bij Kalona uit de buurt!' Ik schreeuwde mijn frustratie uit. 'Mijlenver. Dan is er geen enkele kans dat ik ooit weer bij hem zal zijn en dan komt je visioen niet uit.'

'Was het maar zo simpel. Het visioen waarin je samen met hem was, was niet het enige dat ik heb gehad. Nu ik erover nadenk, was het net als die idiote visioenen waarin jij doodging en ik eerst zag dat je de keel werd afgesneden, waarbij je hoofd bijna van je schouders werd gescheiden, terwijl ik even later in hetzelfde visioen samen met jou verdronk. Over stress gesproken.'

'Ja, dat weet ik nog. Je zag per slot van rekening míjn dood.'

'Ja, maar tot dusver ben ík de enige die jouw dood heeft ervaren. Nogmaals: geen aangename ervaring.'

'Wil je me nou alsjeblieft alles vertellen over je laatste visioen?'

Ze knikte toegeeflijk en zei: 'Dus het visioen splitste zich, net als bij die twee verschillende manieren waarop je doodging. Eerst staan Kalona en jij elkaar af te lebberen en zo. O, en ik voelde ook ondraaglijke pijn.'

'Nou, dat is niet meer dan logisch. Je stond in brand,' zei ik ongeduldig. Waarom kon ze niet gewoon vertellen wat ze had gezien?

'Nee, ik bedoel dat ik andere pijn voelde. Ik weet bijna zeker dat die niet van de brandende mensen kwam. Er was ook iemand anders, en diegene was daar niet uit vrije wil.'

'Niet uit vrije wil? Dat klinkt niet goed.' Ik had weer pijn in mijn maag.

'Nee. Wat heet. Het ene moment waren mensen aan het verbranden, voelde ik ondraaglijke pijn, blabla, en deed jij hét met de duivelse engel. Toen veranderde alles. Het was opeens een andere dag en een andere plaats. Er stonden nog steeds mensen in brand en ik voelde nog steeds die ondraaglijke pijn, maar in plaats van met Kalona te flikflooien, maakte je je los uit zijn armen, maar je liep niet weg. En toen zei je iets tegen hem en wat je zei veranderde alles.'

'Hoezo?'

'Je doodde hem en de vlammen doofden.'

'Heb ik Kalona gedood?'

'Ja. Voor zover ik kon zien.'

'Wat zei ik tegen hem dat de kracht had om hem te doden?'

Ze haalde haar schouders op. 'Dat weet ik niet. Dat heb ik niet gehoord. Ik ervaarde het visioen vanuit het perspectief van de brandende mensen en voelde die ondraaglijke pijn en concentreerde me niet echt op wat jij zei.'

'Weet je zeker dat hij doodging? Dat zou eigenlijk niet mogelijk moeten zijn; hij is onsterfelijk.'

'Volgens mij ging hij dood. Hij viel uit elkaar door wat je tegen hem zei.'

'Verdween hij?'

'Nou, eigenlijk leek het eerder of hij ontplofte. Het is moeilijk te beschrijven, want, nou, ik brandde en hij werd opeens verblindend fel, waardoor het moeilijk te zien was wat er precies gebeurde. Maar hij vervaagde geleidelijk, en toen dat gebeurde, verdwenen de vlammen en wist ik dat alles goed zou komen.'

'Is dat alles wat er gebeurde?'

'Nee. Jij huilde.'

'Huh?'

'Ja, nadat je Kalona had gedood, huilde je. Je snotterde als een kind. Toen was het visioen afgelopen en werd ik wakker met barstende koppijn en ogen die brandden als de hel. O, en jij gilde alsof je je verstand had verloren.' Ze keek me peinzend aan. 'Waarom gilde je eigenlijk?'

'Ik had akelig gedroomd.'

'Kalona?'

'Ik wil er echt niet over praten.'

'Dat is dan jammer voor je, want je móét erover praten. Zoey, ik heb de wereld zien branden terwijl jij en Kalona een feestje bouwden. Dat is niet iets goeds.'

'Dat gaat echt niet gebeuren,' zei ik. 'Vergeet niet dat je ook hebt gezien dat ik hem doodde.'

'Wat gebeurde er in je droom?' drong ze aan.

'Hij bood me de wereld aan. Hij zei dat hij de eeuwenoude gebruiken in ere gaat herstellen en dat hij over de wereld wilde heersen met mij aan zijn zijde of iets in die trant. Ik zei niet gewoon "nee", maar "om de donder niet". Hij zei dat hij...' *O mijn godin!* 'Wacht eens, zei je dat die mensen in brand stonden in een veld? Kan dat een korenveld zijn geweest?'

Aphrodite haalde haar schouders op. 'Weet ik veel. Een veld is voor mij een veld.'

Mijn borst verkrampte en mijn maag deed pijn. 'Hij zei dat hij het kaf van het koren ging scheiden en het kaf ging verbranden.'

'Wat is in godsnaam kaf?'

'Dat weet ik niet precies, maar ik denk dat het iets te maken heeft met koren. Oké, probeer het je te herinneren. Het veld waarin ze in brand stonden, groeiden daar hoge goudkleurige, grasachtige halmen of was het groen, en zag je hooi of mais of zoiets?'

'Het was geel. En hoog. En grasachtig. Het kan best een korenveld zijn geweest.'

'Dus datgene waarmee Kalona in mijn droom dreigde, kwam in je visioen uit.'

'Behalve dat je in je droom niet voor hem bent bezweken en niet met hem bent gaan flikflooien. Of wel soms?'

'Nee, écht niet! Ik stortte mezelf een afgrond in en daardoor werd ik gillend wakker.'

Haar roodgetinte ogen werden groot. 'Serieus? Ben je echt een afgrond in gesprongen?'

'Nou, eigenlijk sprong ik van het dak van een kasteel, en dat kasteel stond boven op een berg.'

'Dat klinkt echt gruwelijk.'

'Het was het huiveringwekkendste wat ik ooit heb gedaan, maar het was minder erg dan bij hem blijven.' Ik huiverde en dacht aan zijn aanraking en het afschuwelijke, zielsdiepe verlangen dat hij bij me opwekte. 'Ik moest gewoon bij hem weg.'

'Ja, nou, dat zul je in de toekomst moeten heroverwegen.'

'Huh?'

'Wil je alsjeblieft even opletten? Ik zag dat Kalona de wereld overnam. Hij gebruikte vuur om mensen te doden, en met mensen bedoel ik vampiers én mensen. En jij hebt hem tegengehouden. Eerlijk gezegd denk ik dat mijn visioen ons vertelt dat jij de enige ter wereld bent die hem kán tegenhouden. Je kunt dus niet van hem weglopen. Zoey, je moet erachter zien te komen wat je zei dat hem doodde, en dan zul jíj naar hém toe moeten gaan.'

'Nee! Ik ga níét naar hem toe.'

Aphrodite keek me aan met medelijden in haar blik. 'Je moet vechten tegen dit reïncarnatiegedoe en Kalona voor eens en altijd vernietigen.'

Ah, shit, dacht ik, en toen ramde iemand met een vuist op de deur.

14

Zoey

'Zoey? Ben je daar? Laat me binnen!'

Ik sprong van het bed en rende naar de deur. Ik rukte hem open en zag Stark, die zwaar tegen het deurkozijn leunde. 'Stark? Waarom lig jij niet in bed?' Hij droeg een ziekenhuisbroek en geen shirt. Zijn borst was bedekt door een groot, wit gaasverband dat om zijn hele bovenlichaam gewikkeld zat. Zijn gezicht had de kleur van beenderen, en op zijn voorhoofd lag een sluier van zweet. Hij haalde adem met korte, onregelmatige stootjes en zag eruit alsof hij elk moment in elkaar kon zakken.

Maar zijn rechterhand omklemde zijn boog, met een pijl op de pees.

'Shit! Haal hem naar binnen voordat hij van zijn stokje gaat. Als hij valt, dan krijgen we hem nooit meer overeind, en hij is veel te groot om te slepen.'

Ik probeerde Stark vast te pakken, maar hij verraste me met zijn kracht en schudde mijn handen van zich af. 'Nee, het gaat wel,' zei hij, en toen liep hij de kamer in en keek hij om zich heen alsof hij verwachtte dat er iemand uit de kast tevoorschijn zou springen. 'Ik ga echt niet van mijn stokje,' zei hij toen hij weer op adem was gekomen.

Ik ging voor hem staan zodat hij zijn aandacht weer op mij zou richten. 'Stark, er is hier niemand. Maar wat doe jíj hier? Je hoort in je bed te liggen en zeker geen trappen te beklimmen.'

'Ik voelde je. Je was doodsbang. Dus ben ik naar je toe gekomen.'

'Ik heb akelig gedroomd, meer niet. Ik was niet in gevaar.'

'Kalona? Was hij weer in je droom?'

'Wéér? Hoe lang droom je al over hem?' vroeg Aphrodite.

'Tenzij je met iemand slaapt, en dan bedoel ik niet gewoon een kamergenote, kan Kalona wanneer hij maar wil je dromen binnendringen,' zei Stark.

'Dat klinkt niet best.'

'Het zijn maar dromen,' zei ik.

'Weten we dat zeker?' vroeg Aphrodite.

De vraag was aan Stark gericht, maar ik gaf antwoord. 'Nou, ik ben niet dood, dus was het maar een droom.'

'Niet dood? Leg eens uit,' zei Stark. Hij ademde weer rustig en hoewel hij erg wit zag, klonk hij in elk opzicht als een gevaarlijke krijger die klaarstond om zijn eed waar te maken en zijn hogepriesteres te beschermen.

'In haar droom heeft Zoey zichzelf in een afgrond gestort om bij Kalona weg te komen,' zei Aphrodite.

'Wat heeft hij je aangedaan?' Starks stem was diep en vol woede.

'Niks!' zei ik veel te snel.

'Omdat je in een afgrond bent gesprongen voor hij iets kón doen,' zei Aphrodite.

'Wat wilde hij dan van je?' vroeg Stark.

Ik slaakte een zucht. 'Hetzelfde als altijd. Hij wil me aan zich onderwerpen. Hij stelt het anders, maar daar komt het wel op neer, en ik zal hem nooit geven wat hij wil.'

Starks kaak verstrakte. 'Ik had kunnen weten dat hij zou proberen je via je dromen te bereiken. Ik heb zijn trucjes door! Ik had ervoor moeten zorgen dat je met Heath of Erik naar bed ging.'

Aphrodite snoof. 'Zoiets heb ik nog nooit gehoord. Vriendje nummer drie wíl dat je met vriendje nummer één of twee naar bed gaat.'

'Ik ben níét haar vriendje!' brulde Stark. 'Ik ben haar krijger. Ik heb gezworen om haar te beschermen. Dat betekent meer dan een bullshitverliefdheid of stomme jaloezie.'

Aphrodite staarde hem alleen maar aan. Ze leek voor de verandering niet te weten wat ze moest zeggen.

'Stark, het was maar een droom,' zei ik met veel meer overtuiging dan ik voelde. 'Het maakt niet uit hoe vaak Kalona mijn dromen binnen dringt; de afloop zal nooit veranderen. Ik zal nooit aan hem toegeven.'

'Dat is je geraden ook, want doe je dat wel, dan ziet het er voor de rest van ons knap beroerd uit,' zei Aphrodite.

'Wat bedoelt ze?'

'Ze heeft weer een visioen gehad, meer niet.'

'Meer niet? Over ondergewaardeerd worden gesproken.' Ze keek Stark peinzend aan. 'Dus, pijljongen, als jij met Zoey naar bed gaat, kan Kalona haar dromen niet binnendringen?'

'Als het goed is niet,' zei Stark.

'Dan vind ik dat je met Zoey naar bed moet, en aangezien drie in situaties als deze beslist één te veel is, ben ik weg.'

'Waar ga je naartoe?' vroeg ik.

'Naar Darius, waar die ook mag zijn, en nee, het kan me geen snars schelen of de pinguïns zich daaraan storen. Serieus, ik heb barstende koppijn, dus het enige wat ik ga doen is slapen, maar dan wel bij mijn vampier. Punt uit.'

Ze pakte haar kleren en tas. Ik bedacht dat ze waarschijnlijk een badkamer in zou duiken om dat opoenachthemd te verwisselen voor iets anders voordat ze naar Darius ging, wat me eraan deed denken dat ik daar zelf ook in een opoenachthemd stond. Ik ging met een zucht op mijn bed zitten. Hij had me per slot van rekening spiernaakt gezien, wat veel gênanter was dan een witkatoenen opoenachthemd. Mijn schouders zakten in. Godin, voor een meisje met een veelvoud aan vriendjes schoot ik ernstig tekort op het gebied van o-kijk-toch-eens-hoe-cool-ik-ben.

Toen Aphrodite de deur opendeed om weg te gaan, riep ik: 'Zeg alsjeblieft niks over je visioen tot ik de tijd heb gehad om erover na te denken. Ik bedoel,' voegde ik er snel aan toe, 'je mag het aan Darius vertellen, maar aan niemand anders, oké?'

'Begrepen. Je wilt hysterische toestanden voorkomen. Mij best. Ik voel er ook weinig voor om naar het gegil van de kudde oenen en de rest van de massa te luisteren. Ga slapen, Z. Ik zie je na zonsondergang.' Ze wuifde naar Stark en deed de deur stevig achter zich dicht.

Stark kwam naar het bed en liet zich zwaar naast me neerzakken. Hij kromp in elkaar toen de pijn in zijn borst waarschijnlijk eindelijk tot hem doordrong. Hij legde zijn pijl-en-boog op het nachtkastje en keek me met een quasitreurig lachje aan. 'Die heb ik dus niet nodig?'

'Ik dacht van niet.'

'Wat betekent dat ik mijn handen nu vrij heb.' Hij spreidde zijn armen en zei met een vrijpostig lachje: 'Waarom kom je niet hier, Z?'

'Een ogenblikje.' Ik haastte me naar het raam om tijd te winnen terwijl ik me afvroeg hoe ik uit de omhelzing van de ene man in die van een andere kon gaan. 'Ik heb echt geen rust tot ik ervoor heb gezorgd dat je geen gevaar loopt om te verassen,' zei ik. Terwijl ik de jaloezieën dichttrok, keek ik even naar buiten, en werd beloond met de aanblik van een dag met weinig licht. Ik zag een stille, grijze wereld gevuld met ijs en halfduister. Niets bewoog. Het was net of het leven buiten de abdij, net als de bomen, het gras en de gebroken elektriciteitskabels, bevroren was. 'Nou, dit verklaart hoe je naar boven kon komen zonder te verbranden. Er is helemaal geen zon.' Ik bleef even uit het raam staren, gefascineerd door de wereld van ijs.

'Ik wist dat ik geen gevaar liep,' zei Stark, die was gaan liggen. 'Ik kon voelen dat de zon op was, maar dat die niet door de ijsregen en wolken heen scheen. Ik kon veilig naar je toe gaan.' Toen voegde hij eraan toe: 'Z, wil je alsjeblieft hier komen! Mijn verstand vertelt me dat je oké bent, maar vanbinnen ben ik nog een beetje trillerig.'

Ik draaide me om, verbaasd door zijn ernstige toon. Ik liep bij het raam vandaan, legde mijn hand in die van hem en ging op de rand van het bed zitten.

'Ik ben echt oké, veel beter dan jij op dit moment zou zijn als je midden op een zonnige ochtend naar boven was komen rennen.'

'Toen ik je angst voelde, moest ik naar je toe. Zelfs met gevaar voor mijn eigen leven. Dat maakt deel uit van de eed die ik aan jou heb gezworen.'

'Echt waar?'

Hij knikte, glimlachte en bracht mijn hand naar zijn lippen. 'Echt waar. Jij bent mijn vrouwe en mijn hogepriesteres. Ik zal jou altijd beschermen.'

Ik legde mijn hand op zijn wang en keek hem alleen maar aan, en om de een of andere reden moest ik opeens huilen.

'Hé, niet doen, niet huilen.' Hij veegde de tranen van mijn wangen. 'Kom hier.'

Zonder een woord ging ik naast hem liggen, heel voorzichtig om niet tegen zijn borst te stoten. Hij sloeg zijn arm om me heen en ik kroop tegen hem aan, terwijl ik hoopte dat de warmte van zijn aanraking de herinnering aan Kalona's koude hartstocht zou uitwissen.

'Hij doet het bewust, weet je?'

Ik hoefde het niet te vragen. Ik wist dat hij het over Kalona had.

Stark praatte verder. 'Het is niet echt, de dingen die hij je laat voelen. Dat is wat hij doet. Hij zoekt iemands zwakke punten en maakt daar gebruik van.' Stark zweeg even en ik wist dat hij meer wilde zeggen. Ik wilde het niet horen. Ik wilde me nestelen in de veiligheid van de armen van mijn krijger, ik wilde slapen en vergeten.

Maar dat kon ik niet. Niet na A-ya's herinnering. Niet na Aphrodites visioenen.

'Ga door,' zei ik. 'Wat wilde je nog meer zeggen?'

Hij trok me dichter tegen zich aan. 'Kalona weet dat jouw zwakke punt de band is die je hebt met dat Cherokee-meisje dat hem in de val heeft gelokt.'

'A-ya,' zei ik.

'Ja, A-ya. Hij zal haar tegen je gebruiken.'

'Dat weet ik.'

Ik voelde zijn aarzeling, maar toen zei Stark: 'Je verlangt naar hem... Kalona, bedoel ik. Hij beïnvloedt je geest dusdanig dat je naar hem verlangt. Je verzet je ertegen, maar hij werkt op je in.'

Mijn maag verkrampte en ik werd misselijk, maar ik antwoordde Stark naar alle eerlijkheid. 'Dat weet ik en het maakt me doodsbang.'

'Zoey, ik geloof echt dat je hem zult blijven afwijzen, maar als je je ooit gewonnen geeft, dan kun je erop rekenen dat ik er ben. Ik werp me tussen jou en Kalona, al is dat het laatste wat ik doe.'

Ik legde mijn hoofd op zijn schouder en bedacht dat Aphrodite niet had gezegd dat ze Stark in een van beide visioenen had gezien.

Hij draaide zijn hoofd om en zoende me zacht op mijn voorhoofd. 'O, à propos, leuk nachthemd.'

Ik moest lachen, of ik wilde of niet. 'Als je niet gewond was, zou ik je een knal verkopen.'

Hij lachte zijn brutale lachje. 'Je begrijpt me verkeerd; ik vind het leuk. Het geeft me het idee dat ik in bed lig met een stout katholiek schoolmeisje van zo'n meisjeskostschool. Vertel eens iets over de naakte kussengevechten die jij en je kamergenootjes vroeger hielden.'

Ik rolde met mijn ogen naar hem. 'Eh, later misschien, als je niet net bijna bent doodgegaan.'

'Oké, cool. Ik ben trouwens veel te moe voor opwindende verhalen.'

'Stark, waarom drink je niet van me? Een klein beetje maar.' Ik sprak snel verder toen hij begon te protesteren. 'Kijk, Kalona is niet hier. Door mijn droom blijkt heel duidelijk dat hij heel ver weg is, aangezien er in de buurt van Oklahoma geen eilanden zijn.'

'Je weet niet waar hij is. In je droom kan hij je alles hebben wijsgemaakt.'

'Nee, hij is op een eiland.' Terwijl ik het zei, wist ik dat ik gelijk had. 'Hij moest naar een eiland om zich weer op te laden. Heb jij misschien een idee waar dat zou kunnen liggen? Heb je hem ooit met Neferet over een eiland horen praten?'

Stark schudde zijn hoofd. 'Nee. Hij heeft nooit iets dergelijks gezegd waar ik bij was, maar het feit dat het een eiland is, vertelt ons dat je hem hebt gekwetst. Ernstig.'

'Wat betekent dat ik voorlopig veilig ben, wat ook betekent dat je rustig van mij kunt drinken.'

'Nee,' zei hij resoluut.

'Wil je dat niet?'

'Doe niet zo idioot! Ik wil het wel, maar het kan niet. We mogen het niet doen. Niet nu.'

'Hoor eens, je hebt mijn bloed en mijn energie of geest of hoe je het ook noemen wilt nodig om te herstellen.' Ik stak mijn kin omhoog zodat hij mijn halsader duidelijk kon zien. 'Dus, vooruit. Bijt me.' Ik deed mijn ogen dicht en hield mijn adem in.

Stark lachte. Mijn ogen vlogen open en ik zag dat hij grinnikte, hijgend naar zijn pijnlijke borst greep, en toen weer begon te lachen.

Ik fronste mijn wenkbrauwen. 'Wat is er zo grappig?'

Stark wist zich voldoende te beheersen om te zeggen: 'Je bent net iets uit een oude Dracula-film. Ik mis alleen het rare accent.' Hij trok een griezelig gezicht en ontblootte zijn tanden.

Ik voelde mijn wangen rood worden en schoof onder zijn arm vandaan. 'Laat maar zitten. Vergeet maar dat ik het ooit heb aangeboden. Laten we nou maar gaan slapen, oké?' Ik wilde me omdraaien, maar hij pakte me bij mijn schouder en hield me tegen.

'Wacht even; ik maak er een potje van.' Hij was opeens bloedserieus. 'Zoey.' Stark beroerde mijn wang. 'Ik drink niet van jou omdat ik dat niet kán. Niet omdat ik het niet wíl.'

'Ja, dat zei je al.' Hij had me op mijn ziel getrapt en ik probeerde mijn hoofd weg te draaien, maar hij dwong me om hem aan te kijken.

'Hé, het spijt me.' Zijn stem was diep en sexy. 'Ik had niet om je moeten lachen. Ik had je gewoon de waarheid moeten vertellen, maar een krijger zijn is nieuw voor me. Ik heb tijd nodig om eraan te wennen.' Zijn duim streelde mijn jukbeen en volgde de lijn van mijn tatoeages. 'Ik had je moeten vertellen dat het enige wat ik op dit moment meer wil dan jouw bloed proeven, is weten dat jij veilig en sterk bent.' Hij kuste me. 'Bovendien hoef ik niet van je te drinken omdat ik weet dat alles met mij weer goed komt.' Hij streek met zijn lippen over die van mij. 'Wil je weten hoe ik dat weet?'

'Ja,' prevelde ik.

'Dat weet ik omdat jouw veiligheid mijn kracht is, Zoey. Ga nu slapen. Ik ben hier.' Hij ging gemakkelijk liggen en trok me tegen zich aan.

Vlak voordat mijn ogen dichtvielen, fluisterde ik: 'Als iemand me wakker wil maken, wil jij diegene dan alsjeblieft doden?'

Stark grinnikte. 'Jouw wil is mijn bevel, milady.'

'Goed.' Ik deed mijn ogen dicht en viel in slaap in de armen van mijn krijger, die me beschermde tegen de dromen en spoken van het verleden.

15

Aphrodite

'Serieus, homo's. Ga nou maar gewoon slapen, met elkaar, jegh. Ik heb mijn vampier voor de rest van de nacht nodig.' Aphrodite stond met haar armen over elkaar net binnen de kamer die Darius, Damien, Jack en Duchess deelden. Met een vaag gevoel van ergernis keek ze naar Damien, Jack en Duchess, die met z'n drieën knus in één bed lagen. Ze deden haar ergens aan puppy's denken, maar toch vond ze het niet eerlijk dat de pinguïns er cool mee waren dat zij met elkaar sliepen, terwijl ze haar naar een kamer met Zoey hadden verbannen. Dat hadden ze althans geprobeerd.

'Wat is er, Aphrodite? Wat is er gebeurd?' Darius haastte zich naar haar toe, terwijl hij met zijn ene hand een T-shirt over zijn adembenemende borst trok en met de andere zijn schoenen aandeed.

Zoals gewoonlijk was Darius strijdvaardig voordat anderen zelfs maar doorhadden dat er iets aan de hand was – de zoveelste reden dat ze op hem gevallen was.

'Alles is prima. Maar Zoey slaapt met Stark. In onze kamer. En daar hoef ik niet bij te zijn. Wij gaan dus ook een kleine kamergenotenruil doen.'

'Is alles goed met Zoey?' vroeg Damien.

'Volgens mij is zo ongeveer nu alles meer dan goed met haar,' zei Aphrodite.

'Ik zou niet hebben gedacht dat Stark dat, nou ja, gedoe, aan zou kunnen,' zei Jack tactvol. Hij zag er slaperig uit met zijn warrige haar en dikke ogen. Aphrodite vond hem nog meer van een puppy weg hebben dan normaal, een schattige puppy. Ze zou natuurlijk eerder haar eigen ogen uitsteken dan dat hardop toegeven.

'De trap naar onze kamer op de bovenste verdieping kon hij aan, dus volgens mij is hij aan de beterende hand.'

'Ooo, dat zal Erik écht niet leuk vinden,' zei Jack vrolijk. 'Dat wordt morgen een heftig vriendjesdrama.'

'Geen drama meer op die afdeling. Z heeft Erik eerder vannacht gedumpt.'

'Dat méén je niet!' zei Damien.

'Jawel, en dat werd hoog tijd ook. Dat bezitterige gezeik van hem werd te gek,' zei Aphrodite.

'En ze is echt oké?' vroeg Damien.

Aphrodite stoorde zich aan Damiens wat al te scherpe blik. Ze was echt niet van plan om melding te maken van het feit dat Kalona Zoey's droom was binnengedrongen en dat Stark daarom bij haar sliep. Ze zou ook niets zeggen over haar visioen, iets waarvan ze Zoey de schuld kon geven, wat ze ook zeker zou doen als Damien er later achter kwam en woest werd omdat ze dat voor zich had gehouden. Dus om tante Wijsneus af te leiden, trok ze een perfecte wenkbrauw op en keek ze hem aan met haar standaard blijf-maar-lekker-gissengrijns. 'Ben je soms haar homomoeder?'

Damiens stekels gingen onmiddellijk overeind staan, precies zoals Aphrodite had geweten. 'Nee, ik ben haar vriend!'

'Alsjeblieft, zeg. Geeuw. Alsof we dat niet weten. Zoey. Maakt. Het. Prima. Godin, probeer haar wat ademruimte te geven.'

Damien fronste zijn voorhoofd. 'Ik geef haar ademruimte genoeg. Ik maakte me gewoon ongerust over haar, meer niet.'

'Waar is Heath? Weet hij eigenlijk dat ze met Erik heeft gebroken en dat ze, nou, *met Stark slaapt*?' Jack eindigde de zin luid fluisterend.

Aphrodite rolde met haar ogen. 'Het zal mij een zorg zijn waar Heath is, en tenzij Z behoefte heeft aan een tussendoortje, zal het haar waarschijnlijk ook geen snars kunnen schelen. Ze heeft het druk,' zei ze met nadruk. Aphrodite vond het echt niet leuk om de gevoelens van Damien en zijn vriendin/vriendje Jack te kwetsen, maar soms was dat de enige manier om voor elkaar te krijgen dat Damien haar met rust liet, en zelfs dat werkte niet altijd. Ze wendde zich tot Darius, die haar nauwlettend gadesloeg met een uitdrukking op zijn gezicht die een mengeling was van geamuseerdheid en bezorgdheid. 'Klaar voor vertrek, spetter?'

'Natuurlijk.' Voordat hij de deur dichtdeed, keek hij achterom naar Damien en Jack. 'We zien elkaar weer na zonsopgang.'

'Oké!' kwinkeleerde Jack, terwijl Damien alleen maar lang en strak naar Aphrodite keek.

In de gang had Aphrodite nog maar een paar stappen gedaan toen Darius haar bij haar pols pakte en tot staan bracht. Voor ze iets kon zeggen, legde hij zijn handen op haar schouders en keek haar in de ogen.

'Je hebt een visioen gehad,' zei hij.

Aphrodite voelde tranen in haar ogen opwellen. Ze was volslagen, compleet stapel op deze berg van een man die haar zo goed kende en die zo veel om haar leek te geven.

'Ja.'

'Is alles wel goed met je? Je ziet bleek en je ogen zijn nog een beetje bloeddoorlopen.'

'Ik maak het best,' zei ze, al klonk ze zelfs in haar eigen oren niet overtuigend.

Hij nam haar in zijn armen en ze liet zich troosten door zijn kracht. 'Was het net zo erg als de vorige keer?' vroeg hij.

'Erger.' Met haar gezicht tegen zijn borst gedrukt, sprak ze zo zacht en lief dat het bijna iedereen die haar kende zou hebben geschokt.

'Weer een visioen waarin Zoey doodging?'

'Nee. Deze keer ging het over het einde van de wereld, maar Zoey kwam er wel in voor.'

'Gaan we naar haar toe?'

'Nee, ze slaapt echt met Stark. Het schijnt dat Kalona haar dromen binnendringt en dat slapen met een jongen hem weghoudt.'

'Uitstekend,' zei Darius. Er kwam een geluid van het eind van de gang en Darius trok haar de hoek om en dieper de schaduw in terwijl een non voorbijliep, zich niet bewust van hun aanwezigheid.

'Zeg, over slapen gesproken, ik weet dat Z de hogepriesteres is, maar zij is niet de enige die haar schoonheidsslaapje nodig heeft,' fluisterde Aphrodite toen ze weer alleen waren in de gang.

Darius keek haar peinzend aan. 'Je hebt gelijk. Je bent natuurlijk uitgeput, vooral na een visioen.'

'Ik had het niet alleen over mezelf, Mr Macho. Ik heb onderweg hierheen lopen nadenken over waar we naartoe kunnen en ik kreeg een idee, een briljant idee, al zeg ik het zelf.'

Darius glimlachte. 'Ik geloof je meteen.'

'Natuurlijk. Hoe dan ook, ik herinnerde me dat jij tegen de pinguïnverpleegsters zei dat Stark minstens acht uur lang niet gestoord mocht worden. En hij ligt nu niet in zijn heerlijk donkere, heerlijk knusse privékamer. Die staat tragisch genoeg leeg.' Aphrodite duwde haar neus in zijn hals, ging op haar tenen staan en knabbelde aan zijn oorlel.

Hij lachte en sloeg zijn arm om haar heen. 'Je bent werkelijk briljant.'

Onderweg naar Starks lege kamer vertelde Aphrodite Darius over haar visioen en Zoey's droom. Hij luisterde naar haar met de stille aandacht die het tweede aspect vormde waardoor ze zich tot hem aangetrokken voelde.

Het eerste was natuurlijk zijn absolute spetterigheid.

Starks kamer was knus en donker en werd verlicht door een enkele kaars. Darius trok een stoel naar de deur en klemde die onder de deurkruk, een doeltreffend middel om te voorkomen dat er plotseling iemand binnen zou komen stormen. Toen rommelde hij in de laden van de kast in de hoek van de kamer, haalde lakens en dekens tevoorschijn en verschoonde daarmee het bed. Hij zei iets in de trant van dat hij niet wilde dat ze moest slapen op de lakens van een gewonde vampier.

Aphrodite keek naar hem terwijl hij zijn schoenen en spijkerbroek uittrok, en deed onder haar shirt haar bh uit. Het gaf haar een erg vreemd gevoel dat er iemand was die voor haar zorgde, iemand die haar oprecht leek te mogen om wie ze was, wat haar compleet overrompelde. Jongens mochten haar omdat ze een knappe verschijning was of omdat ze rijk, populair en een uitdaging was, of vaker wel dan niet omdat ze een kreng was. Het verbaasde haar altijd hoeveel jongens op krengen vielen. Jongens mochten haar nooit omdat ze Aphrodite was. In wezen namen jongens doorgaans niet de tijd om uit te zoeken wie er onder al dat mooie haar, die lange benen en die houding schuilging.

Maar de grootste schok van alles in haar relatie met Darius, en het nam inmiddels beslist de vorm aan van een relatie, was het feit dat ze geen seks hadden gehad. Nog niet. Tuurlijk, iedereen dacht dat ze bij de konijnen af met elkaar rollebolden, en ze liet iedereen in die waan – ze had dat idee zelfs aangemoedigd. Maar dat was niet waar. En op de een of andere manier voelde dat niet raar aan. Ze sliepen bij elkaar en hadden zelfs heftig met elkaar liggen kroelen, maar verder waren ze nooit gegaan.

Het drong opeens met een schok tot Aphrodite door wat er tussen haar en Darius gebeurde: ze deden het langzaamaan en leerden elkaar kennen. Ze leerden elkaar écht kennen, en ze kwam tot de ontdekking dat ze langzaamaan doen bijna net zo leuk vond als Darius leren kennen.

Ze werden verliefd op elkaar!

Die angstwekkende gedachte bezorgde haar knikkende knieën. Ze liep achteruit naar de stoel die in de hoek van de kamer stond en plofte erop neer met een licht gevoel in haar hoofd.

Darius was klaar met het bed opmaken en keek haar verdwaasd aan. 'Wat doe je nou helemaal daar?'

'Gewoon zitten,' zei ze vlug.

Hij hield zijn hoofd schuin. 'Gaat het echt wel goed met je? Je zei dat je samen met de vampiers in je visioen in brand stond. Voel je daar nog steeds de uitwerking van? Je ziet erg bleek.'

'Ik heb een beetje dorst en mijn ogen branden nog een beetje, maar voor de rest voel ik me prima.'

Toen ze aan de andere kant van de kamer bleef zitten zonder aanstalten te maken om naar het bed te komen, vroeg hij met een verbaasde glimlach: 'Ben je niet moe?'

'Jawel, vreselijk moe.'

'Zal ik wat water voor je pakken?'

'Welnee. Dat kan ik zelf wel. Geen probleem.' Aphrodite sprong op als zo'n freaky marionet met touwtjes en liep naar de wasbak in de tegenoverliggende hoek van de kamer. Ze vulde een kartonnen bekertje met water toen Darius opeens achter haar stond. Zijn sterke handen lagen weer op haar schouders. Deze keer begonnen zijn duimen zachtjes de gespannen spieren in haar nek te kneden.

'Al je spanning zit hier,' zei hij, terwijl zijn handen van haar nek naar haar schouders gleden.

Aphrodite dronk het bekertje leeg en bleef als verlamd staan. Darius masseerde zwijgend haar schouders, en liet zijn aanraking haar vertellen hoeveel hij om haar gaf. Eindelijk liet ze het bekertje uit haar hand glippen. Haar hoofd viel naar voren en ze slaakte een diepe, vergenoegde zucht. 'Je handen zijn magisch.'

'Ze doen wat ze kunnen om jou te behagen, milady.'

Aphrodite glimlachte en gaf zich over aan zijn handen; ze voelde haar spanning langzaam wegtrekken. Ze vond het heerlijk dat Darius haar behandelde alsof ze zijn hogepriesteres was, terwijl ze geen merkteken had en nooit een vampier zou zijn. Ze vond het heerlijk dat hij ervan overtuigd was dat ze voor Nux bijzonder was, dat ze door de godin was uitverkoren. Het feit dat ze geen merkteken had, liet hem volslagen koud. Ze vond het heerlijk dat hij...

O-mijn-godin! Ze hield van hem. Goeie hemel!

Aphrodites hoofd schoot omhoog, en ze draaide zich zo snel om dat Darius ervan schrok en automatisch een stap achteruit deed om haar ruimte te geven.

'Wat is er?' vroeg hij.

'Ik hou van je!' gooide ze eruit, en toen sloeg ze haar hand voor haar mond alsof ze probeerde, te laat, om de woorden tegen te houden.

De krijger glimlachte, lang en langzaam. 'Ik ben blij je dat te horen zeggen. Ik hou ook van jou.'

Aphrodites ogen vulden zich met tranen; ze knipperde heftig om ze tegen te houden en rende langs hem heen. 'Godin! Dit is kut!'

In van plaats te reageren op haar uitbarsting volgde hij haar rustig met zijn blik terwijl ze met grote stappen naar het bed liep. Aphrodite voelde dat hij naar haar keek terwijl ze erover nadacht wat ze zou doen: op het bed gaan zitten of onder de lakens kruipen. Uiteindelijk deed ze geen van beide omdat ze bedacht dat ze in bed geen fraai beeld zou vormen. Ze voelde zich al kwetsbaar genoeg zoals ze daar halfnaakt stond in haar T-shirt, slipje en verder niets. Ze draaide zich met haar gezicht naar Darius.

'Wat nou?' snauwde ze.

Hij hield zijn hoofd schuin. Een trieste glimlach trok zijn mondhoeken omhoog. Ze vond zijn ogen er opeens tientallen jaren ouder uitzien dan de rest van zijn gezicht. 'Je ouders houden niet van elkaar, Aphrodite. Uitgaand van wat je me over hen hebt verteld, vermoed ik dat ze misschien niet in staat zijn om liefde te voelen, voor wie dan ook, jou incluis.'

Ze stak haar kin naar voren en keek hem in de ogen. 'Vertel mij wat.'

'Jij bent je moeder niet.'

Hij sprak de woorden heel zacht uit, maar ze kwamen aan als messen die zich in haar hart boorden.

'Dat weet ik!' Haar lippen voelden plotseling ijskoud aan.

Darius liep langzaam op haar toe. Het viel Aphrodite weer op hoe soepel hij zich bewoog en hoe krachtig hij er altijd uitzag. Hij hield van haar? Hoe? Waarom? Besefte hij dan niet wat voor een akelig kreng ze was?

'Weet je dat echt? Je moeder mag dan niet tot liefhebben in staat zijn, jij bent dat wel,' zei hij.

Maar ben ik in staat om iemand mij te laten liefhebben? Ze wilde hem de vraag toeschreeuwen, maar dat kon ze niet. Trots, die luider tegen haar sprak dan het begrip in Darius' ogen, hield de woorden tegen. In plaats daarvan deed ze wat haar een veilig gevoel gaf: ze ging in de aanval.

'Natuurlijk weet ik dat. Maar dit gedoe tussen ons blijft kut. Jij bent een vampier. Ik ben een mens. Ik zou hoogstens je gade kunnen zijn, en zelfs dat kan niet omdat ik verdomme al een stempelband heb met die stomme boerentrien van een Stevie Rae, een stempelband die ik maar niet kwijt lijk te kunnen raken, terwijl jij me ook al hebt gebeten.' Aphrodite zweeg even en probeerde om niet te denken aan de tederheid die Darius tentoon had gespreid toen hij van haar bloed dronk, al was haar bloed door de stempelband voor hem bedorven. Ze probeerde, zonder daarin te slagen, om niet te denken aan het genot en de vrede die ze in zijn armen had gevonden, en dat alles zonder seks met hem te hebben.

'Ik ben het niet met je eens. Je bent niet zomaar een mens, en je stempelband met Stevie Rae heeft geen invloed op ons. Ik zie dat als een bewijs van hoe belangrijk je bent voor Nux. Ze weet dat Stevie Rae je nodig heeft.'

'Maar jij hebt mij niet nodig,' zei Aphrodite bitter.

'Ik heb je wel nodig,' verbeterde hij haar resoluut.

'Waardoor dan? We neuken niet eens!'

'Aphrodite, waarom doe je dit? Je weet dat ik naar je verlang, maar jij en ik zijn meer dan louter lichamen en zinnelijke lust. Onze band gaat dieper dan dat.'

'Ik zou niet weten hoe!' Aphrodite was weer gevaarlijk dicht bij tranen, wat haar nog nijdiger maakte.

'Ik wel.' Hij kwam vlak voor haar staan, pakte een van haar handen in de zijne en liet zich voor haar op één knie vallen. 'Ik wil je iets vragen.'

'O godin! Wat?' Ging hij iets bespottelijks doen zoals haar ten huwelijk vragen?

Hij legde zijn gebalde vuist op zijn hart en keek haar in de ogen. 'Aphrodite, geliefde profetes van Nux, ik vraag je om mijn krijgerseed te aanvaarden. Ik zweer dat ik je vanaf deze dag zal beschermen met mijn hart, mijn geest, mijn lichaam en mijn ziel. Ik verbind me op mijn erewoord aan jou boven ieder ander, en zal je krijger zijn tot aan mijn laatste ademtocht op deze wereld en daarna, zo onze godin dat behaagt. Aanvaard je mijn eed?'

Aphrodite werd overspoeld door een overweldigende golf vreugde. Darius wilde haar krijger zijn! Maar die vreugde was van korte duur toen ze dacht aan de gevolgen van zijn eed.

'Je kunt mijn krijger niet zijn. Zoey is je hogepriesteres. Als je je aan iemand wilt verbinden, dan moet zij dat zijn.' Aphrodite haatte het om de woorden uit te spreken en het idee dat Darius voor Zoey op zijn knieën zou gaan, haatte ze nog meer.

'Zoey is mijn hogepriesteres en ook die van jou, maar zij heeft al een krijger. Ik heb het enthousiasme van de jonge Stark gezien over zijn eedgezworen positie. Ze zal geen andere krijger nodig hebben om haar te schaduwen. Bovendien heeft Zoey me haar zegen gegeven toen ik haar zei dat ik jou mijn krijgerseed wilde aanbieden.'

'Wát heeft ze gedaan?'

De krijger knikte ernstig. 'Het was niet meer dan juist dat ik Zoey heb verteld wat ik van plan was.'

'Dit is dus niet zomaar een impuls? Je hebt er echt over nagedacht?'

'Natuurlijk.' Hij keek glimlachend naar haar op. 'Ik wil je voor altijd beschermen.'

Aphrodite schudde heftig haar hoofd. 'Dat kan niet.'

Darius' glimlach vervaagde. 'Ik kan mijn eed geven aan wie ik wil, dus dat is geen belemmering. Ik ben nog jong, maar mijn vaardigheden zijn volwaardig. Ik verzeker je dat ik je kan beschermen.'

'Dat bedoel ik niet! Ik weet dat je goed bent, je bent verdomme veel te goed! Dat is het probleem.' Aphrodite begon stilletjes te huilen.

'Aphrodite, ik begrijp het niet.'

'Waarom wil je mij je eed geven? Ik ben een compleet kreng!'

Zijn glimlach kwam terug. 'Je bent uniek.'

Aphrodite schudde haar hoofd. 'Ik zal je pijn doen. Ik doe altijd iedereen pijn die zich aan me hecht.'

'Dan is het maar goed dat ik een krachtige krijger ben. Nux was wijs toen ze mij aan jou gaf, en ik ben erg tevreden met de keuze van onze godin.'

'Maar waarom?' De tranen stroomden nu vrijelijk over Aphrodites wangen, dropen van haar kin en trokken in haar T-shirt.

'Omdat je iemand verdient die je waardeert en die verder kijkt dan rijkdom, schoonheid en status. Je verdient iemand die je waardeert om wie je bent. Nu vraag ik je nogmaals: aanvaard je mijn eed?'

Aphrodite keek neer op zijn krachtige, adembenemend knappe gezicht, en iets in haar binnenste werd bevrijd toen ze haar toekomst zag in zijn oprechte, vastberaden blik.

'Ja, ik aanvaard je eed,' zei ze.

Met een kreet van vreugde sprong Darius overeind en nam zijn profetes in zijn armen. Hij hield haar teder in zijn armen tot zonsondergang terwijl zij de band van verdriet, eenzaamheid en woede van zich af huilde die zo lang zo strak haar hart had omsloten.

16

Stevie Rae

Stevie Rae had doorgaans geen moeite met slapen. Oké, het was een afschuwelijk cliché, maar overdag sliep ze altijd alsof ze, nou, dood was. Maar deze dag niet. Deze dag had ze haar gedachten niet kunnen stilzetten. Als ze eerlijk was moest ze eigenlijk zeggen dat ze haar schuldige gedachten niet had kunnen stilzetten.

Wat moest ze met Rephaim doen?

Ze moest het Zoey vertellen, dat zou ze moeten doen. Zonder enige twijfel.

'Tuurlijk, en dan zou Z in alle staten raken, als een kat met een lange staart in een kamer vol schommelstoelen,' mompelde ze binnensmonds, al ijsberend voor de ingang van de tunnel in de voorraadkelder. Stevie Rae was alleen, maar ze wierp steeds steelse blikken om zich heen alsof ze verwachtte beslopen te worden.

Maar wat maakte het eigenlijk uit als iemand haar hier kwam zoeken? Ze deed niets verkeerds! Ze kon gewoon niet slapen, meer niet.

Was dat maar waar.

Stevie Rae hield op met ijsberen en keek de rustgevende duisternis van de tunnel in die ze kort daarvoor door de ruwe aarde had getrokken. Wat moest ze in godsnaam met Rephaim doen?

Ze kon Zoey niet over hem vertellen. Zoey zou het niet begrijpen. Niemand zou het begrijpen. Verdorie, Stevie Rae begreep het zelf niet eens! Ze wist alleen dat ze hem niet kon uitleveren, dat ze hem niet kon verraden. Maar wanneer ze niet bij hem was, wanneer Stevie Rae niet zijn stem hoorde en niet de te menselijke pijn in zijn ogen kon zien, was ze meestal op de rand van paniek en bang dat het feit dat ze de Raafspotter verborg, bewees dat ze haar gezonde verstand verloor.

Hij is je vijand! De gedachte bleef door haar hoofd malen, stuurloos fladderend als een gewonde vogel.

'Nee, op dit moment is hij niet mijn vijand. Op dit moment is hij gewond.' Stevie Rae sprak de tunnel in, tegen de aarde die haar met beide benen op de grond hield en kracht schonk.

Stevie Raes ogen werden groot toen een idee bij haar opkwam. Het feit dat hij gewond was, was de oorzaak van deze puinhoop. Als hem niets had gemankeerd en haar of een van de anderen had aangevallen, dan zou ze geen moment hebben geaarzeld om zichzelf of wie dan ook te beschermen.

Als ik hem nu eens gewoon ergens heen breng waar hij kan genezen? Ja! Dat was de oplossing! Ze hoefde hem niet te beschermen. Ze wilde hem gewoon niet overgeven om afgeslacht te worden. Als ze hem naar een veilige plek kon brengen, ergens waar hij niet lastiggevallen zou worden, kon Rephaim genezen en dan kon hij zijn eigen toekomst kiezen. Dat had zij ook gedaan! Misschien zou hij ervoor kiezen om zich bij de goodguys aan te sluiten tegen Kalona en Neferet. Misschien ook niet. Wat hij ook zou doen, het zou haar zorg niet zijn.

Maar waar kon hij naartoe?

En toen, starend in de tunnel, kwam de perfecte oplossing bij haar op. Het zou betekenen dat ze een deel van haar geheimen zou moeten prijsgeven. Ze vroeg zich af of Zoey zou begrijpen waarom Stevie Rae dingen voor haar verborgen had gehouden. Dat moet ze gewoon begrijpen. Zelf had ze ook een paar behoorlijk impopulaire keuzes moeten maken. En hoe dan ook, Stevie Rae had een vaag vermoeden dat Zoey niet eens zo verbaasd zou zijn als ze het haar vertelde; ze had waarschijnlijk al lang iets in de gaten.

Ze zou Z dus het een en ander vertellen, wat er op zijn minst voor zou zorgen dat de plek waar ze Rephaim heen wilde sturen, niet binnen de kortste keren bestormd zou worden door halfwassen. Hij zou niet bepaald alleen zijn en volkomen veilig, maar zij zou van hem af zijn en hij zou niet meer haar verantwoordelijkheid zijn.

Opgewonden en apetrots op zichzelf dat ze een oplossing had gevonden voor haar kolossale probleem, concentreerde Stevie Rae zich en raadpleegde ze haar inwendige klok, die altijd tot op de seconde nauwkeurig was. Ze had iets meer dan een uur tot zonsondergang. Op een normale dag zou ze haar plan niet hebben kunnen uitvoeren, maar vandaag voelde ze de zwakte van de zon, die tevergeefs probeerde om door het dikke wolkendek heen te breken, dat zwaar was van het ijs en dat zich voorgoed boven Tulsa leek te hebben vastgezet. Ze was er tamelijk zeker van dat ze niet zou verbranden als ze zich buiten waagde. Ze was er net zo zeker van dat ze niet bang hoefde te zijn dat er nieuwsgierige nonnen buiten zouden rondscharrelen nu het nog steeds ijs regende en het terrein rondom de abdij bevroren en spiegelglad was. Hetzelfde gold voor de gewone halfwassen. Over de rode halfwassen hoefde ze zich tot zonsondergang helemaal geen zorgen te maken. Die lagen allemaal nog diep onder de dekens op hun stretcher in de kelder. Natuurlijk zou iedereen in het komende uur opstaan, en Zoey kennende, zou die een grote bespreking willen houden over hun volgende zet, wat betekende dat Zoey zou verwachten dat zij er ook bij was.

Stevie Rae pulkte zenuwachtig aan haar vingernagels. Tijdens die algemene 'wat gaan we nu doen?'-bijeenkomst zou ze Zoey en de anderen haar geheimen moeten vertellen, en daar zag ze vreselijk tegen op.

Daar kwam nog bij dat Aphrodite weer een visioen had gehad. Stevie Rae wist niet wat ze had gezien, maar door hun stempelband had ze de beroering gevoeld die het visioen bij Aphrodite had opgeroepen, beroering die was opgelaaid en toen was weggetrokken, wat waarschijnlijk betekende dat Aphrodite nu sliep. Dat was een goed iets, want Stevie Rae wilde niet dat Aphrodite wakker genoeg was om aan te voelen wat Stevie Rae in haar schild voerde. Ze kon alleen maar hopen dat Aphrodite niet toch al te veel wist.

'Het is dus nu of nooit. Tijd om spijkers met koppen te slaan,' fluisterde Stevie Rae tegen zichzelf.

Ze gaf zichzelf niet de kans om op haar voornemen terug te komen en haastte zich stilletjes de trap op naar de eigenlijke kelder van de abdij. Zoals ze al had verwacht lagen alle rode halfwassen nog diep in slaap. Dallas' herkenbare gesnurk dreef door de donkere ruimte en ze moest er bijna om glimlachen.

Ze liep naar haar lege stretcher en trok de deken eraf. Toen ging ze terug naar de voorraadkelder en liep ze met bovennatuurlijke zelfverzekerdheid in de inktzwarte duisternis naar de ingang van de tunnel. Zonder aarzeling liep ze de tunnel in. Ze genoot van de geur en het gevoel omringd te zijn door aarde. Hoewel ze wist dat wat ze op het punt stond te doen mogelijk de grootste vergissing van haar leven zou kunnen worden, was de aarde nog steeds in staat om haar te kalmeren en haar gespannen zenuwen te ontspannen, als de omhelzing van een zorgzame ouder.

Stevie Rae volgde de tunnel tot aan de eerste flauwe bocht. Daar bleef ze staan en legde ze de deken neer. Ze ademde drie keer diep in en uit en concentreerde zich. Toen ze sprak was haar stem nauwelijks meer dan een fluistering, maar hij bevatte zo veel kracht dat de lucht om haar heen letterlijk trilde als hittegolven boven een asfaltweg hartje zomer.

'Aarde, u bent van mij zoals ik van u ben. Ik roep u tot mij.' De tunnel rondom Stevie Rae werd onmiddellijk gevuld met de geuren van een hooiveld en het geluid van wind die door bomen ruiste. Ze voelde gras dat er niet was onder haar voeten. En dat was niet het enige wat Stevie Rae voelde. Ze voelde de aarde die haar omringde, en dat gevoel van haar element, de bevestiging dat aarde een bezielde, bewuste entiteit was, waar Stevie Rae gebruik van maakte.

Ze hief haar armen en wees met haar vingers naar het lage plafond van aarde. 'Ik wil dat je voor me opengaat. Alsjeblieft.' Het plafond beefde en aarde regende neer, eerst langzaam, en toen, met een geluid als de zucht van een oude vrouw, spleet de aarde boven Stevie Rae open.

Instinct deed haar achteruitspringen tot in de beschermende schaduwen van de tunnel, maar ze had gelijk gehad wat de zon betrof; die was nergens te zien of te voelen. Regende het? Nee, besloot ze toen ze omhoogtuurde naar de sombere lucht en een paar druppels op haar gezicht vielen. Het regende niet, het ijzelde, wat heel goed uitkwam voor wat ze moest doen.

Stevie Rae sloeg de deken om haar schouders en klom tegen de ingestorte tunnelwand op naar de wereld boven haar. Ze kwam niet ver van Maria's Grot boven, tussen de Grot en de bomen langs de westkant van het abdijterrein. Het was zo donker dat het leek alsof de zon al onder was, maar toch kneep Stevie Rae, niet op haar gemak, haar ogen tot spleetjes. Ze haatte het kwetsbare gevoel dat daglicht haar bezorgde, zelfs nu dat licht zo verduisterd was dat het zogoed als niet-bestaand was.

Ze schudde haar onbehagen van zich af en oriënteerde zich. De schuur waarin ze Rephaim had achtergelaten stond iets verderop naar links. Ze boog haar hoofd tegen de prikkende korreltjes bevroren regen en liep op een drafje naar de schuur. Net als de nacht daarvoor dacht ze toen ze haar hand op de deurkruk legde onwillekeurig: laat hem alsjeblieft dood zijn... Het zou veel makkelijker zijn als hij dood was...

In de schuur was het warmer dan ze had verwacht, en er hing een vreemde lucht. Ze rook niet alleen de grasmaaier en ander geolied en op benzine werkend tuingereedschap, en de diverse pesticiden en meststoffen die op de planken van de schuur waren opgeslagen, maar ook iets anders. Iets wat haar kippenvel bezorgde. Ze was juist om het tuingereedschap heen gelopen en langzaam op weg naar de achterkant van de schuur, toen Stevie Rae opeens wist waaraan de geur haar deed denken, en dat besef deed haar aarzelen en vervolgens stilstaan.

De schuur, vervuld met de geur van Rephaim en zijn bloed, rook als de duisternis die haar had omringd toen ze ondood was geworden en haar menselijkheid bijna volledig verwoest was. De geur deed haar denken aan die duistere tijd en de dagen en nachten die gevuld waren geweest met louter woede en behoefte, geweld en angst.

Haar adem stokte toen ze besefte waaraan de geur haar ook deed denken. De rode halfwassen, die ándere rode halfwassen, de rode halfwassen die ze voor Zoey verborgen hield, wasemden diezelfde geur uit. Niet helemaal dezelfde, en ze betwijfelde of iemand met een minder sterk ontwikkelde reukzin zelfs het verband zou kunnen leggen, maar zij kon dat wel. En dat deed ze. En een akelig voorgevoel deed haar het bloed in de aderen stollen.

'Weer kom je alleen naar me toe,' zei Rephaim.

17

Stevie Rae

Rephaims woorden dreven uit de duisternis op haar toe. Wanneer je het monster dat hij was niet zag, had zijn stem iets spookachtig, hartverscheurend menselijks. Dat was per slot van rekening wat hem de dag daarvoor had gered. Zijn menselijkheid had Stevie Rae geraakt en daardoor had ze hem niet kunnen doden.

Maar vandaag klonk hij anders, krachtiger. Ze voelde zich opgelucht, maar tegelijkertijd verontrustte het haar.

Ze zette haar verontrusting van zich af. Ze was geen hulpeloos kind dat het bij het dreigen van gevaar onmiddellijk op een lopen zette. Ze was heel goed in staat om een vogelfreak een flink pak rammel te geven. Stevie Rae rechtte haar rug. Ze had besloten om hem te helpen ontsnappen en dat ging ze doen ook.

'Wie had je dan verwacht? John Wayne en de cavalerie?' Ze deed wat haar moeder altijd deed wanneer een van haar broers ziek en lastig was en liep vastberaden naar hem toe. De gedaante die een ineengedoken donkere vlek achter in de schuur was geweest, kwam scherp in beeld en ze keek hem aan met haar beste no-nonsenseblik. 'Nou, je bent niet dood en je zit rechtop, dus je voelt je vast beter.'

Hij hield zijn kop schuin. 'Wie is John Wayne en cavalerie?'

'Dé cavalerie. Dat is gewoon een uitdrukking die betekent dat de goodguys iemand te hulp komen snellen. Maar wind je alsjeblieft niet op. Er is geen leger onderweg. Je zult het met mij moeten doen.'

'Zie je jezelf niet als een van de goodguys?'

Hij verraste haar met zijn vermogen om een normaal gesprek te voeren, en ze dacht dat als ze haar ogen kon sluiten of de andere kant op kon kijken, ze zichzelf bijna wijs zou kunnen maken dat hij een normale vent was. Maar ze wist natuurlijk wel beter. Ze kon waar hij bij was niet haar ogen sluiten of de andere kant op kijken, en hij was beslist geen normaal wat dan ook.

'Nou, jawel, ik ben een van de goeien, maar ik ben geen leger.' Stevie Rae bekeek hem eens goed. En hij zag er nog steeds beroerd uit – toegetakeld, bebloed en geknakt – maar hij lag niet meer als een verfrommelde hoop op zijn zij. Hij zat overeind, leunde met zijn gewicht op zijn ongedeerde linkerzij, met zijn rug tegen de achterkant van de schuur. Hij had de handdoeken die ze bij hem had achtergelaten als stukjes deken over zijn lichaam uitgespreid. Zijn ogen stonden helder en alert en keken haar met een vaste blik aan. 'Je voelt je dus beter?'

'Zoals je zei: ik ben niet dood. Waar zijn de anderen?'

'Dat heb ik je al eerder verteld. De rest van de Raafspotters is vertrokken met Kalona en Neferet.'

'Nee, ik bedoel de andere menszonen en -dochters.'

'O, mijn vrienden. Die liggen nog te slapen. Maar we hebben niet veel tijd. Dit gaat niet makkelijk worden, maar ik geloof dat ik heb uitgepuzzeld hoe ik je hier heelhuids weg moet krijgen.' Ze zweeg even en bedwong de neiging om aan haar vingernagels te peuteren. 'Je kunt lopen, toch?'

'Ik zal doen wat ik moet doen.'

'Wat betekent dat nou weer? Zeg nou maar gewoon "ja" of "nee". Het is nogal belangrijk.'

'Jazzzeker.'

Stevie Rae slikte krampachtig bij het geluid van zijn gesiste woord en besloot dat ze het mis had gehad met dat als-ze-niet-naar-hem-keek-leek-hij-normaalidee. 'Oké, nou, laten we dan maar gaan.'

'Waar breng je me heen?'

'Het enige wat ik kon bedenken was dat ik je ergens naartoe moet brengen waar je veilig bent en kunt genezen. Hier kun je niet blijven. Dan vinden ze je zeker. Zeg, je hebt toch niet hetzelfde probleem als je vader met ondergronds zijn, hoop ik?'

'Ik verkiesss de lucht boven ondergrondsss zijn.' Zijn stem klonk bitter, scherp, en dat gesis bezorgde haar kippenvel.

Stevie Rae zette haar handen op haar heupen. 'Betekent dat dat je niet ondergronds kunt gaan?'

'Liever niet.'

'Nou, ben je liever in leven en verborgen onder de grond of hier met ongeveer een minuut de tijd voor je gevonden wordt en dood bent?' Of erger, dacht ze, maar dat zei ze niet hardop.

Hij bleef een hele tijd stil en Stevie Rae begon zich af te vragen of Rephaim misschien echt liever dood wilde, iets waarmee ze helemaal geen rekening had gehouden. Eigenlijk zou dat heel goed te begrijpen zijn. Zijn eigen familie had hem voor dood achtergelaten, en de moderne wereld verschilde als dag en nacht van de wereld zoals die was toen hij eerder had geleefd – en Cherokee-dorpen had geterroriseerd. Ze had hem misschien veel beter gewoon dood kunnen laten gaan.

'Ik blijf liever in leven.'

De uitdrukking op zijn gezicht deed Stevie Rae vermoeden dat dit hem evenzeer verraste als haar.

'Oké. Best. Dan moet ik je hier weg zien te krijgen.' Ze deed een stap dichter naar hem toe, maar bleef weer staan. 'Moet ik je weer laten beloven dat je je gedraagt?'

'Ik ben te zwak om een gevaar voor je te vormen,' zei hij.

'Oké, dan zal ik er maar van uitgaan dat je eerdere belofte nog steeds geldt. Als je niks stoms probeert, dan redden we het misschien wel.' Stevie Rae liep naar hem toe en hurkte naast hem neer. 'Ik moet even je verbanden controleren. Die moeten misschien verschoond worden of strakker worden aangetrokken voordat we op weg gaan.' Ze ging methodisch te werk en deed mondeling verslag van wat ze deed. 'Nou, zo te zien werkt het mos goed. Ik zie niet veel bloed. Je enkel is behoorlijk dik, maar ik geloof niet dat die gebroken is. Ik voel in elk geval geen breuken.' Ze verbond de enkel weer en zorgde dat de andere verbanden stevig op hun plaats zaten, waarbij ze de gebroken vleugel voor het laatst bewaarde. Stevie Rae begon de repen handdoek die de vleugel op zijn plaats hielden en los waren geraakt aan te trekken, en Rephaim, die tijdens haar onderzoek geen kik had gegeven, kromp in elkaar en kreunde van de pijn.

'Ah, verdikkeme! Sorry. Ik weet dat de vleugel er slecht aan toe is.'

'Wind meer van die stof om me heen. Bind de vleugel steviger tegen mijn lichaam. Ik zal niet kunnen lopen als die niet volledig immobiel is.'

Stevie Rae knikte. 'Ik zal doen wat ik kan.' Ze scheurde een van de handdoeken in repen en hij boog zich voorover zodat ze makkelijk bij zijn rug kon. Ze zette haar tanden op elkaar en werkte zo snel mogelijk, terwijl ze zich probeerde af te sluiten voor de manier waarop hij beefde en zijn gekreun van pijn onderdrukte.

Toen ze klaar was met de vleugel, schepte ze wat water uit de emmer en hield de schenkkan bij zijn snavel. Toen hij niet meer beefde, stond ze op en strekte haar handen naar hem uit. 'Oké, even door de zure appel heen bijten.'

Hij keek haar aan en ze zag dat hij haar niet begreep. 'Dat betekent gewoon dat je je moet vermannen en doen wat je moet doen, al is dat zo moeilijk als de hel.'

Hij knikte langzaam, pakte haar uitgestrekte handen en omklemde ze stevig. Ze zette zich schrap, trok, en gaf hem de tijd om zijn gewicht te verplaatsen en zich op te richten. Met van pijn ingehouden adem lukte het hem om overeind te komen, al zette hij weinig gewicht op zijn gekwetste enkel en stond hij niet bepaald stevig op zijn benen.

Stevie Rae bleef zijn handen vasthouden om hem de kans te geven te wennen aan rechtop staan, en terwijl ze bang was dat hij weer van zijn stokje zou gaan, bedacht ze hoe bizar het was dat zijn handen zo warm en menselijk aanvoelden. Ze had vogels altijd beschouwd als koud en fladderig. Eigenlijk had ze het niet zo op vogels, dat was altijd al zo geweest. De kippen van haar moeder joegen haar altijd de stuipen op het lijf met hun hysterische gefladder en stomme gekakel. Ze kreeg een flashback van eieren rapen terwijl een dikke, humeurige kip naar haar pikte en op een haartje na haar oog miste.

Stevie Rae huiverde en Rephaim liet haar handen los.

'Gaat het een beetje?' vroeg ze om de ongemakkelijke stilte die ontstond te verdoezelen.

Hij bromde iets en knikte.

Zij knikte ook. 'Wacht even. Voordat je probeert te lopen, zal ik iets zoeken waarop je kunt steunen.' Stevie Rae bekeek het tuingereedschap en haar oog viel op een stevige schop met een houten steel. Ze liep ermee naar Rephaim, hield de steel naast zijn lichaam om te zien of die lang genoeg was, brak met een snelle beweging de steel van de schop en gaf die aan Rephaim. 'Die kun je als wandelstok gebruiken. Je weet wel, om je gewonde enkel te ontzien. Je kunt een tijdje op mij steunen, maar zodra we in de tunnel zijn ben je op jezelf aangewezen en heb je dit nodig.'

Rephaim pakte de houten steel van haar aan. 'Je kracht is indrukwekkend.'

Stevie Rae haalde haar schouders op. 'Die komt goed van pas.'

Rephaim deed voorzichtig een stap naar voren, steunend op de steel, en dat lukte, al zag Stevie Rae wel dat hij erg veel pijn had. Toch strompelde hij in zijn eentje naar de deur van de schuur. Daar bleef hij staan en keek vragend achterom.

'Eerst sla ik deze deken om je heen. Ik reken erop dat niemand ons ziet, maar voor het geval er een nieuwsgierige non uit een raam staat te kijken, zal die alleen maar zien dat ik iemand ondersteun die in een deken is gewikkeld. Dat hoop ik tenminste.'

Rephaim knikte en Stevie Rae sloeg de deken om hem heen, trok de rand over zijn hoofd en stopte de zijkanten tussen het verband op zijn borst om hem op zijn plaats te houden.

'Het plan is als volgt: je kent toch die tunnels onder de remise in de binnenstad waar we onze intrek hadden genomen?'

'Ja.'

'Nou, die heb ik iets uitgebreid.'

'Ik begrijp het niet.'

'Mijn affiniteit is voor het element aarde. Ik kan het naar mijn hand zetten, min of meer. Sommige aspecten kan ik manipuleren. Een van de dingen die ik pas heb ontdekt is dat ik aarde kan verplaatsen, zoals een tunnel erdoorheen trekken. En dat heb ik gedaan om een verbinding te maken tussen de remise en de abdij.'

'Dit is het soort kracht waarvan mijn vader sprak toen we het over jou hadden.'

Stevie Rae wilde absoluut niet met Rephaim over zijn gruwelijke vader praten; ze wilde niet eens nadenken over waarom hij over haar en haar krachten had gesproken. 'Ja, nou, hoe dan ook, ik heb een deel van de tunnel geopend zodat ik eruit kon klimmen en hierheen kon komen. Het is niet ver van deze schuur. Ik help je naar beneden. Eenmaal in de tunnel, kun je die terugvolgen tot de remise. Daar zit je beschut en er is eten. Eigenlijk is het er best aangenaam. Daar kun je genezen.'

'En hoe weet je dat de rest van je bondgenoten me niet in die tunnels zullen ontdekken?'

'Ten eerste ga ik de tunnel die de remise met de abdij verbindt afsluiten. Dan ga ik mijn vrienden iets vertellen wat ervoor zal zorgen dat ze zich voorlopig niet in de remisetunnels zullen wagen. En ik hoop dat dat "voorlopig" lang genoeg is voor jou om te herstellen en de benen te nemen voordat ze daar gaan rondsnuffelen.'

'Wat ga je ze vertellen om te zorgen dat ze niet naar de tunnels gaan?'

Stevie Rae slaakte een zucht en veegde met haar hand over haar gezicht. 'Ik ga ze de waarheid vertellen. Dat er meer rode halfwassen zijn, dat die zich in de remisetunnels schuilhouden, en dat ze gevaarlijk zijn omdat ze nog niet voor goed boven kwaad hebben gekozen.'

Rephaim bleef enkele hartslagen stil en toen zei hij: 'Neferet had gelijk.'

'Neferet! Wat bedoel je?'

'Ze zei tegen mijn vader dat ze onder de rode halfwassen bondgenoten had en dat ze die kon inzetten als strijders voor haar zaak. Ze had het over díé rode halfwassen.'

'Dat moet haast wel,' mompelde Stevie Rae mistroostig. 'Ik wilde het niet geloven. Ik wilde geloven dat ze uiteindelijk de juiste keus zouden maken: menselijkheid boven duisternis. Dat ze gewoon wat tijd nodig hadden om alles in hun hoofd op een rijtje te zetten. Ik ben bang dat ik het mis had.'

'Zijn het deze halfwassen die je vrienden bij de tunnels weg zullen houden?'

'Min of meer. Eigenlijk ben ík degene die ze daar weg zal houden. Ik ga tijd voor je winnen, voor jou en voor hen.' Ze keek hem in de ogen. 'Zelfs als ik daar verkeerd aan doe.' Zonder nog iets te zeggen deed ze de deur open, ging naast hem staan, tilde zijn arm op en sloeg die om haar schouders, en toen liepen ze samen de ijzige schemering in.

Stevie Rae wist dat Rephaim moest vergaan van de pijn toen ze snel van de schuur naar het gat in de grond liepen dat zij had gemaakt, maar het enige geluid was zijn hijgende ademhaling. Hij leunde zwaar op haar, en Stevie Rae verbaasde zich weer over zijn warmte en het vertrouwde gevoel van een jongensarm om haar schouders, vermengd met het met veren beklede lichaam dat ze ondersteunde. Ze bleef om zich heen kijken en hield bijna haar adem in, bang dat iemand, zoals die irritante ik-moet-bewijzen-hoe-macho-ik-ben Erik, naar buiten was geglipt. De gesluierde zon ging onder. Stevie Rae voelde dat die de in ijs gehulde hemel verliet. Het was slechts een kwestie van tijd voordat de halfwassen, vampiers en nonnen druk in de weer gingen.

'Kom op, het gaat goed. Je haalt het wel. We moeten opschieten.' Ze bleef Rephaim bemoedigend toespreken en tegelijkertijd haar eigen schuldbewuste vrees de kop indrukken.

Maar niemand riep hun iets na. Niemand kwam aangerend, en sneller dan Stevie Rae had verwacht stonden ze voor het gat dat toegang gaf tot de tunnel.

'Klim achteruit naar beneden; gebruik je handen en voeten. Het is niet ver. Ik zal je zo lang mogelijk vasthouden en helpen.'

Rephaim verspilde geen tijd of energie aan woorden. Hij knikte, draaide zich om, wierp de deken van zich af en toen, terwijl Stevie

Rae zijn ongedeerde arm vasthield – blij met het feit dat hij zo groot was en zo sterk en stevig leek, terwijl hij in wezen minder woog dan zij – verdween hij langzaam, zeer moeizaam in de aarde. Stevie Rae volgde hem.

In de tunnel leunde Rephaim tegen de wand van aarde en probeerde weer op adem te komen. Stevie Rae had hem graag de tijd gegund om even uit te rusten, maar het kippenvel in haar nek schreeuwde tegen haar dat de anderen zo wakker zouden worden en naar haar op zoek zouden gaan, en haar en haar Raafspotter zouden vinden!

'Je moet doorlopen. Nu. Maken dat je hier wegkomt. Die kant op.' Ze wees de duisternis voor hen in. 'Het is in de tunnel pikdonker. Sorry, maar ik heb geen tijd om een lamp voor je te halen. Red je het wel in het donker?'

Hij knikte. 'Ik verkies al heel lang de nacht.'

'Goed. Volg deze tunnel tot je bij de plek komt waar de cementen muren beginnen. Dan sla je rechts af. Het zal verwarrend worden, want hoe dichter je bij de remise komt, hoe meer tunnels er zijn. Maar blijf gewoon in de hoofdtunnel. Die is verlicht; ik hoop tenminste dat die nog steeds verlicht is. Hoe dan ook, op een gegeven moment vind je lantaarns, eten en kamers met bedden en zo.'

'En er zijn daar duistere halfwassen.'

Het was geen vraag, maar Stevie Rae antwoordde toch. 'Ja, die zijn er. Toen de andere rode halfwassen en ik daar woonden, bleven ze uit de buurt van de hoofdtunnels en onze kamers en zo. Ik weet niet wat ze doen nu we er niet zijn, en ik weet eerlijk gezegd niet wat ze met jou zullen doen. Ik geloof niet dat ze je zullen willen opeten – je ruikt niet goed. Maar zeker weten doe ik dat niet. Ze zijn...' Ze zweeg even en zocht naar de juiste woorden. 'Ze zijn anders dan ik, dan de rest van ons.'

'Het zijn wezens van de duisternis. Zoals ik al zei, dat is me vertrouwd.'

'Oké. Nou, dan zal ik maar geloven dat je het gaat redden.' Stevie Rae zweeg weer even. Ze wist eigenlijk niet wat ze moest zeggen en gooide er uiteindelijk uit: 'Dus, tot kijk dan maar.'

Hij keek haar aan en zei niets.

Stevie Rae werd er zenuwachtig van. 'Rephaim. Je moet weggaan. Nu. Het is hier niet veilig. Zodra je een eindje de tunnel in bent, laat ik dit deel instorten zodat niemand je hiervandaan achterna kan komen, maar je moet wel opschieten.'

'Ik begrijp niet waarom je je vrienden zou verraden om mij te redden,' zei hij.

'Ik verraad niemand. Ik ga je alleen niet doden!' schreeuwde ze, en toen vervolgde ze met gedempte stem: 'Waarom moet het feit dat ik je laat gaan, betekenen dat ik mijn vrienden heb verraden? Kan het niet gewoon betekenen dat ik leven boven dood verkies? Hoor eens, ik heb gekozen voor goed boven kwaad. In welk opzicht is jou in leven laten anders?'

'Heb je er niet bij stilgestaan dat je beslissing om mij te redden hetzelfde was als kiezen voor wat jij "het kwaad" noemt?'

Stevie Rae keek hem lange tijd aan voordat ze antwoord gaf. 'Dat is een gewetenskwestie voor jou. Jouw leven is wat jij wilt dat het is. Je vader is weg. De rest van de Raafspotters ook. Mijn moeder zong vroeger altijd een mal liedje voor me toen ik nog klein was en me door mijn eigen schuld pijn had gedaan. Dan zong ze dat ik moest opstaan, het stof van me af moest slaan en weer verder moest gaan. En dat is precies wat jij moet doen. Het enige wat ik doe is je een kans daarvoor geven.' Stevie Rae stak hem haar hand toe. 'Ik hoop dat we de volgende keer dat we elkaar tegenkomen geen vijanden zijn.'

Rephaim keek van haar uitgestrekte hand naar haar gezicht en weer terug naar haar hand. Toen pakte hij die langzaam, bijna aarzelend vast. Niet op de manier van een moderne handdruk, maar op de traditionele vampiermanier van groeten door haar onderarm vast te pakken.

'Ik ben je een leven schuldig, priesteres.'

Stevie Rae voelde haar wangen warm worden. 'Zeg maar gewoon Stevie Rae. Ik voel me op het moment niet bepaald als een priesteres.'

Hij boog zijn hoofd. 'Dan ben ik Stevie Rae een leven schuldig.'

'Doe nou maar het juiste met dat van jou en dan beschouw ik dat als "schuld voldaan"', zei ze. 'Gegroet en tot ziens, Rephaim.'

Ze probeerde haar arm uit zijn greep te trekken, maar hij liet haar niet los. 'Zijn ze allemaal zoals jij? Al je bondgenoten?' vroeg hij.

Ze glimlachte. 'Nee, ik ben eigenaardiger dan de meeste anderen. Ik ben de eerste rode vampier en soms denk ik dat dat me tot een soort experiment maakt.'

Terwijl hij nog steeds haar arm vasthield, zei hij: 'Ik was de eerste van de kinderen van mijn vader.'

Hoewel hij haar recht in de ogen keek, kon ze zijn gezichtsuitdrukking niet lezen. Het enige wat ze in het schemerige licht van de tunnel zag was de menselijke vorm van zijn ogen en de bovenaardse rode gloed daarin, dezelfde rode gloed die haar in haar dromen achtervolgde en soms haar eigen zicht overweldigde, en alles met rood en woede en duisternis kleurde. Ze schudde haar hoofd en meer tegen zichzelf dan tegen hem zei ze: 'De eerste zijn is soms erg moeilijk.'

Hij knikte en liet eindelijk haar arm los. Zonder nog een woord draaide hij zich om en strompelde de duisternis in.

Stevie Rae telde langzaam tot honderd en hief toen haar armen. 'Aarde, ik heb u weer nodig.' Haar element reageerde onmiddellijk en vulde de tunnel met de geuren van een lentewei. Ze ademde diep in en zei toen: 'Laat het plafond instorten. Vul dit deel van de tunnel op. Sluit het gat dat u voor me hebt gemaakt, zodat niemand erdoorheen kan.'

Ze deed een stap achteruit toen de aarde voor haar in beweging kwam. En toen regende die neer, verschuivend en verhardend, tot er een stevige muur van aarde voor haar stond.

'Stevie Rae, wat doe je in godsnaam?'

Stevie Rae draaide zich met een ruk om en drukte haar hand tegen haar borst. 'Dallas! Ik schrik me rot! Verdikkeme, je bezorgt me zowat een hartaanval.'

'Sorry. Je bent zo moeilijk te besluipen dat ik ervan uitging dat je wist dat ik er was.'

Stevie Raes hart ging nog harder bonzen toen ze met haar blik Dallas' gezicht aftastte op zoek naar een teken dat hij wist dat ze niet alleen was geweest, maar ze vond geen spoor van achterdocht, kwaadheid of een verraden gevoel; hij zag er alleen maar nieuwsgierig en een beetje verdrietig uit. Zijn volgende woorden bevestigden dat hij er niet lang genoeg had gestaan om zelfs maar een glimp van Rephaim te kunnen hebben opgevangen.

'Je hebt de tunnel afgesloten om te voorkomen dat de anderen naar de abdij kunnen komen, hè?'

Stevie Rae knikte en probeerde de opluchting die haar overweldigde uit haar stem te weren. 'Ja, het leek me geen goed idee om ze zo makkelijk toegang tot de nonnen te geven.'

'Dat zou zo'n beetje als een oudevrouwtjessmörgåsbord voor ze zijn.' Dallas' ogen schitterden ondeugend.

'Doe niet zo grof.' Maar ze moest er onwillekeurig om grinniken. Dallas was echt aanbiddelijk. Hij was niet alleen haar officieuze vriendje, maar ook een genie op het gebied van elektra en sanitair en al dat soort dingen.

Hij grinnikte terug, kwam dichterbij en trok zachtjes aan een van haar blonde krullen. 'Ik doe niet grof. Ik ben realistisch. En je kunt mij niet wijsmaken dat het helemaal niet bij je op is gekomen hoe makkelijk het zou zijn om je tanden in een van die nonnen te zetten.'

'Dallas!' Ze keek hem met tot spleetjes geknepen ogen aan, oprecht geschokt door wat hij zei. 'Écht niet! Dat klinkt al verkeerd. En zoals ik je al eerder heb verteld: het is niet verstandig om te vaak te denken aan mensen opeten. Dat is niet goed voor je.'

'Hé, rustig aan, schatje. Ik zit je gewoon te stangen.' Hij keek naar de muur van aarde achter haar. 'Hoe ga je dit aan Zoey en de anderen uitleggen?'

'Ik ga doen wat ik waarschijnlijk lang geleden al had moeten doen. Ik ga ze de waarheid vertellen.'

'Ik dacht dat je je mond wilde houden over de rest van de halfwassen omdat je hoopte dat ze zouden bijdraaien en meer zoals wij zouden worden.'

'Ja, nou, ik begin het idee te krijgen dat een aantal van mijn keuzes verkeerd is geweest.'

'Oké, wat jij wilt. Jij bent onze hogepriesteres. Je kunt Zoey en de rest vertellen wat je wilt. Je kunt het zelfs nu meteen doen. Zoey heeft zojuist een vergadering bijeengeroepen in de eetzaal. Ik ben naar je op zoek gegaan om je dat te vertellen.'

'Hoe wist je waar je me moest zoeken?'

Hij glimlachte weer naar haar en sloeg zijn arm om haar schouders. 'Ik ken je, schatje. Het was echt niet moeilijk om uit te dokteren waar je zou zijn.'

Ze liepen samen naar de uitgang van de tunnel. Stevie Rae sloeg haar arm om Dallas' middel. Ze leunde tegen hem aan, blij dat hij als een normale jongen aanvoelde. Het was een opluchting dat haar wereld terugveranderde in de toestand waarvan ze wist dat die juist was. Ze zette Rephaim uit haar hoofd. Ze had iemand geholpen die gewond was geraakt, meer niet. En nu was ze klaar met hem. Serieus, hij was niet meer dan een ernstig gewonde Raafspotter. Hoeveel problemen kon hij veroorzaken?

'Je kent me, hè?' Ze gaf hem een stootje met haar heup.

Hij stootte terug. 'Niet zo goed als ik zou willen, schatje.'

Stevie Rae giechelde en negeerde het feit dat ze een beetje manisch klonk in haar poging om normaal te doen.

Ook negeerde ze het feit dat ze nog steeds Rephaims duistere geur op haar huid rook.

18

Zoey

In die magische, wazige toestand tussen waken en slapen trok hij me tegen zich aan. Hij was zo groot en sterk en hard dat het contrast tussen zijn fysieke aanwezigheid en de zachte, zoete adem die in mijn hals kriebelde en de tederheid van zijn kussen op die plek me deed huiveren.

Ik sliep nog half en wilde nog niet helemaal wakker worden, en ik slaakte een tevreden zucht en boog mijn hoofd achterover zodat hij meer van mijn hals kon bereiken. Ik genoot van het gevoel van zijn armen om me heen. Ik genoot van zijn nabijheid en bedacht net hoe blij ik was dat Stark mijn krijger was, toen ik slaperig mompelde: 'Je moet je een stuk beter voelen.'

Zijn aanraking werd zinnelijker en minder teder.

Ik huiverde weer.

Toen registreerde mijn versufte geest tegelijkertijd twee dingen. Ten eerste huiverde ik niet alleen maar omdat ik genoot van wat hij deed, al genoot ik absoluut van wat hij deed. Ik huiverde omdat zijn aanraking kóúd was. Ten tweede was het lichaam dat zich tegen me aan drukte te groot om dat van Stark te zijn.

Op dat moment fluisterde hij: 'Voel je hoe je ziel naar me verlangt? Je zult tot me komen. Je bent daartoe voorbestemd, en ik ben voorbestemd om op je te wachten.'

Mijn adem stokte; ik was op slag klaarwakker en schoot overeind.

Ik was helemaal alleen.

Rustig... rustig... rustig... Kalona is er niet... alles is oké... het was maar een droom...

Automatisch concentreerde ik me op mijn ademhaling en deed ik mijn best om mijn emoties tot bedaren te brengen, die absoluut op hol geslagen waren. Stark was niet in de kamer, en het laatste wat ik wilde was dat hij naar me terug kwam rennen omdat hij mijn paniek voelde, terwijl er geen reëel gevaar dreigde. Ik mocht dan over een heleboel dingen onzeker zijn, maar van één ding was ik honderd procent zeker: ik wilde niet dat Stark het gevoel kreeg dat hij me geen moment alleen kon laten.

Ja, ik was stapelgek op hem en blij dat we een band hadden, maar dat betekende niet dat ik wilde dat hij ging denken dat ik zonder hem niet kon functioneren. Hij was mijn krijger, niet mijn babysitter of mijn stalker, en als hij het gevoel kreeg dat hij me voortdurend in de gaten moest houden... naar me moest kijken terwijl ik sliep...

Ik onderdrukte een kreun van afgrijzen.

De deur van de kleine badkamer die mijn kamer deelde met de kamer ernaast, ging open en Stark kwam binnen, en zijn blik vloog onmiddellijk naar mij. Hij droeg een spijkerbroek en een zwart T-shirt met de opdruk STREET CATS CATHOLIC CHARITIES, en wreef met een handdoek zijn nog vochtige haar droog. Ik denk dat ik mezelf voldoende had gekalmeerd en dat er op mijn gezicht niets meer van mijn paniek te zien was zodat, zodra hij me in bed overeind zag zitten, alleen en niet in gevaar, zijn bezorgdheid in een glimlach kon overgaan.

'Je bent wakker. Dat dacht ik al. Alles oké?'

'Ja hoor. Prima,' zei ik snel. 'Ik heb mezelf wakker gemaakt door bijna het bed uit te rollen. Daar ben ik nogal van geschrokken.'

Zijn glimlach werd ondeugend. 'Je lag natuurlijk onrustig te woelen omdat je mij en mijn opwindende lichaam miste, en daardoor ben je bijna het bed uit gerold.'

Ik trok een wenkbrauw naar hem op. 'Ik weet héél zeker dat dat het niet was.' Het noemen van zijn lichaam (ja, dat is absoluut opwindend, maar ik ga hem echt niet het idee geven dat ik begin te kwijlen als ik aan hem denk) deed me hem goed bekijken, en ik besefte dat hij er eigenlijk heel goed uitzag, en dan bedoel ik niet alleen leuk en spetterig. Hij zag een stuk minder bleek dan toen we waren gaan slapen en hij stond een stuk steviger op zijn benen. 'Je lijkt je beter te voelen.'

'Dat ben ik ook. Darius had gelijk. Ik genees snel. Een goede acht uur slaap plus de drie zakken bloed die ik heb weggewerkt terwijl jij lag te snurken, hebben me een wereld van goed gedaan.' Hij kwam naar het bed, boog zich over me heen en kuste me zacht. 'Voeg daarbij de wetenschap dat ik je kan beschermen tegen Kalona's nachtmerries en ik durf te zeggen dat ik klaar ben om zo'n beetje alles tegemoet te treden.'

'Ik snurk niet,' zei ik op besliste toon. Toen slaakte ik een zucht, sloeg mijn armen om zijn middel, leunde tegen hem aan en liet de kracht van zijn fysieke aanwezigheid het laatste restje van Kalona's nachtmerrieachtige aanwezigheid verdrijven. 'Ik ben blij dat je je beter voelt.'

Had ik Stark moeten vertellen dat Kalona toch weer mijn droom was binnengedrongen, ondanks het feit dat hij zo dichtbij was en er zo op gefocust om mij te beschermen? Waarschijnlijk wel. Misschien zou dat verschil hebben uitgemaakt voor wat er later gebeurde, maar op dat moment was het enige waaraan ik dacht dat ik de positieve energie die hij uitstraalde niet wilde ondermijnen, dus bleef ik heerlijk in zijn armen zitten tot ik eraan dacht dat ik niet eens mijn haar had geborsteld en zo. Ik haalde mijn vingers door mijn hekserig warrige haar en terwijl ik mijn gezicht afwendde om te voorkomen dat ik Stark met mijn ochtendadem verjoeg, maakte ik me los uit zijn armen en haastte ik me naar de badkamer. Over mijn schouder zei ik: 'Zeg, wil jij me een plezier doen terwijl ik onder de douche sta?'

'Tuurlijk.' Zijn brutale grijns vertelde me dat hij zich echt goed voelde. 'Wil je dat ik je rug was?'

'Eh, nee. Maar bedankt voor het aanbod. Geloof ik.' Jeetje, jongens konden altijd maar aan één ding denken! 'Ik wil dat je de halfwassen verzamelt, rood en blauw, en Aphrodite, Darius, zuster Mary Angela, mijn oma, kortom iedereen die moet weten wat we besluiten in verband met het wanneer en hoe we naar de school terug kunnen gaan.'

'Ik zou liever je rug wassen, maar geen probleem. Jouw wens is mijn bevel, milady.' Hij boog zijn hoofd en groette me met zijn vuist op zijn hart.

'Dank je.' De woorden kwamen zacht mijn mond uit. De uitdrukking van respect en vertrouwen op zijn gezicht deed me bijna in tranen uitbarsten.

'Hé.' Zijn glimlach vervaagde. 'Wat kijk je verdrietig. Is er iets?'

'Ik ben gewoon blij dat je mijn krijger bent.' Wat ik zei was de waarheid, zo niet de hele waarheid.

Zijn glimlach kwam terug. 'Je bent een bofkont van een hogepriesteres.'

Ik schudde mijn hoofd om zijn eeuwige overmoed en knipperde de bespottelijke tranen weg. 'Ga nou maar iedereen verzamelen, oké?'

'Oké. Waar wil je bij elkaar komen? In de kelder?'

Ik trok een scheef gezicht. 'Beslist niet. Waarom vraag je niet aan zuster Mary Angela of we elkaar in de eetzaal kunnen treffen? Dan kunnen we eten en praten tegelijk.'

'Dat zal ik doen.'

'Bedankt.'

'Tot gauw, milady.' Met een schittering in zijn ogen groette hij me nog eens formeel voordat hij zich de kamer uit haastte.

Langzaam liep ik de badkamer in. Ik poetste werktuiglijk mijn tanden en stapte onder de douche. Ik bleef een hele tijd onder de warme waterstraal staan. En toen ik eindelijk het gevoel had dat ik mijn gevoelens volledig onder controle had, dacht ik aan Kalona.

Ik had me overgegeven aan zijn omhelzing. Het was niet het herbeleven van een van A-ya's herinneringen geweest en ik was zelfs niet onder haar invloed geweest, maar ik had mezelf overgegeven aan zijn aanraking, en dat was niet alleen angstaanjagend, maar ook onthullend. Het had zo goed gevoeld om in zijn armen te liggen, zo goed dat ik had geloofd dat hij mijn door een eed met mij verbonden krijger was! En het had geen droom geleken. Daarvoor was ik te wakker geweest, te dicht bij volledig bewustzijn. Kalona's laatste bezoek had me tot in het diepst van mijn wezen geschokt.

'Hoe ik ook mijn best doe om ertegen te vechten, mijn ziel herkent hem,' fluisterde ik tegen mezelf. En toen, alsof mijn ogen jaloers waren op het water dat al over mijn gezicht stroomde, barstte ik in huilen uit.

Om de eetzaal te vinden volgde ik mijn neus en mijn oren. Toen ik door de gang liep hoorde ik bekende stemmen lachen te midden van het gekletter van serviesgoed en tafelzilver, en ik vroeg me onwillekeurig af of de nonnen zich niet vreselijk zouden storen aan wat neerkwam op een invasie van tieners, vampiers in wording. Voor de brede, gewelfde ingang van de grote zaal bleef ik staan om te zien of het een beetje boterde tussen de nonnen en de jongelui. Er waren drie rijen lange tafels. Ik had verwacht dat de nonnen bij elkaar zouden zitten, apart van ons, maar dat was niet zo. Ze zaten wel met z'n tweeën of drieën bij elkaar, maar tussen de halfwassen, rood en blauw, en er werd druk gebabbeld, wat op slag een eind maakte aan het stereotiepe beeld in mijn hoofd van een nonneneetzaal als een plaats van gebed en stille (lees: saaie) bespiegeling.

'Blijf je daar staan of was je van plan om naar binnen te gaan?'

Ik draaide me om en zag Aphrodite en Darius achter me staan. Ze stonden hand in hand en zagen er stralend uit en, zoals de tweeling zou zeggen, zo gelukkig als een kind met een lolly.

'Gegroet, Zoey.' Darius begroette me formeel, maar zijn glimlach verleende zijn eerbiedige gebaar iets warms en informeels.

Ik schonk Aphrodite een sommige-mensen-hebben-manierenblik en keek toen met een glimlach naar de krijger. 'Gegroet, Darius. Wat zien jullie er vergenoegd uit. Jullie hebben zeker een goede plek gevonden om te slapen.' Ik zweeg even, keek nog eens naar Aphrodite en voegde eraan toe: 'Te slapen of wat al niet.'

'Ze hebben me verzekerd dat ze hebben geslápen.' Zuster Mary Angela legde de nadruk op 'geslapen' toen ze naast ons in de deuropening opdook.

Aphrodite rolde met haar ogen naar de non, maar zei niets.

‘Darius heeft me uitgelegd dat de gevallen engel je in je dromen bezoekt en dat Stark dat schijnt te kunnen voorkomen,’ zei de non, die zoals gebruikelijk meteen ter zake kwam.

‘Wat heeft Stark gedaan?’ Heath kwam slippend tot stilstand, omhelsde me stevig en zoende me pal op de mond. ‘Moet ik hem een pak op zijn donder geven?’

‘Alsof je dat zou kunnen,’ zei Stark, die vanuit de eetzaal aan kwam lopen.

In tegenstelling tot Heath omhelsde hij me niet, maar zijn blik was zo warm en intiem dat het me hetzelfde gevoel gaf als Heath’ omhelzing.

En plotseling voelde ik me als een claustrofoob voor jongens. Ik bedoel, een buffet van jongens klinkt in theorie als een goed idee, maar ik kwam er steeds meer achter dat het, net als designerjeans met rechte pijpen, alleen in theorie een goed idee was. Die gedachte werd versterkt door Erik, die dat moment uitkoos om zich bij ons aan te sluiten. Venus, de rode halfwas die vroeger Aphrodites kamergenote was geweest, zat zogoed als aan zijn zij geplakt. Jegh. Gewoon jegh.

‘Hallo allemaal. Man, wat heb ik een honger!’ zei Erik. Hij lachte die brede, warme filmsterglimlach waar ik vroeger zo gek op was.

Vanuit mijn ooghoek zag ik dat Heath en Stark met open mond naar Erik en zijn Venus-bloedzuiger staarden, die zich werkelijk aan hem leek te hebben vastgezogen, toen ik bedacht dat geen van mijn beide andere vriendjes wist dat ik Erik had gedumpt. Ik onderdrukte een zucht van ergernis en in plaats van hem te negeren met de ijzige houding waarmee ik hem graag zou hebben bejegend, zette ik ook een nepglimlach op en zei stralend: ‘Hallo, Erik, Venus. Nou, hier zit je goed als je honger hebt. Alles ruikt superlekker.’

Eriks glimlach wankelde even, maar hij zette zijn acteursgaven in om de indruk te wekken dat hij gewoon verder was gegaan met zijn leven, zeg maar vijftien seconden nadat ik met hem had gebroken. ‘Hallo, Zoey. Ik had je niet gezien. Zoals gewoonlijk ben je omringd door jongens. Ach ja, het was altijd erg druk om je heen.’

Met een sarcastisch lachje drong hij langs me heen, waarbij hij Stark een stoot met zijn schouder gaf.

'Als ik een pijl zou afschieten en aan een schijtkont dacht, zou het je dan verbazen als ik Erik raakte?' vroeg Stark me op een gemoedelijke, achteloze toon.

'Mij in elk geval niet,' zei Heath.

'Jongetjes, ik kan jullie uit eigen ervaring vertellen dat Erik een lekker kontje heeft,' zei Venus toen ze achter Erik aan de eetzaal in liep.

'Zeg, Venus, ik wil je iets zeggen,' zei Aphrodite.

Venus aarzelde en keek over haar schouder naar haar ex-kamergenote. Aphrodite lachte haar beste valsekrengengrijns en zei: 'Je laat je gebruiken als lapmiddel.' Ze zweeg even, lachte nog eens vals en zei toen: 'Veel geluk daarmee.'

Ongeveer op dat moment zag ik dat iedereen in de eetzaal naar ons zat te kijken en dat alle gesprekken waren verstomd.

Erik gebaarde bezitterig met zijn hand en Venus liep op een drafje naar hem toe. Ze gaf hem een arm en drukte haar borst tegen zijn elleboog. En toen steeg het gefluister op, alsof iemand het had aangestoken met een lucifer.

'Erik en Zoey zijn uit elkaar!'

'Erik is met Venus!'

'Zoey en Erik zijn niet meer bij elkaar!'

Shit.

19

Zoey

'Ik heb hem nooit gemogen.' Heath zoende me boven op mijn hoofd en woelde door mijn haar alsof ik twee jaar was of zo.

'Je weet dat ik daar een hekel aan heb!' zei ik, terwijl ik probeerde mijn haar glad te strijken dat toch al veel te springerig was omdat nonnen kennelijk niet in steiltangen geloofden.

'Ik ook niet.' Stark pakte mijn hand en drukte er een kus op. Toen keek hij Heath in de ogen. 'Ik vind het niet leuk dat jij en Zoey een stempelband hebben, maar met jou heb ik geen probleem.'

'Ik met jou ook niet, makker,' zei Heath. 'Al vind ik het echt niet leuk dat je bij Zo hebt geslapen.'

'Hé, dat is gewoon een onderdeel van de taakomschrijving van een krijger: haar beschermen en zo.'

'Oké, mag ik een teiltje?' zei Aphrodite. 'À propos, testosteronsukkels, voor alle duidelijkheid: Z heeft Erik gedumpt, al probeert hij daar een heel andere draai aan te geven. Hou in gedachten dat ze hetzelfde met jullie kan doen als jullie te vervelend gaan worden.' Ze maakte zich van Darius los, kwam naar me toe en keek me in de ogen. 'Klaar om naar binnen te gaan en je onder de sensatiebeluste massa te begeven?'

'Bijna.' Ik wendde me tot zuster Mary Angela. 'Hoe gaat het vanochtend met oma?'

'Ze is uitgeput. Ik vrees dat ze gisteren veel te veel heeft gedaan.'

'Is ze oké?'

'Het komt wel goed met haar.'

'Misschien moet ik even naar haar toe en...'

Ik wilde bij de eetzaal weglopen, maar Aphrodite pakte me bij mijn pols. 'Oma redt het wel. Ik verzeker je dat ze op dit moment liever heeft dat je je bezighoudt met wat we nu gaan doen dan dat je over haar gaat lopen stressen.'

'Stressen? Hoorde ik iemand zeggen dat ze loopt te stressen?' Stevie Rae kwam met Dallas de hoek van de gang om lopen. 'Hoi, Z!' Ze omhelsde me onstuimig. 'Sorry dat ik je heb afgesnauwd. Ik denk dat we de laatste tijd allebei behoorlijk hebben lopen stressen. Vergeef je me?' fluisterde ze.

'Natuurlijk,' fluisterde ik terug, en ik probeerde om niet mijn neus op te trekken toen ik haar omhelsde. Ze rook naar kelder en aarde vermengd met een stank die ik niet thuis kon brengen.

'Wat denk je?' fluisterde ik haastig. 'Ik heb Erik gedumpt en hij heeft het aangelegd met Venus; hij maakt er zelfs een openbare vertoning van.'

'Zwaar shit, zeg; net zo waardeloos als dat je moeder je verjaardag vergeet,' zei ze hardop zonder zich iets aan te trekken van de omstanders.

'Ja,' zei ik. 'Dat kun je wel zeggen.'

'Ga je naar binnen en doe je net of dat hele gedoe je koud laat of ga je hard weglopen?' vroeg ze met een duivels lachje.

'Wat denk jij, Ado Annie?' zei Aphrodite. 'Z loopt niet weg van een strijd.'

'Wie is Ado Annie?' vroeg Heath.

'Weet ik veel,' zei Stark.

'Dat is een personage uit de musical *Oklahoma!*' zei zuster Mary Angela. Ze probeerde een giechellachje te smoren door haar keel te schrapen. 'Zullen we gaan ontbijten?' De non liep glimlachend de eetzaal in.

Ik slaakte een zucht en onderdrukte de neiging om gillend door de gang weg te rennen.

'Kom, Z. Laten we naar binnen gaan en eten. Bovendien heb ik jullie dingen te vertellen waarbij je vriendjesproblemen in het niet vallen.' Stevie Rae pakte mijn hand en trok me mee de eetzaal in.

Met Stark, Heath, Darius, Aphrodite en Dallas in ons kielzog vonden we een plek naast zuster Mary Angela aan dezelfde tafel waar Damien, Jack en de tweeling al zaten.

'Hoi, Z! Je bent dus eindelijk op! Kijk eens wat een zalige pannenkoeken de nonnen voor ons hebben gemaakt,' zei Jack stralend.

'Pannenkoeken?' Mijn wereld fleurde op slag op.

'Ja! Stapels pannenkoeken en spek en gebakken aardappeltjes. Stukken lekkerder dan bij het pannenkoekenhuis!'

Er werden borden voor ons neergezet en het water liep me in de mond. Ik ben namelijk dol op pannenkoeken.

'Wij hebben liever wentelteefjes,' zei Shaunee.

'Ja, die zijn niet zo papperig,' zei Erin.

'Pannenkoeken zijn niet papperig,' zei Jack.

'Blij je te zien, Z,' zei Damien, die duidelijk geen zin had in een discussie over pannenkoeken.

'Evenzo,' zei ik glimlachend.

'Zeg, op je springerige haar na zie je er stukken beter uit,' zei Jack.

'Bedankt. Geloof ik,' zei ik met mijn mond vol pannenkoek.

'Ik vind dat ze er fantastisch uitziet,' zei Stark vanaf waar hij zat verderop aan de tafel.

'Ik ook. Ik vind Zoey's bedhoofd erg leuk.' Heath grijnsde naar me.

Ik rolde met mijn ogen naar beide jongens toen Eriks stem naar me toe dreef.

'Het is daar echt een gedrang vanjewelste.' Hij zat met zijn rug naar ons toe, maar dat weerhield zijn hatelijke stem er niet van om ons te bereiken.

Waarom kon uit elkaar gaan niet makkelijk zijn? Waarom moest Erik zo lullig doen? *Omdat je zijn gevoelens diep hebt gekwetst*, flitste het door mijn hoofd, maar ik was het zat om me druk te maken over Eriks gevoelens. Hij had zich gedragen als een bezitterige zak! En over hypocriet gesproken! Hij had mij voor 'slet' uitgemaakt, maar híj had binnen een dag met een ander aangepapt. Jeetje.

'Wacht eens, is Erik met Venus?' Jacks stem trok mijn aandacht.

'We hebben het vannacht uitgemaakt,' zei ik, terwijl ik onverschillig pannenkoeken op mijn bord laadde en Erin wenkte om de schaal met spek door te geven.

'Ja, dat heeft Aphrodite ons verteld. Maar is hij nu met Vénus? Nu al?' zei Jack nog eens. Hij staarde naar Erik en de voornoemde Venus, die als een slingeraap om hem heen hing, waardoor het me eigenlijk verbaasde dat hij überhaupt kon eten. 'Ik vond hem altijd zo'n leuke vent.' Jack klonk erg jong en volslagen ontgoocheld, alsof Erik zojuist zijn perfectejongenbubbel uiteen had doen spatten.

Ik haalde mijn schouders op. 'Het is oké, Jack. Erik is niet echt slecht. We passen gewoon niet bij elkaar,' zei ik. Ik vond het heel naar dat Jack zo van streek was. Om van onderwerp te veranderen zei ik: 'Aphrodite heeft weer een visioen gehad.'

'Wat heb je gezien?' vroeg Damien haar.

Aphrodite keek naar mij en ik knikte nauwelijks waarneembaar. 'Kalona, die vampiers en mensen verbrandde.'

'Verbrándde hij ze?' zei Shaunee. 'Dat klinkt als iets wat ik zou moeten kunnen voorkomen. Ik ben per slot van rekening Miss Vuur.'

'Gelijk heb je, tweelingzus,' zei Erin.

'Hersendelers, jullie kwamen er niet in voor.' Aphrodite wees naar de tweeling met haar met stroop besmeurde vork. 'Alleen maar vuur, bloed, verschrikking en noem maar op. Jullie waren waarschijnlijk aan het winkelen.'

Shaunee en Erin keken met tot spleetjes geknepen ogen naar Aphrodite.

'Waar was Zoey?' vroeg Damien.

Aphrodite keek mij aan terwijl ze antwoord gaf. 'Zoey was er. In een van mijn visioenen was dat een goed iets. In het andere niet.'

'Wat bedoel je daar nou weer mee?' vroeg Jack.

'Het visioen was verwarrend. Wat ik zag leek op een aan twee kanten snijdend zwaard.'

Voor mij was het duidelijk dat ze om de zaak heen draaide, en ik deed juist mijn mond open om te zeggen dat ze alles moest vertellen toen Kramisha, die rechts van mij een paar stoelen verderop aan dezelfde tafel zat, haar arm opstak en zwaaide met een velletje papier dat ze in haar hand had.

'Ik weet wat het betekent,' zei ze. 'Dat wil zeggen, voor een deel. Voor ik vannacht naar bed ging heb ik dit opgeschreven.' Ze glimlachte naar zuster Mary Angela. 'Nadat we die nonnenfilm hadden afgekeken.'

'Ik ben blij dat je hem leuk vond, lieverd,' zei zuster Mary Angela.

'Ik vond hem echt leuk, alleen die kinderen waren verwende krengen.'

'Waar zit je nou mee te zwaaien?' vroeg Aphrodite.

'Je zou een beetje meer geduld kunnen hebben,' zei Kramisha. 'En wat minder onbeleefd zijn. Het is trouwens voor Zoey. Geef even door.'

Het velletje papier werd doorgegeven tot het mij bereikte. Zoals iedereen waarschijnlijk vermoedde, was het een van Kramisha's gedichten. Ik onderdrukte een zucht.

Alsof ze mijn gedachten las, zei Aphrodite: 'Het is toch niet weer zo'n voorspellend gedicht, hè. Godin, ik krijg koppijn van die dingen.'

'Dan zou ik maar een flinke voorraad paracetamol inslaan,' zei ik. Ik las de eerste regel, knipperde met mijn ogen en keek op naar Aphrodite. 'Wat zei je zojuist? Iets over een zwaard?'

'Ze zei dat het feit dat jij daar met Kalona was zoiets was als een aan twee kanten snijdend zwaard. Daarom bedacht ik dat ik je het gedicht beter nu kon geven in plaats van te wachten tot een rustiger moment.' Kramisha's scherpe blik vond Erik en ze voegde eraan toe: 'Ik ben verstandiger dan sommige mensen waar het gaat om mijn zaken in de openbaarheid gooien.'

'Dat is de eerste regel van dit gedicht, "Een aan twee kanten snijdend zwaard",' zei ik.

'Dat is doodeng,' zei Stevie Rae.

'Ja,' zei ik, starend naar het gedicht. 'Doodeng.'

'Wat ga je ermee doen?' vroeg Damien mij.

'Ik wil samen met mijn vrienden proberen om de betekenis van het gedicht te achterhalen. Maar dat wil ik thuis doen,' zei ik.

Damien glimlachte en knikte. '"Thuis". Dat klinkt goed.'

Ik keek naar Aphrodite. 'Wat vind jij?'

'Ik mis de Vichy-douche in mijn kamer,' zei ze.

'Darius?' vroeg ik.

'We moeten teruggaan voordat we ons kunnen focussen op doorgaan.'

'Shaunee en Erin?'

Ze keken elkaar aan en toen zei Erin: 'Naar huis. Absoluut.'

'Stevie Rae?'

'Nou, ik moet jullie iets vertellen voordat er grote beslissingen worden genomen.'

'Oké, vertel op,' zei ik.

Ik zag dat Stevie Rae diep inademde en de lucht met getuite lippen uitblies, alsof ze een astmatest deed. Haar woorden volgden haar adem en ze sprak snel en duidelijk, zodat wat ze zei in de hele eetzaal te horen was.

'Er zijn meer rode halfwassen dan alleen het groepje dat hier is. Ze zijn niet mee-Veranderd toen ik Veranderde, zoals deze. Ze zijn nog steeds slecht. Ik heb het vermoeden... Ik heb het vermoeden dat ze nog steeds onder invloed van Neferet staan.' Ze keek mij aan en haar ogen smeekten me om het te begrijpen. 'Ik heb niks tegen je gezegd omdat ik ze een kans wilde geven. Ik hoopte dat ze hun menselijkheid terug zouden vinden als ze met rust werden gelaten en alles goed konden overdenken, of dat ik ze misschien zou kunnen helpen. Het spijt me, Z. Ik wilde geen problemen veroorzaken en ik heb nooit tegen je willen liegen.'

Ik kon niet kwaad zijn op Stevie Rae. Ik was alleen maar opgelucht dat ze me eindelijk de waarheid vertelde.

'Soms kun je je vrienden niet alles vertellen wat je zou willen,' zei ik.

Stevie Rae slaakte een zucht die eindigde in een snik. 'O, Z! Haat je me niet?'

'Natuurlijk niet,' zei ik. 'Ik heb zelf ook een paar rotdingen geheim moeten houden, dus ik begrijp het.'

'Waar zijn ze?' Damiens vraag zou scherp hebben geleken als

zijn stem niet zo vriendelijk was geweest en zijn warme bruine ogen vol begrip.

'In de remisetunnels. Daarom heb ik zojuist de tunnel afgesloten die ik had gemaakt om iedereen hiernaartoe te krijgen. Ik wilde niet dat de anderen ons achternakwamen en de nonnen narigheid bezorgden.'

'Je had ons vannacht moeten waarschuwen,' zei Darius. 'Dan zouden we wachtposten hebben uitgezet terwijl iedereen sliep.'

'Waren er slechte rode halfwassen aan het andere eind van je tunnel?' Zuster Mary Angela's hand ging naar de rozenkrans die om haar hals hing.

'O, zuster, u liep geen gevaar. Darius, we hoefden geen wachtposten uit te zetten, geloof me!' zei ze snel. 'Die andere rode halfwassen kunnen helemáál niet tegen daglicht. Ze lopen nooit rond terwijl de zon op is, zelfs niet in de tunnels.'

Darius' frons zei dat hij toch een wachtpost zou hebben uitgezet. Zuster Mary Angela zei niets, maar ik zag haar vingers over de kralen van haar rozenkrans glijden. Opeens viel het me op dat geen van de andere rode halfwassen iets zei. Ik keek naar de enige andere rode vampier die er bestond. 'Wist jij van het bestaan van die andere halfwassen?'

'Ik? Écht niet. Ik zou het je onmiddellijk hebben verteld,' zei Stark.

'Ik had het je meteen moeten vertellen. Ik heb er echt spijt van dat ik dat niet heb gedaan,' zei Stevie Rae.

'Soms kan de waarheid begraven raken en dan is het moeilijk om een manier te vinden om die tevoorschijn te halen,' zei ik, en toen keek ik de eetzaal door naar de andere rode halfwassen. 'Jullie wisten het wel, nietwaar?'

Kramisha zei: 'We wisten het. We moeten die anderen niet. Ze deugen niet.'

'En ze stinken ook,' zei kleine Shannoncompton, die een eind verderop aan de tafel zat.

'Ze zijn vals,' zei Dallas. 'En ze doen ons denken aan hoe wij vroeger waren.'

‘En dat is iets waar we liever niet aan denken,’ zei spierbundel Johnny B.

Ik richtte mijn aandacht weer op Stevie Rae. ‘Is er verder nog iets wat je me wilt vertellen?’

‘Nou, het lijkt me niet verstandig om naar de remisetunnels terug te gaan, dus naar het Huis van de Nacht gaan klinkt me goed in de oren.’

‘Dan zijn we het allemaal eens. We gaan naar huis,’ zei ik.

20

Zoey

'Ik ben er helemaal voor om terug te gaan naar waar we thuishoren, maar ik vind dat je oma hier moet blijven,' zei Aphrodite opeens. 'We weten niet wat ons in het Huis van de Nacht te wachten staat.'

'Hebben je visioenen nog iets laten zien?' vroeg ik, toen het me opviel dat ze naar Stevie Rae keek en niet naar mij.

Aphrodite schudde langzaam haar hoofd. 'Nee, ik heb je alles verteld wat ik in mijn visioenen heb gezien. Ik heb gewoon een gevoel.'

Stevie Rae lachte zenuwachtig. 'Hoor eens, Aphrodite, we vóélen ons allemaal zenuwachtig en gespannen, wat heel logisch is. We hebben zojuist een horde griezels van monsters verjaagd, maar dat is geen reden om Zoey de stuipen op het lijf te jagen.'

'Ik jaag haar niet de stuipen op het lijf, boerentrien,' zei Aphrodite. 'Ik ben alleen voorzichtig.'

'Het is verstandig om rekening te houden met gevaren,' zei Darius peinzend.

Aangezien er niets mis was met voorzichtig zijn, deed ik mijn mond open om te zeggen dat ik het met hen eens was toen Stevie Rae op ijzige toon tegen Darius zei: 'Het feit dat je je krijgerseed aan haar hebt gezworen, betekent niet dat je het met alles wat ze zegt eens moet zijn.'

'Wat?' zei Stark. 'Heb je Aphrodite je eed gezworen?'

'Echt waar?' zei Damien.

'Wauw, te gek,' zei Jack.

Erik snoof vanaf de tafel achter ons. 'Het verbaast me dat Zoey dat toestond en dat ze je niet gewoon aan haar privécollectie heeft toegevoegd.'

Dat was de druppel en ik schreeuwde tegen hem: 'Ach, loop naar de hel, Erik!'

'Zoey!' zei zuster Mary Angela geschokt.

'Sorry,' mompelde ik.

'Je hoeft je niet te verontschuldigen,' zei Aphrodite, die dreigend naar Stevie Rae keek. '"Hel" is geen krachtterm. Het is een oord. En sommige mensen verdienen het om daarnaartoe te worden gestuurd.'

'Wat is er nou?' vroeg Stevie Rae onschuldig. 'Wilde je niet dat iedereen het wist over jou en Darius?'

'Mijn zaken zijn míjn zaken,' zei Aphrodite.

'Dat is precies wat ik bedoelde,' zei Kramisha, die wijs zat te knikken. 'Het is gewoon niet goed om je privézaken in de openbaarheid te gooien.' Ze richtte haar donkere ogen op Stevie Rae. 'Ik weet dat je onze hogepriesteres bent en het is geen gebrek aan respect als ik zeg dat ik geloof dat je zo niet bent opgevoed.'

Stevie Rae toonde onmiddellijk berouw. 'Je hebt gelijk, Kramisha. Ik heb er gewoon niet bij nagedacht. Ik bedoel, iedereen zou het vroeg of laat toch te weten zijn gekomen.' Ze glimlachte naar mij en haalde haar schouders op. 'Een krijgerseed is niet bepaald iets wat je kunt verbergen.' Tegen Aphrodite zei ze: 'Sorry, het was gemeen, en zo was het niet bedoeld.'

'Je verontschuldiging laat me koud. Ik ben Zoey niet. Ik ga niet automatisch alles geloven wat je zegt.'

'Oké, genoeg!' schreeuwde ik. Woede en frustratie legden kracht in mijn woorden en ik zag verscheidene halfwassen in elkaar krimpen. 'Nou moeten jullie eens goed naar me luisteren. We kunnen niet ten strijde trekken tegen hels, wereldvernietigend kwaad als we voortdurend met elkaar aan het bakkeleien zijn! Stevie Rae en Aphrodite: leg je neer bij het feit dat jullie een stempelband hebben en hou op met elkaar in verlegenheid te brengen.' Ik zag gekwetstheid in Aphrodites ogen en schrik in die van Stevie Rae, maar ik ging door. 'Stevie Rae, hou geen belangrijke dingen voor me verborgen, zelfs als je vindt dat je daar een goede reden voor hebt.' Ik keek Erik, die zich op zijn stoel had omgedraaid zodat hij naar me kon kijken, recht in de ogen. 'En Erik, we hebben veel grotere problemen dan het feit dat jij kwaad bent omdat ik je heb gedumpt.' Ik hoorde Stark grinniken en keerde me nu woedend tot hem. 'Jij moet je ook intomen.'

Stark stak zijn handen in de lucht alsof hij zich overgaf. 'Ik lachte alleen maar omdat Erik de Grote op zijn nummer werd gezet.'

'Wat erg lullig van je is aangezien jij kunt voelen hoe diep dit gedoe met jou, Erik en Heath me heeft gekwetst.'

Starks brutale glimlach vervaagde.

'Darius, het is buiten een ijsvlakte, maar denk je dat je de Hummer kunt terugrijden naar het Huis van de Nacht?' vroeg ik.

'Jazeker,' zei de krijger.

'Wie kan goed paardrijden?' vroeg ik.

Onmiddellijk gingen verscheidene handen de lucht in, alsof ik een gemene schoolfrik was en ze allemaal als de dood voor me waren.

'Shaunee, jij en Erin kunnen het paard nemen waarop jullie zijn gekomen.' Ik keek rond naar de andere halfwassen die hun hand hadden opgestoken. 'Johnny B, kunnen jij en Kramisha samen op de andere merrie rijden?'

'Ja, dat kunnen we,' zei hij. Kramisha knikte heftig en ze lieten allebei hun hand zakken.

'Stark, jij kunt samen met mij op Persephone terugrijden,' zei ik zonder hem aan te kijken. 'Damien, Jack, Aphrodite, Shannoncompton, Venus en...' Ik staarde naar een rode halfwas met bruin haar van wie ik me de naam absoluut niet kon herinneren.

'Sophie,' zei Stevie Rae aarzelend, alsof ze bang was dat ik haar af zou snauwen.

'En Sophie. Jullie rijden met Darius mee in de Hummer.' Ik keek Stevie Rae aan. 'Kun jij ervoor zorgen dat de rest van de rode halfwassen en Erik veilig het Huis van de Nacht bereiken?'

'Als je wilt dat ik dat doe, dan doe ik dat,' zei ze.

'Uitstekend. Zodra iedereen klaar is met ontbijten, gaan we naar huis.' Ik stond op en omvatte alle nonnen met mijn blik. 'Woorden schieten tekort om uit te drukken hoe dankbaar ik ben dat u ons hebt geholpen. Zolang ik leef zullen de benedictijner zusters een hogepriesteres als vriendin hebben.' Ik draaide me om en liep naar de deur. Toen ik langs Stark heen liep, zag ik dat hij wilde opstaan, maar ik ving zijn blik en schudde mijn hoofd. 'Ik ga oma gedag zeggen, in mijn eentje.' Ik kon zien dat ik hem had gekwetst, maar hij groette me eerbiedig en zei: 'Zoals je wenst, milady.'

Ik negeerde de stilte die ik in mijn kielzog achterliet en liep de eetzaal uit, alleen.

'Dus, u-we-tsi-a-ge-ya, je hebt iedereen kwaad gemaakt?' zei oma nadat ze mijn tirade had aangehoord, die ik ijsberend naast haar bed had afgestoken.

'Nou, niet iedereen. Van sommigen heb ik de gevoelens gekwetst in plaats van ze kwaad te maken.'

Oma keek me lange tijd aandachtig aan. Toen ze eindelijk sprak, waren haar woorden, kenmerkend voor oma, eenvoudig, maar onomwonden. 'Dat is niks voor jou, dus moet je een goede reden hebben gehad om je zo onnatuurlijk te gedragen.'

'Nou, ik ben bang en verward. Gisteren voelde ik me een hogepriesteres. Vandaag ben ik gewoon weer een tiener. Ik heb vriendjeskwesties en een beste vriendin die dingen voor me verborgen houdt.'

'Dat wil alleen maar zeggen dat jij noch Stevie Rae perfect is,' zei oma.

'Maar hoe weet ik dat het niet méér betekent? Stel dat ik een oppervlakkige slet ben en Stevie Rae de kant van het kwaad heeft gekozen?'

'Alleen de tijd zal leren of je vertrouwen in Stevie Rae misplaatst was. En ik vind dat je niet zo streng tegen jezelf moet zijn om het feit dat je je tot meer dan één jongen aangetrokken voelt. Je geeft blijk van inzicht bij het beoordelen van de relaties in je leven. Uit wat je zei, begrijp ik dat Eriks gedrag overheersend en lomp was.

Er zijn veel jonge vrouwen die dat alles zouden hebben genegeerd omdat hij zo – hoe zeggen jullie dat – zo'n spetter is!' Oma deed een slechte tienerimitatie. 'Je zult evenwicht vinden in je relatie met Heath en Stark, zoals veel hogepriesteressen. Gebeurt dat niet, dan zul je besluiten dat jezelf aan één man verbinden voor jou de juiste weg is. Maar, lieve schat, dat is een beslissing waarover je heel veel jaren kunt doen.'

'U zult wel gelijk hebben,' zei ik.

'Natuurlijk heb ik gelijk. Ik ben oud. En dat betekent dat ik voel dat er meer is wat je hindert dan jongens en Stevie Rae. Wat is er, Zoeybird?'

'Ik had een herinnering aan A-ya, oma.'

Oma's scherpe inademing was het enige uiterlijke teken van haar innerlijke schrik. 'Ging de herinnering over Kalona?'

'Ja.'

'Was het plezierig of onplezierig?'

'Allebei! Het begin was angstaanjagend, maar naarmate ik dichter bij A-ya kwam, veranderde dat. Ze hield van hem, oma. En dat kon ik voelen.'

Oma knikte en zei langzaam: 'Ja, u-we-tsi-a-ge-ya, dat is nogal wiedes. A-ya was geschapen om van hem te houden.'

'Dat maakt me bang en geeft me het gevoel dat ik de situatie niet de baas ben!' riep ik.

'Sst, dochter,' suste oma. 'Ieder van ons wordt beïnvloed door zijn of haar verleden, maar het ligt in ons vermogen om ons niet te laten dicteren door wat we hébben gedaan bij wat we gáán doen.'

'Zelfs op een zielsdiep niveau?'

'Vooral op een zielsdiep niveau. Vraag jezelf af waar je grote gaven vandaan komen.'

'Nou, van Nux,' zei ik.

'En heeft de godin je lichaam of je ziel begiftigd?'

'Mijn ziel, natuurlijk. Mijn lichaam is slechts een omhulsel voor mijn ziel.' Ik werd verrast door de zekerheid in mijn stem en knipperde verbaasd met mijn ogen. 'Ik moet eraan blijven denken dat het nu míjn ziel is, en A-ya behandelen als welke herinnering uit mijn verleden ook.'

Oma glimlachte. 'Ah, alsjeblieft, ik wist dat je jezelf weer zou vinden. Wanneer je fouten maakt, hetzij in dit leven, hetzij in een vorig leven, trek daar lering uit, dan kun je er je voordeel mee doen.'

Niet als mijn fouten ertoe leiden dat Kalona de wereld verbrandt, dacht ik, en ik zei het bijna hardop, maar op dat moment deed oma haar ogen dicht. Ze zag er zo moe en gehavend en oud uit dat mijn maag verkrampte en ik er misselijk van werd.

'Sorry dat ik u hiermee heb belast, oma,' zei ik.

Ze opende haar ogen en klopte zachtjes op mijn hand. 'Je hoeft je nooit te verontschuldigen voor het feit dat je mij vertelt wat je op je hart hebt, u-we-tsi-a-ge-ya.'

Ik kuste oma zachtjes op haar voorhoofd, voorzichtig om haar geen pijn te doen. 'Ik hou van u, oma.'

'En ik van jou, u-we-tsi-a-ge-ya. Ga met de godin en de zegen van onze voorouders.'

Mijn hand lag al op de deurkruk toen haar stem tussen ons opklonk, even krachtig, zeker en wijs als altijd.

'Hou je bij de waarheid, u-we-tsi-a-ge-ya. Vergeet nooit, zoals ons volk altijd heeft geweten, dat er diepe kracht schuilt in woorden die de waarheid spreken.'

'Ik zal mijn best doen, oma.'

'En meer zal ik nooit van je vragen, Zoeybird.'

21

Zoey

De terugrit naar het Huis van de Nacht verliep langzaam, vreemd en ongemakkelijk.

Langzaam doordat, ondanks het feit dat Shaunee en ik vuur inzetten om de hoefijzers van de paarden te verwarmen zodat we door Twenty-first Street konden draven om bij het stoplicht (dat niet werkte) bij de kruising van Utica Street links af te slaan, het toch nog een glibberige, ijskoude, moeilijke tocht was.

Vreemd omdat het zo vreselijk donker was. Dat is wat er gebeurt wanneer in een stad al het licht uitgaat: alles ziet er vreemd uit. Het klinkt simplistisch, vooral uit de mond van iemand die wordt verondersteld een kind van de nacht te zijn, maar de wereld ziet er anders uit als het licht uitgaat.

En het was ongemakkelijk omdat Shaunee en Erin steeds naar me keken alsof ik een bom was die elk moment kon afgaan. Johnny B en Kramisha spraken nauwelijks tegen me, en Stark, die achter me op mijn geweldige merrie, Persephone, zat, legde niet eens zijn handen om mijn middel.

En ík? Ik wilde alleen maar naar huis.

Darius reed achter ons in de Hummer met een snelheid die voor hem een kruipgang moet hebben geleken, hoewel de paarden erin slaagden om een gestage draf aan te houden. De rode halfwassen, geleid door Stevie Rae en Erik, liepen achter de Hummer. Op het geluid van de automotor en de paardenhoeven na was de donkere avond stil, al klonk af en toe het huiveringwekkende gekraak op van een tak die bezweek onder het gewicht van het ijs of van een boom die doormidden scheurde.

We reden al in Utica Street voordat ik iets zei.

'Heb je je voorgenomen om gewoon nooit meer tegen me te praten?' vroeg ik Stark.

'Ik wil best praten,' zei hij.

'Waarom klinkt dat alsof er een "maar" achteraan komt?'

Hij aarzelde en de spanning die hij uitstraalde was bijna voelbaar. Eindelijk slaakte hij een diepe zucht en zei: 'Ik weet niet of ik kwaad op je moet zijn of dat ik me moet verontschuldigen voor dat gedoe in de eetzaal.'

'Nou, wat er in de eetzaal gebeurde, was jouw schuld niet. Dat wil zeggen, het meeste niet.'

'Ja, dat weet ik, maar ik weet ook dat je gevoelens werden gekwetst door die Erik-kwestie.'

Ik wist niet wat ik daarop moest zeggen en we reden een poosje zwijgend door, tot Stark zijn keel schraapte en zei: 'Je hebt iedereen wel erg hard aangepakt.'

'Ik moest een eind maken aan het gekibbel, en dat leek me de snelste manier.'

'De volgende keer zou je misschien iets kunnen zeggen in de trant van: "Jongens, hou op met dat gekibbel!" Weet ik veel, misschien ligt het aan mij, maar dat lijkt me beter dan je vrienden afblaffen.'

Ik onderdrukte de neiging om bits te vragen of hij misschien dacht dat hij het er beter af zou brengen, maar in plaats daarvan dacht ik over zijn woorden na. Hij zou wel eens gelijk kunnen hebben. Ik voelde me er niet prettig bij dat ik iedereen had afgesnauwd, vooral omdat een aantal van hen mijn vrienden waren.

'Ik zal proberen om het de volgende keer anders te doen,' zei ik.

Stark sloeg zich niet op de borst. Hij ging ook niet opeens de stoere paternalistische macho uithangen. Hij legde zijn handen op mijn schouders, gaf er een kneepje in en zei: 'Het feit dat je luistert naar wat anderen te zeggen hebben, is een van de dingen die ik zo fijn vind aan jou.'

Ik voelde mijn wangen warm worden bij dit onverwachte compliment. 'Dank je,' zei ik zacht. Ik haalde mijn vingers door Persephone's koude, natte manen en vond het leuk dat ze reageerde door haar oren naar achteren te draaien. 'Wat ben je toch een brave meid,' zei ik zacht.

'Ik zou denken dat je onderhand wel zou hebben gezien dat ik geen meid ben,' zei Stark met een brutaal lachje in zijn stem.

'Dat heb ik gezien.' Ik lachte en de spanning tussen ons vervloog. De tweeling, Johnny B en Kramisha keken naar ons met een onzekere glimlach op hun gezicht.

'Dus, eh, tussen jou en mij is het oké?' vroeg ik hem.

'Tussen jou en mij zal het altijd oké zijn. Ik ben je krijger, je beschermer. Wat er ook gebeurt, ik sta achter je.'

Ik moest een brok in mijn keel wegslikken voordat ik zei: 'Mijn krijger zijn zal misschien niet altijd makkelijk zijn.'

Hij lachte, vol, luid en lang. Hij sloeg ook zijn armen om mijn middel en zei: 'Zoey, soms zal jouw krijger zijn goed waardeloos zijn.'

Ik wilde een rotopmerking terugkaatsen, maar zijn armen om me heen waren heerlijk warm en zijn aanraking werkte kalmerend, dus mompelde ik dat dat bullpoepie was en leunde ontspannen tegen hem aan.

'Weet je,' zei hij, 'als je de waanzin die de storm veroorzaakt en dat hele gedoe met Kalona en Neferet zou kunnen vergeten, dan ziet al dat ijs er best cool uit. Het is net of we vanuit de echte wereld naar een bizar winterland zijn overgebracht. Naar een plek waar de witte heks zich echt thuis zou voelen.'

'Ooo, *The Lion, the Witch and the Wardrobe*! Dat was nog eens een geweldige film.'

Hij schraapte zijn keel. 'Ik heb hem niet gezien.'

'Heb je die film niet gezien?' Mijn ogen werden groot en ik keek over mijn schouder naar hem. 'Heb je het boek gelezen?'

'Boekén,' zei hij met nadruk op het meervoud. 'C.S. Lewis heeft meer dan één Narnia-boek geschreven.'

'Lees jij?'

'Ik lees,' zei hij.

'Huh,' zei ik. Ik stond perplex.

'Wat is daar mis mee? Lezen is goed,' zei hij verdedigend.

'Dat weet ik! Het is cool dat je leest. Eigenlijk is het meer dan cool dat je leest.' En dat meende ik. Ik vond het geweldig wanneer jongens er blijk van gaven dat ze hersens hadden.

'Werkelijk? Nou, dan zul je het interessant vinden om te horen dat ik zojuist *To Kill a Mockingbird* heb gelezen.'

Ik glimlachte en gaf hem een por met mijn elleboog. 'Dat heeft iedereen gelezen.'

'Ik heb het vijf keer gelezen.'

'Ja hoor.'

'Ja. Ik ken hele stukken uit mijn hoofd.'

'Dat is bullpoepie.'

En toen verhief Stark, mijn grote, stoere machokrijger zijn stem en zei met de stem van een klein meisje met een zuidelijk accent: '"Oom Jack? Wat is een hoerenmevrouw?"'

'Ik geloof niet dat dat het belangrijkste citaat uit dat boek is,' zei ik, maar ik moest wel lachen.

'Oké, wat dacht je van: "Een snotneuzerige slet van een schoolfrik die denkt mij te kunnen vertellen wat ik moet doen, is nog nooit geboren!" Dat is echt mijn favoriet.'

'Je bent gestoord, James Stark.' Ik glimlachte en voelde me warm en gelukkig toen we de lange oprit van het Huis van de Nacht op draaiden. Ik bedacht juist hoe magisch het eruitzag, verlicht en verwelkomend, toen het tot me doordrong dat er veel meer licht was dan gewoonlijk van de noodaggregaten van de school en de ouderwetse olielampen. Toen zag ik dat het licht niet van een van de schoolgebouwen kwam. Het flakkerde ergens tussen Nux' tempel en het hoofdgebouw.

Ik voelde Starks lichaam verstrakken.

'Wat is dat?' vroeg ik.

'Laat de paarden stoppen,' zei hij.

'Ho.' Ik bracht Persephone tot stilstand en riep tegen Shaunee en Johnny B dat ze hetzelfde moesten doen. 'Wat is er aan de hand?'

'Let goed op. Hou je gereed om naar de abdij terug te rijden. Als ik zeg dat je moet gaan, dan ga je, en wel onmiddellijk. En wacht niet op mij!' was het enige wat Stark zei voordat hij zich van Persephone's rug liet glijden en naar de Hummer rende.

Ik draaide me half om en zag dat Darius al uitstapte en dat Heath achter het stuur kroop. De twee krijgers spraken kort met elkaar, en toen riep Darius naar Erik en alle mannelijke rode halfwassen en Stevie Rae dat ze naar hem toe moesten komen. Ik wilde juist Persephone in de richting van de Hummer sturen toen Stark naar me terug kwam rennen.

'Wat is er aan de hand?' vroeg ik.

'Er staat iets in brand op het schoolterrein.'

'Kun jij uitmaken wat precies?' vroeg ik aan Shaunee.

'Ik weet het niet,' zei Shaunee. Haar voorhoofd was in concentratie gerimpeld. 'Maar het voelt heilig aan.'

Heilig? Wat voor de...?

Stark pakte Persephone's toom vast om mijn aandacht te trekken. 'Kijk onder de bomen.'

Ik keek naar rechts, naar de rij Bradford-perenbomen langs de weg die naar het Huis van de Nacht leidde. Er lagen dingen onder... schaduwen binnen schaduwen van verfrommelde gedaanten. Ik werd misselijk toen ik besefte wat ik zag.

'Raafspotters?' zei ik.

'Ze zijn dood,' zei Kramisha.

'Dat moeten we checken. We moeten het zeker weten,' zei Stevie Rae. Ze was met de mannelijke rode halfwassen en Erik naar voren gekomen.

'Dat gaan we doen,' zei Darius. Uit een binnenzak van zijn leren jasje haalde hij twee messen tevoorschijn, een voor elke hand, en hij zei tegen Stark: 'Blijf bij Zoey.' Hij knikte naar Stevie Rae en Erik als teken om hem te volgen en liep naar de bomen.

Ze hadden niet lang werk.

'Dood,' riep Darius nadat hij ze allemaal had bekeken.

Toen de groep weer bij ons terug was, viel me op dat Stevie Rae zo wit als een doek was.

'Alles oké met je?' vroeg ik haar.

Ze keek naar me op met een geschokte blik. 'Ja,' zei ze haastig. 'Prima. Alleen...' Haar stem stierf weg en haar blik ging terug naar de weerzinwekkende hopen onder de bomen.

'Het komt doordat ze zo vreselijk stinken,' zei Kramisha. Iedereen keek haar aan. 'Nou, het is waar. Die Raafspotters hebben iets smerigs in hun bloed.'

'Hun bloed ruikt inderdaad verkeerd. Dat weet ik doordat ik het moest opruimen op de plek bij de abdij waar Darius er een stel uit de lucht had geschoten.' Stevie Rae sprak snel, alsof ze zich niet op haar gemak voelde.

'Dat is dus wat ik aan jou rook!' Ik was opgelucht dat ik eindelijk die vreemde stank had geïdentificeerd.

'We moeten ons focussen op het hier en nu,' zei Darius. 'We weten niet wat daarbinnen gebeurt.' Hij gebaarde naar het schoolterrein en de flakkerende vlammen die het middenterrein verlichtten.

'Wat is dat? Staat de school echt in brand?' Stevie Rae sprak onze gedachten hardop uit.

'Ik kan jullie vertellen wat het is.' Iedereen schrok van de stem, behalve de drie paarden, wat me onmiddellijk had moeten vertellen wie er in de schaduwen stond aan de veldhuiskant van de weg. 'Het is een brandstapel,' zei Lenobia. Ze was de rijinstructrice van de school en een van de weinige volwassen vampiers die ons hadden bijgestaan nadat Kalona en Neferet de school hadden overgenomen.

Ze liep direct naar de paarden, begroette ze, bekeek ze nauwkeurig, kortom ze negeerde ons tot ze zich ervan had vergewist dat alles goed met ze was. Toen ze eindelijk opkeek, terwijl ze Persephone's snoet streelde, zei ze: 'Het verheugt me je te zien, Zoey.'

'Het verheugt mij u te zien,' antwoordde ik automatisch.

'Heb je hem gedood?'

Ik schudde mijn hoofd. 'We hebben hem verjaagd. Kramisha's gedicht klopte. Toen wij vijven ons verenigden, waren we in staat om hem met liefde te verjagen. Maar wiens...'

'Is Neferet dood of alleen maar met hem gevlucht?' Ze onderbrak mijn vraag.

‘Gevlucht. Voor wie is de brandstapel?’ Ik kon niet langer wachten en móést het gewoon vragen.

Lenobia’s mooie blauwgrijze ogen ontmoetten die van mij. ‘Anastasia Lankford is omgekomen. De laatste daad van Kalona’s lievelingszoon, Rephaim, voordat hij zijn broers verzamelde om jullie naar de abdij te volgen, was haar de keel afsnijden.’

22

Zoey

Ik hoorde dat Stevie Raes adem stokte van schrik. Iedereen was van ontzetting vervuld, maar Darius reageerde onmiddellijk. 'Zijn er ook nog levende Raafspotters?'

'Nee. Mogen hun zielen tot in de eeuwigheid wegrotten in het hiernamaals,' zei Lenobia bitter.

'Zijn er nog anderen omgekomen?' vroeg ik.

'Nee, maar er zijn verscheidene gewonden. De ziekenafdeling is vol. Neferet was onze enige echte genezer, en nu zij...' Lenobia's stem stierf weg.

'Dan moet Zoey de gewonden verzorgen,' zei Stark.

Lenobia en ik keken hem vragend aan.

'Ik? Maar ik ben...'

'Jij komt het dichtst bij wat we hebben aan een hogepriesteres. Als er in het Huis van de Nacht gewonde halfwassen en vampiers zijn, dan hebben ze hun hogepriesteres nodig,' zei Stark.

'Met je affiniteit voor geest zul je absoluut de gewonden kunnen helpen,' voegde Darius eraan toe.

'Jullie hebben natuurlijk gelijk,' zei Lenobia, terwijl ze haar lange witblonde haar uit haar gezicht streek. 'Neem me niet kwalijk. Stasia's dood heeft me diep aangegrepen. Ik kan niet meer helder denken.' Ze glimlachte naar me, maar het was eerder een grimas van vertrokken lippen dan een echte glimlach. 'Je hulp is welkom en hard nodig, Zoey.'

'Ik zal doen wat ik kan.' Ik veinsde zelfvertrouwen, maar in werkelijkheid werd ik al misselijk bij de gedachte aan gewonden.

'We zullen allemaal helpen,' zei Stevie Rae. 'Als één affiniteit kan helpen, dan kunnen vijf affiniteiten dat misschien in vijfvoud.'

'Misschien,' zei Lenobia, verslagen en verdrietig.

'Dat zal hoop terugbrengen.'

Ik keek verbaasd naar Aphrodite, die naast Darius opdook en haar arm door die van hem stak. Lenobia keek haar sceptisch aan. 'Je zult ontdekken dat er nogal wat is veranderd in het Huis van de Nacht, Aphrodite.'

'Dat maakt niet uit. We leren al aardig goed met veranderingen om te gaan,' zei Aphrodite.

'Ja, we schrikken niet meer van verandering,' zei Kramisha. Verscheidene anderen maakten instemmende geluidjes.

Ik was zo trots op hen dat ik bijna in tranen uitbarstte.

'Ik denk dat we allemaal blij zijn dat we weer thuis zijn,' zei ik.

'Thuis.' Lenobia herhaalde het woord zacht en verdrietig. 'Kom dan maar mee naar binnen in wat er van ons thuis is geworden.' Ze draaide zich om en klakte met haar tong, en de drie paarden volgden haar zonder aansporing van ons.

We gingen door de hoofdingang van de school het parkeerterrein op, waar Darius gebaarde dat Heath de Hummer moest parkeren. We stegen af en wachtten tot iedereen zich had verzameld. Het docentenverblijf en de ziekenafdeling blokkeerden het uitzicht op het middenterrein, dus het enige wat we konden zien waren de dansende schaduwen die de vlammen wierpen.

Op het geknetter na van vuur dat hout verbrandde, lag de school er volslagen stil bij.

'Het is beklemmend,' zei Shaunee zacht.

'Wat bedoel je?' vroeg ik.

'Ik voel droefheid in de vlammen. Het is beklemmend,' zei ze nog eens.

'Shaunee heeft gelijk,' zei Lenobia. 'Ik breng de paarden naar de stal. Willen jullie met me mee gaan, of gaan jullie liever...' Haar stem stierf weg toen haar blik werd getrokken naar de flakkerende schaduwen die de vuurgloed wierp op de takken van de eeuwenoude eiken die overal op het middenterrein stonden.

'We gaan daarheen,' zei ik, en ik gebaarde naar het hart van de school. 'We kunnen maar beter door de zure appel heen bijten.'

'Ik kom zodra de paarden zijn verzorgd,' zei Lenobia. Ze verdween met de paarden in de duisternis.

Starks hand lag warm en geruststellend op mijn schouder. 'Bedenk dat Kalona en Neferet weg zijn. Het enige wat je tegenover je zult vinden zijn halfwassen en vampiers, en dat moet je makkelijk aankunnen na wat je al hebt doorstaan,' zei hij.

Heath verscheen aan mijn andere zij. 'Hij heeft gelijk. Zelfs gewonde halfwassen en vampiers tegemoet treden is niet zo erg als Neferet en Kalona.'

'Wat er ook mag zijn gebeurd, het is ons thuis,' zei Darius.

'Ja, ons thuis. En het wordt tijd dat we het terugvorderen,' zei Aphrodite.

'Laten we maar eens gaan kijken wat voor puinhoop Neferet voor ons heeft achtergelaten,' zei ik abrupt. Ik liep bij Stark en Heath vandaan en leidde iedereen naar het voetpad rond de mooie fontein en door de tuin voor de ingang van het docentenverblijf en de kasteelachtige houten boogdeuren, naast het torentje waarin het mediacentrum was gehuisvest. Eindelijk kwam het middenterrein van de school in zicht.

'O godin!' zei Aphrodite met stokkende adem.

Mijn voeten hielden halt zonder dat ik ze dat bewust opdroeg. Het tafereel was zo afschuwelijk dat ik geen stap meer kon verzetten. De brandstapel was een enorme berg brandhout dat onder en rondom een houten picknicktafel was gelegd. Ik wist dat het een picknicktafel was omdat die in de vlammen nog steeds herkenbaar was, net als het lichaam dat op de tafel lag. Professor Anastasia, de mooie vrouw van onze scherminstructeur, Draak Lankford, was gekleed in een lang, golvend gewaad en bedekt met een witlinnen lijkwade. Wat het nog afschuwelijker maakte was dat haar lichaam erdoorheen te zien was. Haar armen lagen gekruist op haar borst en haar lange haar hing over de tafel en bewoog en knetterde in de vlammen.

Een geluid als de diepbedroefde kreet van een kind verscheurde de nacht, en mijn blik, die op de macabere brandstapel was gericht, gleed naar een plek bij het hoofdeinde van de tafel. Daar zat Draak Lankford op zijn knieën. Zijn hoofd was gebogen en zijn lange haar viel naar voren, al verborg dat niet het feit dat hij huilde. Naast hem zat een reusachtige kat die ik herkende als Shadowfax, zijn Maine Coon. Het dier leunde tegen hem aan en keek op naar zijn gezicht. In zijn armen hield hij een kleine witte kat, die krijsend worstelde om zich uit zijn armen te bevrijden en zich kennelijk op de brandstapel wilde werpen.

'Guinevere,' fluisterde ik. 'Dat is Anastasia's kat.' Ik drukte mijn hand tegen mijn mond in een poging de snik die ik voelde opkomen tegen te houden.

Shaunee liep snel naar de brandstapel en ging er veel dichter bij staan dan wij ooit zouden hebben gekund. Tegelijkertijd ging Erin naast Draak staan. Terwijl Shaunee haar armen hief en luid riep: 'Vuur! Kom tot mij!' hoorde ik Erins zachtere stem water vragen om tot haar te komen. Terwijl de brandstapel en het lichaam opeens verhuld werden door hoog oplaaiende vlammen, werd Draak omringd door een koele mist, die me aan tranen deed denken.

Damien ging vlak naast Erin staan. 'Wind, kom tot mij,' zei hij. Ik zag dat hij een zachte bries opriep om de afschuwelijke stank van brandend vlees weg te blazen.

Stevie Rae sloot zich bij Damien aan. 'Aarde, kom tot mij,' zei ze. En de wind die de stank van de dood had weggeblazen werd onmiddellijk gevuld met de zoete geur van een weiland die beelden opriep van het voorjaar, groeiende dingen, en de groene weiden van onze godin.

Ik wist dat ik nu aan de beurt was. Vervuld van droefheid liep ik naar Draak en legde een hand op zijn schouder, die schokte door zijn gesnik. Ik hief mijn andere hand en zei: 'Geest, kom tot mij.' Toen het heerlijke gevoel door mijn lichaam trok dat me zei dat mijn element gehoor gaf aan mijn oproep, zei ik: 'Beroer Draak, geest. Troost hem en Guinevere en Shadowfax. Help hen en maak hun verdriet draaglijk.' Toen concentreerde ik me op het leiden van geest via mij naar Draak en de twee diepbedroefde katten. Guinevere hield op met krijsen. Ik voelde Draaks lichaam schokken, en langzaam kwam zijn hoofd omhoog en keek hij me aan. Zijn gezicht zat onder de krabben, en boven zijn linkeroog zat een diepe snee. Ik herinnerde me dat hij de laatste keer dat ik hem zag verwikkeld was geweest in een heftig gevecht met drie Raafspotters. 'Wees gezegend, Draak,' zei ik zacht.

'Hoe kan het ooit draaglijk worden, priesteres?' Zijn stem was schor. Hij klonk als een gebroken man.

Ik voelde een moment van paniek, een moment van: *ik ben zeventien! Ik kan hem onmogelijk helpen!* Toen, in een perfecte cirkel, draaide geest van Draak door mij en weer terug naar de schermin-structeur, en ik putte kracht uit mijn element. 'U zult haar weer zien. Ze is nu bij Nux. Ze zal of in de weiden van de godin op u wachten of ze zal opnieuw geboren worden en dan zal haar ziel u gedurende dit leven weer vinden. U kunt het verdragen omdat u weet dat geest nooit echt eindigt, dat wij nooit echt eindigen.'

Zijn ogen zochten die van mij en ik keek hem rustig aan. 'Heb je ze verslagen? Zijn die wezens weg?'

'Kalona en Neferet zijn weg. En de Raafspotters ook,' verzekerde ik hem.

'Goed... goed...' Draak boog weer zijn hoofd en ik hoorde hem zachtjes tot Nux bidden en de godin vragen om voor zijn geliefde te zorgen tot ze elkaar weer zouden zien.

Ik gaf een kneepje in zijn schouder en met het gevoel een indringer te zijn, liep ik bij hem vandaan om hem in zijn verdriet wat privacy te geven.

'Wees gezegend, priesteres,' zei hij zonder zijn hoofd op te richten.

Ik had natuurlijk iets volwassens en wijs moeten zeggen, maar ik was zo emotioneel dat ik niet kon praten. Opeens stond Stevie Rae naast me en naast haar Damien. Erin liep bij Draak vandaan en kwam aan de andere kant naast me staan en Shaunee weer naast haar. Zo bleven we zwijgend staan, eerbiedig, een niet-geworpen cirkel maar toch aanwezig, terwijl Shaunees op magische wijze opgelaaide vuur het laatste van Anastasia's fysieke omhulsel verzwolg.

De stilte die ons omringde werd alleen verbroken door het geluid van de vlammen en Draaks geprevelde gebed. Op dat moment viel me iets in. Ik keek naar de brandstapel. Draak had die midden op het bestrate pad opgesteld tussen de tempel van Nux en het hoofdschoolgebouw. Het was een goede keus – er was genoeg ruimte voor het vuur. Er was ook genoeg ruimte voor de andere docenten en halfwassen die er hadden moeten zijn om Draak bij te staan en gebeden tot Nux te richten voor Anastasia en haar levensgezel, waarbij ze hem niet zouden storen in zijn verdriet, maar blijk zouden geven van het feit dat ze van hem hielden en hem steunden.

'Er is hier verder helemaal niemand,' zei ik zacht. Ik wilde niet dat Draak de verontwaardiging in mijn stem zou horen. 'Waar is iedereen in godsnaam?'

'Hij zou hier niet helemaal alleen moeten zijn,' zei Stevie Rae, terwijl ze tranen van haar gezicht veegde. 'Dat deugt gewoon niet.'

'Ik was bij hem tot ik de paarden voelde aankomen,' zei Lenobia, die aan kwam rennen.

'Maar waar zijn de anderen?' vroeg ik.

Ze schudde haar hoofd. De verontwaardiging die ik voelde werd weerspiegeld in haar gezichtsuitdrukking. 'De halfwassen zijn in de slaaponderkomens. De docenten zijn op hun kamer. De anderen liggen in de ziekenafdeling – dat wil zeggen degenen die hem zouden hebben wíllen steunen.'

'Dat slaat gewoon nergens op.' Ik kon het niet bevatten. 'Hoe kunnen zijn leerlingen en de andere docenten hem niet willen steunen?'

'Kalona en Neferet mogen dan weg zijn, maar hun vergif blijft hangen,' zei Lenobia cryptisch.

'Jij moet naar de ziekenafdeling,' zei Aphrodite, die achter ons verscheen. Het viel me op dat ze bewust niet naar de brandstapel of Draak keek.

'Ga maar,' zei Lenobia. 'Ik blijf bij hem.'

‘Wij ook,’ zei Johnny B. ‘Hij was mijn favoriete docent voordat... je weet wel.’

Dat wist ik inderdaad. Johnny B bedoelde voordat hij doodging en toen ondood werd.

‘We blijven allemaal bij hem,’ zei Kramisha. ‘Het is niet goed dat hij hier helemaal alleen is, en jij en je cirkel hebben binnen dingen te doen.’ Haar blik ging naar het deel van het schoolgebouw waar de ziekenafdeling zich bevond. ‘Kom,’ riep ze, en de rest van de rode halfwassen kwam uit de schaduwen tevoorschijn om naast Draak plaats te nemen en een cirkel rond de brandstapel te vormen.

‘Ik blijf ook,’ zei Jack. Hij huilde, maar aarzelde niet om zijn plaats in te nemen in de cirkel die de rode halfwassen vormden. Duchess bleef dicht bij hem; haar staart en oren hingen, alsof ze het begreep. Zonder iets te zeggen ging Erik naast Jack staan. Toen verbaasde Heath me door de plek naast Erik in te nemen. Hij knikte ernstig naar me en boog toen zijn hoofd.

Ik was niet zeker van mijn stem, dus draaide ik me zonder iets te zeggen om, en liep ik met mijn cirkel, aangevuld met Aphrodite, Stark en Darius het Huis van de Nacht in.

23

Zoey

De ziekenafdeling van de school was niet erg groot. Eigenlijk waren er maar drie kleine ziekenhuisachtige kamers op een van de verdiepingen van het docentengebouw. Het was dus geen verrassing dat de kamers overvol waren. Niet dat het geen schok was om drie veldbedden met op elk een gewonde halfwas in de gang te zien staan. De gewonde halfwassen knipperden verbaasd met hun ogen toen ik met mijn groep bij de ingang bleef staan.

'Zoey?' Ik deed mijn best om niet te staren naar de gewonde jongelui – en het bloed niet te ruiken dat in de lucht om ons heen leek te hangen – en zag twee vampiers naar me toe komen. Ik herkende hen als Neferets assistentes, zo ongeveer het equivalent van verpleegsters, en ik moest diep in mijn geheugen graven om me te herinneren dat de lange blondine Sapphire heette en de kleine Aziatische Margareta. 'Ben jij ook gewond?' vroeg Sapphire, terwijl ze me snel met haar blik onderzocht.

'Nee, ik maak het prima. Dat geldt voor ons allemaal,' stelde ik haar gerust. 'We zijn gekomen om te helpen.'

'Zonder een genezer hebben we gedaan wat we konden,' zei Margareta. 'Geen van de halfwassen verkeert in direct levensgevaar, al weet je nooit hoe een verwonding de Verandering zal beïnvloeden, dus het is altijd mogelijk dat verscheidene zullen...'

'Oké, ja, we snappen het.' Ik onderbrak haar voor ze luid en duidelijk 'sterven' zou zeggen in het bijzijn van de groep halfwassen die mogelijk zouden sterven. Jeetje, over een slechte houding tegenover patiënten gesproken.

‘We zijn hier niet vanwege onze medische vaardigheden,’ legde Damien uit. ‘We zijn hier omdat onze cirkel krachtig is en we daardoor misschien in staat zijn de gewonden te troosten en de pijn te verzachten.’

‘Geen van de andere ongedeerde halfwassen is hier,’ zei Sapphire, alsof dat een reden was om er ook niet te zijn.

‘Geen van de andere halfwassen heeft affiniteiten voor de elementen,’ zei ik.

‘Geloof me, we hebben echt alles gedaan wat in ons vermogen lag,’ zei Margareta ijzig. ‘Zonder een hogepriesteres...’

Deze keer onderbrak Stark haar. ‘Wij hebben een hogepriesteres, dus is het tijd dat jullie uit de weg gaan en haar en haar cirkel deze halfwassen laten helpen.’

‘Ja, uit de weg,’ zei Aphrodite op een toon die geen tegenspraak duldde.

De twee vampiers gingen uit de weg, al voelde ik hun ijskoude, afkeurende blikken.

‘Wat is verdomme hun probleem?’ vroeg Aphrodite zacht terwijl we de gang in liepen.

‘Ik heb geen flauw idee,’ zei ik. ‘Ik ken ze nauwelijks.’

‘Ik ken ze wel,’ zei Damien zacht. ‘Ik heb me als derdeklasser als vrijwilliger aangeboden om op de ziekenafdeling te helpen. Ze waren altijd al draconisch. Ik dacht dat dat kwam doordat ze voortdurend te maken hadden met halfwassen die doodgingen.’

‘“Draconisch”?’ zei Shaunee.

‘Vertaal het even, Stevie Rae,’ zei Erin.

‘“Draconisch” betekent “streng en nogal somber”. Jullie zouden echt meer moeten lezen.’

‘Dat wilde ik juist zeggen,’ zei Stark.

Damien slaakte een zucht.

Ik moest, hoe onvoorstelbaar ook, een glimlach onderdrukken. De omstandigheden waren beroerd, maar door het feit dat mijn vrienden hun normale zelf waren, leek alles een ietsiepietsie minder akelig.

‘Kudde oenen, focussen. We zijn hier om de halfwassen te helpen. Drakoon Eén en Drakoon Twee zijn niet belangrijk,' zei Aphrodite.

'Een verwijzing naar Dr. Seuss. Dat mag ik wel,' zei Stark met een kijk-mij-nou-ik-heb-altijd-boeken-gelezen spetterige grijns naar mij.

Aphrodite keek hem fronsend aan. 'Ik zei "focussen" en niet "flirten".'

'Stevie Rae?' riep een jongen die halverwege de gang op een veldbed lag.

'Drew?' zei Stevie Rae, en toen rende ze naar hem toe. 'Drew, ben je gewond? Wat is er gebeurd? Is je arm gebroken?'

De arm van de jongen zat in een mitella. Een van zijn ogen was dik en blauw en zijn lip was gescheurd, maar hij slaagde erin om naar Stevie Rae te glimlachen. 'Ik ben echt blij dat je niet meer dood bent.'

Ze grijnsde. 'Nou, ik ook, hoor. En ik kan je vertellen dat ik niemand dat gedoe met doodgaan en ondood worden zou aanbevelen, dus rust goed uit en word snel beter.' Ze werd ernstig toen ze weer naar zijn verwondingen keek, en ze voegde er snel aan toe: 'Maar het komt helemaal goed met je. Wees maar niet bang.'

'Het stelt niet veel voor. Mijn arm is niet gebroken. Hij is alleen maar uit de kom geschoten toen ik met een Raafspotter worstelde.'

'Hij heeft geprobeerd om Anastasia te redden.' Mijn blik ging in de richting van de stem van het meisje in een ziekenhuiskamer naast waar Drew lag. De deur stond open en ik zag een halfwas achterovergeleund op een bed liggen met haar arm op zo'n aluminium blad dat je op de zijkant van een ziekenhuisbed kunt bevestigen. Haar hele onderarm was omwikkeld met een dik gaasverband. Ze had ook een lelijke snijwond in haar hals die verdween in haar ziekenhuishemd. 'Het was hem nog bijna gelukt ook. Drew heeft haar bijna weten te redden.'

'Bijna is niet goed genoeg,' zei Drew somber.

'Bijna is heel wat beter dan wat de meeste halfwassen deden,' zei het meisje. 'Jij hebt het tenminste geprobeerd.'

'Wat is er in godsnaam gebeurd, Deino?' vroeg Aphrodite, die langs me heen de kamer van het meisje in liep. Ik besefte opeens wie het meisje was. Zij en haar twee vriendinnen, Enyo en Pemphredo (genoemd naar de drie zussen van de Gorgonen en Scylla) hadden deel uitgemaakt van Aphrodites krengerige clubje voor ik naar het Huis van de Nacht kwam en, zoals Aphrodite zelf had gezegd, haar leven in elkaar stortte. Ik verwachtte dat Deino iets hekserigs tegen Aphrodite zou zeggen aangezien geen van haar 'vriendinnen' met haar bevriend was gebleven toen ze eenmaal bij Neferet uit de gunst was geraakt en ik haar had vervangen als leider van de Duistere Dochters. Gelukkig reageerde het meisje helemaal niet hatelijk, al klonk ze wel gefrustreerd en behoorlijk nijdig.

'Helemaal niks. Nou, dat wil zeggen, tenzij je die vogelwezens het hoofd bood. Dan vielen ze je aan. Wij...' – ze gebaarde met haar ongedeerde arm naar de anderen op de ziekenafdeling – '... hebben ze het hoofd geboden. En Draak en Anastasia ook.'

'Ze hebben professor Anastasia gepakt terwijl Draak verderop met een stel van die monsters vocht. Hij was te ver weg om haar te helpen. Hij heeft het niet eens zien gebeuren,' zei Drew. 'Ik heb een van die krengen van haar af getrokken, maar werd door een tweede van achteren aangevallen.'

'Ik heb me op dat wezen gestort,' zei Deino. Ze wees naar de overkant van de gang. 'Ian probeerde me te helpen toen dat wezen mij aanviel. De Raafspotter brak toen Ians been alsof het een twijgje was.'

'Ian Bowser?' vroeg ik, terwijl ik mijn hoofd om de hoek van de kamer stak die Deino had aangewezen.

'Ja, dat ben ik,' zei de broodmagere maar best leuke jongen wiens been tot aan zijn dij in het gips zat. Hij zag er veel te wit uit tegen de gebleekte lakens.

'Dat ziet er pijnlijk uit,' zei ik. Ik kende hem van de dramaklas. Hij was stapelverliefd geweest op onze docente, professor Nolan... voordat ze ongeveer een maand geleden werd vermoord.

'Ik heb me wel eens beter gevoeld,' zei hij, met een dappere poging om te glimlachen.

'Ja, dat geldt voor ons allemaal,' zei een meisje op een veldbed verderop in de gang.

'Hanna Honeyyeager! Ik had je helemaal niet gezien,' zei Damien, die om me heen liep, naar het meisje toe. Ik begreep waarom hij haar niet had opgemerkt voordat ze iets zei. Ze lag onder een groot, wit dekbed waartegen ze nauwelijks te zien was, aangezien ze het witste meisje was dat ik volgens mij ooit heb gezien. Je weet wel, zo'n blondje met zo'n spierwitte huid die nooit bruin werd, en ze had altijd roze wangen en zag er óf verlegen óf verbaasd uit. Ik kende haar alleen maar via Damien. Ik had hem met haar over bloemen horen praten – het meisje had kennelijk waanzinnig groene vingers. Dat herinnerde ik me over haar, dat en het feit dat iedereen haar altijd noemde bij haar voor- en achternaam, zoals bij Shannoncompton, maar dan zonder ze aan elkaar te plakken.

'Wat is er met je gebeurd, lieve schat?' Damien ging naast haar bed op zijn hurken zitten en pakte haar hand. Haar kleine blonde hoofd was gewikkeld in een gaasverband met een bloedvlek bij haar voorhoofd.

'Toen professor Anastasia werd aangevallen, heb ik naar de Raafspotters geschreeuwd. Als een gek,' zei ze.

'Ze heeft een ongelooflijk schelle stem,' zei een jongen vanuit de laatste ziekenhuiskamer, die ik niet eens kon zien.

'Nou, Raafspotters hebben kennelijk een hekel aan schelle stemmen,' zei Hanna Honeyyeager. 'Een van die wezens heeft me bewusteloos geslagen.'

'Wacht eens even.' Erin beende met grote passen naar de kamer van de jongen die ik niet kon zien. 'Ben jij dat, T.J.?'

'Erin!'

'O. Mijn. Godin!' gilde Erin, en ze rende de kamer in.

Vlak achter haar riep Shaunee: 'Cole? Waar is Cole?'

'Hij heeft ze niet het hoofd geboden,' antwoordde T.J. De spanning in zijn stem deed Shaunee bij de open deur halt houden alsof ze een klap in haar gezicht had gekregen.

'Niet? Maar...' Shaunees stem stierf weg alsof ze volkomen van de wijs was.

'O, shit, jongen! Je handen!' Erins uitroep dreef uit T.J.'s kamer de gang in.

'Handen?' zei ik.

'T.J. is bokser. Hij heeft zelfs meegedaan aan de vorige Zomerspelen, tegen vampiers,' zei Drew. 'Hij probeerde Rephaim knockout te slaan, maar dat liep anders dan hij had verwacht, en die vogelfreak heeft zijn handen verscheurd.'

'O, godin, nee.' hoorde ik Stevie Rae zacht zeggen; haar woorden waren vervuld van afgrijzen.

Ik stond te kijken naar Shaunee, die voor T.J.'s kamer stond en zich met zichzelf geen raad leek te weten, wat me een rotgevoel bezorgde. Cole en T.J. waren beste vrienden geweest en ze waren met de tweeling omgegaan. T.J. met Erin en Cole met Shaunee. De twee stelletjes hadden veel samen gedaan. Het enige wat door mijn hoofd ging was: 'Hoe kon de ene de Raafspotters het hoofd bieden en de andere niet?'

'Precies wat ik graag zou willen weten.' Ik had niet beseft dat ik hardop had gedacht tot Darius erop inging.

De laatste halfwas in de gang antwoordde hem. 'Het gebeurde gewoon. De stal vloog in brand en Neferet en Kalona raakten in alle staten. De Raafspotters werden gek. Als je ze meed, dan lieten ze je met rust, en dat is precies wat we deden tot een van die freaks professor Anastasia greep. Een groep van ons heeft geprobeerd om haar te helpen, maar de meeste halfwassen zijn naar de slaapverblijven gevlucht.'

Ik keek naar het meisje. Ze had erg mooi rood haar en prachtig blauwe ogen. Haar beide bovenarmen zaten in een gaasverband en één kant van haar gezicht was opgezet en bont en blauw. Ik zweer dat ik haar nog nooit had gezien.

'Wie ben jij in godsnaam?' vroeg ik.

'Ik ben Red.' Ze glimlachte verlegen en haalde haar schouders op. 'Ja, mijn naam spreekt voor zich, maar zo heet ik nou eenmaal. En jullie kennen me niet omdat ik nog maar pas ben gemerkt. Vlak voor de ijsstorm losbarstte. Professor Anastasia was mijn mentrix.' Ze slikte krampachtig en knipperde haar tranen weg.

‘Wat vreselijk voor je,’ zei ik. Ik bedacht hoe afschuwelijk het voor haar moest zijn om nog maar net gemerkt te zijn, nog maar net bij haar familie en haar vertrouwde omgeving weggerukt te zijn om midden in deze puinhoop terecht te komen.

‘Ik heb ook geprobeerd om haar te helpen,’ zei Red. Een traan ontsnapte en gleed over haar wang. Ze veegde hem weg en kromp in elkaar toen de beweging haar arm pijn deed. ‘Maar die enorme Raafspotter heeft mijn armen opengescheurd en me toen tegen een boom geslingerd. Ik kon alleen maar toekijken toen hij...’ Haar stem brak af met een snik.

‘Hebben de andere docenten jullie niet bijgestaan?’ vroeg Darius. Zijn stem klonk scherp, maar het was duidelijk dat zijn woede niet tegen Red was gericht.

‘De docenten wisten dat de Raafspotters alleen maar in staat van hoge opwinding waren geraakt doordat Neferet en Kalona in alle staten waren. We wisten wel beter dan ze nog meer te verontrusten,’ zei Sapphire op afgemeten toon vanaf het begin van de gang van de ziekenafdeling, waar zij en Margareta nog steeds stonden.

Ik kon mijn oren niet geloven en draaide me naar haar om. ‘Ze waren alleen maar in staat van hoge opwinding geraakt? Houdt u me voor de gek? Die wezens vielen halfwassen van het Huis van de Nacht aan en jullie deden niets omdat jullie ze niet wilden verontrusten?’

‘Onvergeeflijk!’ Darius spuwde het woord bijna uit.

‘En Draak en professor Anastasia dan? Die trapten kennelijk niet in die theorie van we-kunnen-ze-beter-niet-nog-meer-verontrusten,’ zei Stark.

‘Jij weet waarschijnlijk veel beter wat er is gebeurd dan wie dan ook, James Stark. Ik meen me te herinneren dat jij erg close was met Neferet en Kalona. Ik herinner me zelfs dat je samen met hen naar buiten bent gegaan,’ zei Margareta overmatig vriendelijk.

Stark deed een stap naar haar toe; ik zag zijn ogen vervaarlijk rood opgloeien.

Ik pakte hem bij zijn pols. ‘Nee! Met onderling vechten bereiken we niks,’ zei ik tegen hem voordat ik me woedend tot de twee vampiers richtte. 'Stark is met Neferet en Kalona meegegaan omdat hij wist dat ze mij én Aphrodite én Damien én Shaunee én Erin en een abdij vol nonnen wilden aanvallen.' Met elke 'en' deed ik een stap dichter naar Sapphire en Margareta toe. Ik voelde de kracht van geest, die ik zo kort geleden had opgeroepen om Draak te troosten, gevaarlijk om me heen wervelen. De vampiers voelden het ook, want ze deden snel enkele stappen achteruit. Ik bleef staan, beheerste me, dempte mijn stem en deed mijn bloeddruk dalen. 'Hij stond aan onze kant tégen hen. Neferet en Kalona zijn niet wie jullie geloofden dat ze waren. Ze vormen een gevaar voor iedereen. Maar op dit moment heb ik geen tijd om te proberen jullie van iets te overtuigen wat jullie al duidelijk had moeten zijn toen die gevleugelde vent in een fontein van bloed uit de grond barstte. Op dit moment ben ik hier om deze halfwassen te helpen en aangezien jullie daar een probleem mee lijken te hebben, lijkt het me een goed idee als jullie naar je kamer verdwijnen zoals de rest van de bewoners van het Huis van de Nacht.'

Met een geschokte, verontwaardigde uitdrukking op hun gezicht liepen de twee vampiers achteruit weg en haastten ze zich de trap op naar de kamers van de docenten. Ik slaakte een zucht. Ik had tegen Stark gezegd dat we met onderling vechten niets zouden bereiken en toen had ik de twee vampiers bedreigd. Maar toen ik me weer omdraaide naar onze kleine groep op de ziekenafdeling, werd ik begroet met gegrijns, gejuich en applaus.

'Ik heb die twee koeien op hun nummer willen zetten vanaf het moment dat we hier aankwamen,' riep Deino vanuit haar kamer, met een stralende glimlach naar mij.

'En dan noemen ze háár Verschrikkelijk,' zei Aphrodite, verwijzend naar het feit dat Deino in het Grieks 'verschrikkelijk' betekent.

'Ik ben gewoon goed in aanvoelen wat anderen voelen. Ik kan ze niet een pak op hun donder geven met een element of vijf,' zei Deino. Ze wreef afwezig over haar gewonde arm en keek toen van mij naar Aphrodite. 'Zeg, ik had de afgelopen paar maanden niet zo krengerig tegen je moeten doen. Het spijt me.'

Ik verwachtte dat Aphrodite stekelig zou reageren en tegen haar zou uitvaren. Ik bedoel, Deino had haar echt afschuwelijk behandeld, net als al die andere zogenaamde vriendinnen van Aphrodite.

'Ja, nou, iedereen blundert wel eens. Laten we het maar vergeten,' zei Aphrodite tot mijn grote verbazing.

'Wat klink je volwassen,' zei ik tegen haar.

'Moet jij niet een cirkel werpen?' zei ze.

Ik grijnsde naar haar, want ik zweer dat haar wangen roze werden. 'Je hebt gelijk.' Ik keek van Stevie Rae naar Damien en Shaunee en riep toen: 'Erin, kun je lang genoeg ophouden met verpleegstertje spelen om je plaats in de cirkel in te nemen?'

Ze kwam als een duveltje-uit-een-doosje T.J.'s kamer uit. 'Tuurlijk, geen probleem.'

Het viel me op dat zij en Shaunee elkaar niet aankeken, maar ik had op dat moment echt geen tijd of energie om me met tweelingproblemen bezig te houden.

'Oké, aardemeisje, waar ligt het noorden?' vroeg ik Stevie Rae.

Ze ging tegenover het begin van de gang staan. 'Dit is absoluut noord.'

'Oké. De rest van jullie weet nu waar je moet gaan staan,' zei ik.

Ze namen onmiddellijk hun positie in: Damien oost voor lucht, Shaunee zuid voor vuur en Erin west voor water, terwijl Stevie Rae al op het noorden op de plek voor aarde stond. Toen ze klaar waren, ging ik midden in de cirkel staan. Ik begon met Damien en riep elk element naar onze cirkel, deosil, dus met de wijzers van de klok mee, en als laatste riep ik geest tot me.

Terwijl ik de cirkel wierp, had ik mijn ogen dichtgedaan, en toen ik klaar was en ze weer opendeed, zag ik een gloeiende zilveren draad die ons vijven met elkaar verbond. Ik wierp mijn hoofd achterover, hief mijn armen en riep vervuld van blijdschap en de kracht van alle vijf de elementen: 'Het is heerlijk om weer thuis te zijn!'

Mijn vrienden lachten, blij en vervuld van hun element, in staat om, al was het maar even, de chaos en moeilijkheden te vergeten die ons omringden.

Maar niet de pijn. Ik mocht niet vergeten waarom ik de cirkel had geworpen, al zou het heel makkelijk zijn geweest om me over te geven aan de vervoering die de elementen met zich meebrachten.

Ik concentreerde me en bracht mezelf tot rust. Met een krachtige, zelfverzekerde stem begon ik te spreken. 'Lucht, vuur, water, aarde en geest, ik heb jullie om een specifieke reden naar onze cirkel geroepen. Onze halfwasvrienden in het Huis van de Nacht zijn gewond. Ik ben geen genezer. Ik ben technisch gezien niet eens een hogepriesteres.' Ik zweeg even en keek de cirkel uit, en ontmoette Starks blik. Hij knipoogde naar me. Ik glimlachte en ging verder. 'Maar mijn bedoeling is duidelijk. Ik vraag u om alstublieft deze gewonde halfwassen te helpen. Ik kan hen niet genezen, maar ik kan u vragen om hen te troosten en kracht te geven, zodat ze zichzelf kunnen helen. In wezen geloof ik dat dat is wat ieder van ons wil: een kans om onszelf te helen. In de naam van Nux doe ik een beroep op uw kracht om deze halfwassen te helpen!' Terwijl ik me concentreerde met mijn geest, mijn lichaam en mijn ziel wierp ik mijn handen van me af en stelde ik me voor dat ik de elementen naar de gewonde halfwassen slingerde.

Ik hoorde uitroepen van verbazing en blijdschap en zelfs hier en daar van pijn stokkende adem toen de vijf elementen wervelend door de ziekenafdeling trokken en de halfwassen vervulden. Ik bleef staan als een levend kanaal voor de elementen tot mijn armen pijn deden en het zweet me uitbrak.

'Zoey! Ik zei "Genoeg!" Je hebt hen geholpen. Sluit de cirkel.'

Ik hoorde Stark en besefte dat hij al een tijdje tegen me had staan praten, maar ik had me zo intens geconcentreerd, en zo lang, dat hij letterlijk moest schreeuwen om eindelijk tot me door te dringen.

Vermoeid liet ik mijn handen zakken, sprak fluisterend mijn oprechte dank uit en nam afscheid van de vijf elementen, en toen zakte ik door mijn benen en zat ik opeens op mijn achterste op de vloer.

24

Zoey

'Nee, ik hoef helemaal geen bed op de ziekenafdeling,' zei ik voor de derde keer tegen Stark, die zich over me heen boog met een veel te bezorgde uitdrukking op zijn gezicht. 'En er zijn trouwens helemaal geen bedden meer.'

'Zeg, ik voel me stukken beter,' riep Deino. 'Je mag mijn bed wel hebben, Z.'

'Bedankt, maar blijf maar lekker liggen,' zei ik. En toen stak ik Stark mijn hand toe. 'Help me nou maar overeind, oké?'

Hij trok een bedenkelijk gezicht, maar gehoorzaamde. Ik bleef doodstil staan zodat niemand zou merken dat de wereld als een miniatuurtornado om me heen draaide.

'Volgens mij ziet zij er beroerder uit dan ik me voel,' zei Drew vanaf zijn veldbed op de vloer.

'Zíj kan je horen,' zei ik. 'En mij mankeert niks.' Ik liet mijn ietwat wazige blik van gewonde halfwas naar gewonde halfwas gaan. Tot mijn immense opluchting zagen ze er allemaal een stuk beter uit. Ik vinkte 'overtuig je ervan dat de gewonde halfwassen niet creperen van de pijn en een gruwelijke dood sterven' op mijn actielijst af. Tijd voor het volgende punt op de lijst. Ik onderdrukte een zucht omdat ik geen zuurstof wilde verspillen. 'Oké, hier gaat het nu een stuk beter. Stevie Rae, we moeten voordat de zon opkomt een plek vinden voor de rode halfwassen voor als de zon schijnt.'

'Goed idee, Z,' zei Stevie Rae, die naast Drew op de vloer zat. Ik herinnerde me dat ze een beetje gek was geweest op die jongen voordat ze doodging en ondood werd, en ik moet toegeven dat haar te zien flirten met hem terwijl ik dacht dat ze iets had met die rode halfwas die Dallas heette, me egoïstisch blij maakte. Het was misschien bijna gemeen van me, maar het zou erg leuk zijn als mijn beste vriendin voor altijd en ik konden praten over de problemen die het hebben van meer dan één vriendje meebracht.

'Z? Vind je dat een goed idee?'

'O, sorry, wat zei je?' Ik besefte dat Stevie Rae tegen me had zitten praten terwijl ik had gehoopt dat ze een stuk of wat (of op z'n minst twee) vriendjes zou verzamelen.

'Ik zei dat we de rode halfwassen in de lege kamers in de slaapverblijven konden onderbrengen. Er staan er genoeg leeg, al moeten ze misschien met zijn drieën een kamer delen. We kunnen de ramen goed afdekken. Het is niet zo goed als ondergronds, maar het is goed genoeg, in elk geval tot die stomme ijsstorm overwaait en we iets anders kunnen bedenken.'

'Oké, doe maar. En terwijl de kamerkwestie wordt geregeld moeten wíj...' – ik legde de nadruk op "wij", waarmee ik mijn cirkel bedoelde plus Aphrodite, Darius en Stark – '... met Lenobia gaan praten.'

Mijn clubje knikte; iedereen begreep kennelijk dat we zo snel mogelijk op de hoogte moesten worden gebracht van wat er tijdens onze afwezigheid in het Huis van de Nacht was gebeurd.

'Met jullie komt het weer helemaal goed,' zei ik tegen de gewonde halfwassen, terwijl mijn clubje afscheid nam en we verspreid naar de uitgang liepen.

'Hé, bedankt, Zoey,' riep Drew.

'Je bent een uitstekende hogepriesteres, zelfs als je dat nog niet helemaal bent,' riep Ian vanuit zijn kamer.

Ik wist eigenlijk niet of ik hem voor zijn goedbedoelde compliment moest bedanken en bleef bij de ingang van de ziekenafdeling staan en keek achterom naar de halfwassen. Ik bedacht dat ze op het feit na dat ze zojuist met Raafspotters hadden gevochten en getuige waren geweest van de moord op een docent, zo normaal leken.

Toen overviel het me. Ze léken zo normaal. Nog maar een dag

geleden was bijna iedereen op school, behalve mijn groepje, Lenobia, Draak en Anastasia in de ban geweest van de charismatische betovering van Kalona en Neferet, en hadden ze zich allesbehalve normaal gedragen.

Ik liep terug de gang in. 'Ik heb een vraag voor jullie. Het klinkt misschien vreemd, maar ik verwacht een eerlijk antwoord, zelfs als dat pijnlijk is.'

Drew keek grijnzend over mijn schouder, waar mijn beste vriendin voor altijd natuurlijk stond. 'Je mag me vragen wat je wilt, Z. Elke vriendin van Stevie Rae is wat mij betreft cool.'

'Eh, bedankt, Drew.' Ik onderdrukte de neiging om met mijn ogen te rollen. 'Maar de vraag is aan jullie allemaal gericht. Waar het om gaat is dit: hebben jullie iets kwaads gezien in de Raafspotters of zelfs in Kalona en Neferet voordat professor Anastasia werd aangevallen?'

Het verbaasde me niet dat Drew als eerste antwoord gaf. 'Ik vertrouwde die gevleugelde vent niet, maar begreep niet om welke reden.' Hij haalde zijn schouders op. 'Weet ik veel. Misschien omdat hij vleugels had. Dat was gewoon té bizar.'

'Ik vond hem een spetter, maar die manvogelzoontjes van hem waren superweerzinwekkend,' zei Hanna Honeyyeager.

'Ja, die Raafspotters waren afschuwelijk, maar bovendien was Kalona óúd en ik kon maar niet begrijpen waarom al die halfwasmeisjes zo met hem dweepten,' zei Red. 'Ik bedoel, George Clooney is een spetter, maar veel te oud, en ik zou het niet graag met hem willen doen. Dus ik begreep echt niet waarom bijna al die andere meisjes zo wegliepen met Kalona.'

'Hoe zit het met de rest van jullie?' vroeg ik.

'Zoals je al zei: Kalona barstte uit de grond. Dat is bizar.' Deino zweeg even, keek naar Aphrodite en zei toen: 'Bovendien weten sommigen van ons al een tijdje dat Neferet niet was wat ze leek te zijn.'

'Ja, dat wist je, maar je deed er niks aan.' Aphrodites stem was niet hatelijk of nijdig. Ze constateerde gewoon een feit, een afschuwelijk maar waar feit.

Deino stak haar kin vooruit. 'Ik heb er wel iets aan gedaan.' Ze gebaarde naar haar verbonden arm. 'Alleen jammer genoeg te laat.'

'Voor mij voelde alles gewoon verkeerd nadat professor Nolan werd vermoord,' zei Ian vanuit zijn kamer. 'Dat gedoe met Kalona en de Raafspotters was meer van datzelfde gevoel.'

'Ik zag wat hij met mijn vrienden deed,' riep T.J. vanuit de achterste kamer in de gang. 'Ze waren net zombies en geloofden alles wat hij zei. Wanneer ik er met hen over probeerde te praten en ze bijvoorbeeld vroeg hoe we er zeker van konden zijn dat hij echt Erebus was die op aarde was gekomen, werden ze kwaad of lachten ze me uit. Ik had van het begin af aan een hekel aan hem. En die vogelwezens waren door en door slecht. Ik begrijp niet waarom niet iedereen dat kon zien.'

'Ik ook niet, maar dat is iets wat we gaan uitzoeken,' zei ik. 'Maar jullie moeten je daar nu niet het hoofd over breken. Kalona, Neferet en de Raafspotters zijn weg. Word nu maar snel beter. Oké?'

'Oké!' riepen ze in koor, en ze klonken heel wat gezonder dan toen we net waren aangekomen.

Daarentegen had het sturen van alle vijf de elementen mij gesloopt, en ik was blij toen Stark mijn elleboog vastpakte en me ondersteunde toen we het gebouw uit liepen. Tot mijn verbazing was het opgehouden met ijsregenen. De wolken die de hemel dagenlang hadden bedekt, vertoonden zelfs breuken waardoor ik glimpen opving van een met sterren bezaaide lucht. Mijn blik ging naar het middenterrein. Het vuur dat Anastasia's brandstapel volledig had verteerd begon te doven, maar Draak zat er nog steeds op zijn knieën voor. Naast hem stond Lenobia met een hand op zijn schouder. De cirkel van rode halfwassen, Erik, Heath en Jack omringde de smeulende brandstapel. Roerloos en zwijgend betuigden ze hun respect voor Draak en zijn geliefde, overleden levensgezel.

Ik gaf mijn groep een teken om me de schaduwen in te volgen. 'We moeten praten, maar liever niet met een publiek. Stevie Rae, kun jij het klaarmaken van de kamers voor je halfwassen aan iemand overdragen?'

'Tuurlijk. Kramisha is zo'n groot organisatietalent dat je het bijna een dwangneurose zou noemen. Bovendien was ze een zesdeklasser toen ze doodging en ondood werd. Ze weet heel goed de weg in de school.'

'Goed. Regel dat, alsjeblieft.' Ik wendde me tot Darius. 'De lijken van de Raafspotters moeten worden opgeruimd, nu meteen. Met een beetje geluk is de storm eindelijk uitgeraasd, wat betekent dat de mensen weer naar buiten komen zodra het licht is. Ze mogen die wezens niet vinden.'

'Daar zal ik zorg voor dragen,' zei Darius. 'De mannelijke rode halfwassen kunnen me helpen.'

'Wat ga je met de lijken doen?' vroeg Stevie Rae.

'Verbranden,' antwoordde Shaunee, en toen keek ze mij aan. 'Als dat wat jou betreft oké is.'

'Dat is perfect,' zei ik. 'Maar niet in de buurt van Anastasia's brandstapel. Dat kunnen we Draak niet aandoen.'

'Verbrand ze bij de oostmuur. Op de plek waar hun weerzinwekkende vader uit de aarde barstte.' Aphrodites blik ging naar Shaunee. 'De oude eik die doormidden scheurde toen Kalona tevoorschijn kwam... Kun je die in brand steken?'

'Ik kan álles in brand steken,' zei Shaunee.

'Ga jij dan met Darius en de jongens mee en zorg ervoor dat die wezens tot op het laatste veertje onherkenbaar worden verbrand. Als dat gebeurd is, treffen we elkaar in mijn kamer. Afgesproken?' zei ik.

'Afgesproken,' zeiden Darius en Shaunee in koor.

Ik vond het vreemd dat Erin helemaal niets had gezegd, maar toen Shaunee samen met Darius naar de cirkel rode halfwassen liep, riep ze: 'Ik breng je straks op de hoogte van alles wat je hebt gemist, tweelingzus.'

'Dat weet ik toch, tweelingzus,' zei Shaunee, met een glimlach over haar schouder naar Erin.

'Oké, nu moeten we Lenobia nog mee zien te krijgen.' Ik keek naar de rijinstructrice, die nog steeds naast Draak stond. 'Maar ik weet niet hoe ik haar bij hem weg moet halen.'

'Vertel het hem gewoon,' zei Damien.

Ik keek hem vragend aan.

'Draak weet hoe gevaarlijk Kalona en Neferet zijn. Hij zal begrijpen dat we Lenobia nodig hebben.' Damiens blik ging naar de vampier, die nog steeds op zijn knieën zat. 'Hij blijft daar zitten treuren tot hij het gevoel heeft dat hij weg kan gaan. Daar mogen we niets aan veranderen en we mogen hem ook niet opjagen. Vertel hem dus gewoon dat we Lenobia nodig hebben.'

'Je bent een intelligente jongen, weet je dat?' zei ik.

'Weet ik,' zei hij met een glimlach.

'Oké.' Ik ademde een keer diep in en uit. 'Stevie Rae, leg aan Kramisha uit wat ze moet doen. De rest van jullie gaat vast naar mijn kamer. Ik kom zodra ik Lenobia mee heb kunnen krijgen.'

'Z, ik ga Jack zeggen dat hij Kramisha moet helpen,' zei Damien.

Ik trok mijn wenkbrauwen naar hem op.

'Je kamer is niet bijster groot. Bovendien kan ik hem later vertellen wat we hebben besproken. Het is nu belangrijk dat wíj de zaken op een rijtje zetten.'

Ik knikte en sleepte me in de richting van Lenobia en Draak. Ik zag dat Darius en Stevie Rae rode halfwassen uit de cirkel haalden en zachtjes tegen hen spraken. Damien aaide Duchess' kop terwijl hij met zijn vriendje sprak.

Stark bleef voortdurend aan mijn zij. Ik hoefde hem niet te zoeken. Ik voelde zijn aanwezigheid. Ik wist dat als ik zou struikelen, hij zou voorkomen dat ik viel. Ook wist ik dat hij beter dan wie dan ook wist hoe slopend het sturen van de elementen op de ziekenafdeling voor me was geweest.

Alsof hij mijn gedachten had gelezen, fluisterde hij: 'Nog even en je kunt gaan zitten. En dan haal ik iets te eten en drinken voor je.'

'Bedankt,' fluisterde ik terug. Hij pakte mijn hand en samen liepen we naar Lenobia en Draak. De katten waren rustig, maar drukten zich allebei tegen Draaks lichaam aan. Zijn gehavende gezicht was nat van de tranen, maar hij was opgehouden met huilen.

'Draak, ik heb Lenobia even nodig. Ik vind het vervelend om je alleen achter te laten, maar ik moet echt met haar praten.'

Hij keek naar me op. Ik dacht niet dat ik ooit iemand had gezien die zo intens verdrietig was.

'Ik zal niet alleen zijn. Shadowfax en Guinevere zullen bij me zijn, en ook onze godin zal bij me zijn,' zei hij. Zijn blik ging weer naar de brandstapel. 'Ik ben er nog niet klaar voor om bij Anastasia weg te gaan.'

Lenobia gaf hem een kneepje in zijn schouder. 'Ik kom zo snel mogelijk terug, lieve vriend,' zei ze.

'Ik zal hier zijn,' zei Draak.

'Ik blijf wel bij Draak. Kramisha heeft me niet echt nodig. Ze heeft al genoeg halfwassen om rond te commanderen,' zei Jack tegen mij. Hij en Damien hadden zich bij ons aangesloten. Duchess bleef op een metertje afstand en lag op het gras met haar snuit op haar voorpoten. De katten kéken niet eens naar haar. 'Ik wil graag bij u blijven, als u daar geen bezwaar tegen hebt,' zei hij zenuwachtig tegen Draak.

'Dank je, Jack,' zei Draak met een snik in zijn stem.

Jack knikte, veegde zijn tranen af en ging zonder nog iets te zeggen naast Draak zitten en begon zachtjes Shadowfax aaien.

'Goed gedaan,' zei ik zacht tegen Jack.

'Ik ben trots op je,' fluisterde Damien tegen Jack, en hij kuste hem zacht op zijn wang. Jack glimlachte door zijn tranen heen.

'Oké,' zei ik. 'Dan gaan we nu naar mijn kamer.'

'Lenobia, Zoey moet even een omweg maken via de keuken,' zei Stark. 'We treffen je zo snel mogelijk in haar kamer.'

Lenobia knikte afwezig; ze liep al in de richting van de slaapverblijven met Damien, Erin en Aphrodite.

'Waarom...' begon ik, maar Stark onderbrak me.

'Vertrouw me nou maar. Dit is wat je nodig hebt.'

Hij pakte me bij mijn elleboog en loodste me mee naar het midden van het schoolgebouw, naar de ingang het dichtst bij de kantine. We waren bijna bij de deuren toen hij zei: 'Ga jij maar vast naar de kantine. Ik moet even iets halen, maar ik ben zo terug.'

Ik ging naar binnen, te vermoeid om verder te vragen. De entreehal was bizar verlaten en werd verlicht door maar de helft van de gaslantaarns die doorgaans op dit tijdstip brandden. Ik wierp een blik op de klok. Het was net na middernacht. De school moest aan de gang zijn. Er hoorden overal halfwassen en vampierdocenten rond te lopen. Ik wenste dat het druk zou zijn. Ik wenste dat ik de tijd kon terugdraaien, de afgelopen twee maanden kon uitwissen en terug kon gaan naar erover inzitten dat Aphrodite zo'n vals kreng was en Erik een onbereikbare spetter.

Ik wilde teruggaan naar een tijd waarin ik niets wist over Kalona of A-ya of dood en verwoesting. Ik wilde normaal. Ik wilde het zo graag dat ik er misselijk van werd.

Ik liep langzaam naar de kantine, die ook uitgestorven was, en donkerder dan de entreehal was geweest. Er waren geen heerlijke etensgeuren, geen groepjes halfwassen die roddelden over andere halfwassen, geen docenten die afkeurende blikken wierpen op halfwassen die Doritos mee naar binnen smokkelden.

Ik strompelde naar het picknickbankachtige zitje waar ik altijd met mijn vrienden zat en liet me dankbaar op de glimmende houten bank neer. Waarom had Stark me naar de kantine gestuurd? Ging hij iets te eten voor me klaarmaken? Ik zag hem even voor me met een schort om zijn middel gebonden en moest bijna lachen. Toen besefte ik opeens waarom hij erop had aangedrongen dat ik hiernaartoe ging. Een van de koelkasten in de grote schoolkeuken was altijd gevuld met zakken menselijk bloed. Hij haalde natuurlijk een paar zakken bloed die ik als pakjes dik rood sap kon opdrinken.

Oké, ik weet dat het walgelijk is, maar bij de gedachte liep me het water in de mond.

Stark had gelijk. Ik moest me opladen, en een zak bloed (of twee) zou een uitstekende manier zijn om dat te doen.

'Zo! Daar ben je! Stark zei al dat ik je hier zou vinden.'

Ik knipperde verbaasd met mijn ogen en draaide me om en zag Heath de kantine in komen lopen... in zijn eentje.

En opeens begreep ik dat ik maar voor een deel gelijk had gehad.

Stark was bloed voor me gaan halen, maar in plaats van uit de grote roestvrijstalen keukenkoelkasten kwam mijn bloed uit Heath, die ontzettend knappe footballspeler.

Jeetje.

25

Rephaim

Wakker worden was moeilijk. Zelfs in het nevelige rijk dat de grens vormde tussen de bewuste en onbewuste geest, zelfs voor hij de pijn die zijn geradbraakte lichaam martelde volledig registreerde, was Rephaim zich bewust van haar geur.

Aanvankelijk dacht hij dat hij weer in de schuur lag en dat de nachtmerrie nog maar net was begonnen, toen ze vlak na het ongeluk naar hem toe was gekomen, niet om hem te doden, maar om hem water te brengen en zijn wonden te verbinden. Toen besefte hij dat het te warm was om nog in de schuur te zijn. Hij ging iets verliggen en de pijn die door zijn lichaam trok bracht volledig bewustzijn mee, en met bewustzijn kwam herinnering.

Hij was ondergronds, in de tunnels waar ze hem naartoe had gestuurd, en hij haatte het daar.

Het was geen haat die aan paranoia grensde, zoals bij zijn vader. Rephaim had gewoon een hekel aan het ingesloten gevoel van onder de grond te zijn. Er was geen hemel boven hem, geen groene wereld onder hem. Hij kon onder de grond niet vliegen. Hij kon niet...

De gedachten van de Raafspotter kwamen abrupt tot een einde.

Nee. Hij wilde niet denken aan zijn onherstelbaar beschadigde vleugel en wat dat voor de rest van zijn leven betekende. Daar kon hij niet aan denken. Nog niet. Niet terwijl zijn lichaam nog zo zwak was.

In plaats daarvan dacht Rephaim aan haar.

Dat was heel makkelijk nu hij omringd was door haar geur.

Hij ging weer verliggen, voorzichtiger nu om zijn verbrijzelde vleugel te ontzien. Met zijn ongedeerde arm trok hij de deken over zich heen en nestelde hij zich in de warmte van het bed. Haar bed.

Zelfs ondergronds verleende het feit dat hij op een plek was die háár plek was geweest, hem een vreemd, ongerijmd gevoel van geborgenheid. Hij begreep niet waarom zij dat opmerkelijke effect op hem had. Het enige wat Rephaim wist was dat hij Stevie Raes aanwijzingen had gevolgd, strompelend van pijn en uitputting, tot hij besefte dat hij in werkelijkheid de geur van de Rode volgde. Die had hem door de bochtige, op het oog verlaten tunnels geleid. Bij de keuken was hij gestopt en had hij zich gedwongen om iets te eten en te drinken. De halfwassen hadden koelkasten vol eten achtergelaten. Koelkasten! Die waren een van de vele wonderen van de moderne tijd die hij tijdens de lange jaren dat hij slechts geest was geweest, had geobserveerd. Hij had wat aanvoelde als een eeuwigheid doorgebracht met observeren en wachten... dromend van de dag dat hij kon aanraken en proeven en weer echt kon leven.

Rephaim had besloten dat hij koelkasten best handig vond, maar hij wist eigenlijk niet wat hij van de moderne wereld moest denken. In de korte tijd sinds hij zijn lichaam had teruggekregen, was hij tot het besef gekomen dat de meeste hedendaagse mensen geen respect hadden voor de kracht van de Ouden. De Raafspotter rekende vampiers niet tot de Ouden. Ze waren niets meer dan aantrekkelijke speeltjes. Vertier en tijdverdrijf. Zijn vader kon zeggen wat hij wilde, maar ze waren onwaardig om naast hem te heersen.

Was dat de reden dat de Rode hem in leven had gelaten? Omdat ze te zwak en incompetent was, te modérn om te doen wat ze had moeten doen: hem doden?

Toen dacht hij aan de kracht die ze had tentoongespreid, en niet alleen haar fysieke kracht, die ontzagwekkend was. Ze beheerste ook het element aarde, zo volledig dat die zichzelf uiteenscheurde om haar te gehoorzamen. Dat was geen zwakheid.

Zelfs zijn vader had gesproken over de krachten van de Rode. Ook Neferet had gewaarschuwd dat de leider van de Roden niet onderschat mocht worden.

En daar lag hij nu, door haar geur naar haar bed getrokken, waar hij zich heerlijk in had genesteld.

Met een kreet van afschuw sprong hij uit de gerieflijke warmte van dekens, kussens en de dikke matras en krabbelde overeind. Wankelend leunde hij tegen de tafel die bij het voeteneinde van het bed stond, worstelend om overeind te blijven en zich niet door de niet-aflatende duisternis van deze plek onderuit te laten halen.

Hij zou teruggaan naar de keuken. Hij zou weer eten en drinken. Hij zou elke lantaarn die hij kon vinden aansteken. Rephaim zou zich met zijn wil dwingen om te genezen en dan zou hij dit graftombeachtige oord verlaten en bovengronds zijn vader zoeken, en zijn plek in de wereld.

Rephaim schoof de deken opzij die dienstdeed als de deur van Stevie Raes kamer en strompelde de tunnel in. Ik ben al beter... sterker... ik heb de stok niet nodig om te kunnen lopen, zei hij tegen zichzelf.

De duisternis was bijna volledig. Er waren hier en daar lantaarns, maar de meeste waren bijna leeggebrand. Rephaim versnelde zijn pas. Hij zou de lantaarns vullen en aansteken nadat hij zichzelf had gevoed. Hij zou zelfs de zakken bloed leegdrinken die hij in een van de koelkasten had gevonden, al oefende bloed geen bijzondere aantrekkingskracht op hem uit. Zijn lichaam had brandstof nodig om te genezen zoals de lantaarns brandstof nodig hadden om te branden.

Vechtend tegen de martelende pijn die elke beweging hem bezorgde, volgde Rephaim de bochtige tunnel tot aan de keuken. Hij opende de eerste koelkast en stak juist zijn hand uit naar een zakje gesneden ham toen hij het koude lemmet van een mes tegen zijn onderrug voelde drukken.

'Eén beweging die me niet aanstaat, vogeljongen, en ik snij dwars door je ruggenmerg. Dat zou je doden, waar of niet?'

Rephaim bleef doodstil staan. 'Ja, dat zou me doden.'

'Hij lijkt me toch al halfdood,' zei een andere stem, van een meisje.

'Ja, die vleugel ligt compleet aan flarden. Volgens mij hoeven we voor hem niet bang te zijn,' zei een jongen.

Het mes bleef tegen zijn rug drukken. 'Doordat anderen ons hebben onderschat zijn we hier beland. Dus wij onderschatten níémand, helemaal nóóít. Begrepen?' zei de stem die bij het mes hoorde.

'Ja, sorry, Nicole.'

'Begrepen.'

'Dus, vogeljongen, dit is wat we gaan doen. Ik doe een stap achteruit en jij draait je om, heel erg langzaam. En geen trucjes. Mijn mes drukt niet meer in je rug, maar Kurtis en Starr hebben allebei een pistool. Eén verkeerde beweging en je bent net zo dood als wanneer ik je ruggengraat had doorgesneden.'

De punt van het mes drukte hard genoeg in Rephaims rug om een druppel bloed tevoorschijn te halen.

'Hij ruikt fout,' zei de stem die bij Kurtis hoorde. 'Hij zal niet eens lekker smaken.'

Nicole negeerde hem. 'Begrepen, vogeljongen?'

'Ja.'

De druk van het mes verdween en Rephaim hoorde het geschuifel van voeten.

'Draai je om.'

Rephaim gehoorzaamde en zag drie halfwassen tegenover zich staan. Aan de rode maansikkel op hun voorhoofd zag hij dat ze deel uitmaakten van de groep van de Rode. Hij wist echter onmiddellijk dat ze, hoewel ze rood waren, evenveel van Stevie Rae verschilden als de maan van de zon. Hij wierp een vluchtige blik op Kurtis, een reus van een mannelijke halfwas, en Starr, een onopvallend meisje met licht haar, hoewel die allebei een pistool op hem gericht hielden, en richtte zijn aandacht op Nicole. Ze was duidelijk de leider. Zij was ook degene die hem had laten bloeden, iets wat Rephaim nooit zou vergeten.

Ze was een kleine halfwas met lang, donker haar en grote donkerbruine, bijna zwarte ogen. Rephaim keek in die ogen en kreeg de schrik van zijn leven – hij zag Neferet! In de ogen van deze jonge halfwas lag de kenmerkende duisternis en intelligentie die Rephaim zo dikwijls in de blik van de Tsi Sgili had gezien. De schok kwam zo hard aan dat de Raafspotter alleen maar kon staren. Het enige wat hij dacht was: weet vader dat ze het vermogen heeft verworven om zich te projecteren?

'Verdomme! Hij ziet eruit alsof hij een geest heeft gezien,' zei Kurtis. Het pistool wipte op en neer door zijn gegrinnik.

'Ik dacht dat je zei dat je geen van de Raafspotters kende,' zei Starr, met achterdocht in haar stem.

Nicole knipperde met haar ogen en de schim van Neferet was weg, en Rephaim vroeg zich onwillekeurig af of hij het zich had verbeeld haar te zien.

Nee. Rephaim had het zich niet verbeeld. Neferet was, al was het maar even, aanwezig geweest in de halfwas.

'Ik heb nog nooit van mijn leven zo'n wezen gezien.' Nicole wendde zich tot Starr zonder Rephaim met haar blik los te laten. 'Wil je zeggen dat je denkt dat ik lieg?'

Nicole had haar stem niet verheven, maar Rephaim, die eraan gewend was in de aanwezigheid van macht en gevaar te verkeren, zag dat deze halfwas ziedde van nauwelijks beheerste woede. Starr zag het duidelijk ook, want ze krabbelde onmiddellijk terug.

'Nee, nee, echt niet. Zo heb ik het helemaal niet bedoeld. Het is gewoon vreemd dat hij zo reageerde toen hij jou zag.'

'Dat was inderdaad vreemd,' zei Nicole overdreven vriendelijk. 'En misschien moeten we hem vragen waarom. Dus, vogeljongen, wat doe jij hier in ons territorium?'

Het viel Rephaim op dat ze hem niet de vraag stelde die ze had aangegeven te zullen stellen.

'Rephaim,' zei hij, waarbij hij al zijn kracht in zijn stem legde. 'Mijn naam is Rephaim.'

De ogen van alle drie de halfwassen werden groot, alsof ze verbaasd waren dat hij een naam had.

'Hij klinkt bijna normaal,' zei Starr.

'Hij is allesbehalve normaal en vergeet dat niet,' snauwde Nicole. 'Geef antwoord op mijn vraag, Rephaim.'

'Ik ben de tunnels in gevlucht nadat een krijger van het Huis van de Nacht me heeft verwond,' zei hij naar waarheid. Rephaims instinct, dat hem eeuwenlang goede diensten had bewezen, vertelde hem dat hij zijn mond moest houden over Stevie Rae. Hoewel dit de slechte rode halfwassen moesten zijn die ze had beschermd, behoorden ze niet echt tot haar groep en waren het geen volgelingen van haar.

'De tunnel tussen hier en de abdij is ingestort,' zei Nicole.

'De tunnel was open toen ik die binnen ging.'

Nicole deed een stap dichter naar hem toe en besnuffelde de lucht. 'Je ruikt naar Stevie Rae.'

Rephaim maakte een afwijzend gebaar met zijn ongedeerde hand. 'Ik ruik naar het bed waarin ik heb geslapen.' Hij hield zijn kop schuin alsof hij iets niet begreep. 'Je zegt dat ik Stevie Raes geur bij me draag. Is zij niet de Rode, jullie hogepriesteres?'

'Stevie Rae is een rode vampier, maar ze is niet onze hogepriesteres!' snauwde Nicole, en haar ogen gloeiden rood op.

'Niet jullie hogepriesteres?' drong Rephaim aan. 'Maar er was een rode vampierpriesteres die Stevie Rae heette en die met een groep halfwassen tegen mijn vader en zijn koningin stelling nam. Ze had jullie merktekens. Is zij niet jullie hogepriesteres?'

'Was dat de strijd waarin je gewond raakte?' Nicole negeerde zijn vraag.

'Ja.'

'Wat is er gebeurd? Waar is Neferet?'

'Weg.' In Rephaims stem klonk duidelijk bitterheid door. 'Ze is gevlucht met mijn vader en mijn broers die nog in leven zijn.'

'Waar zijn ze heen?' vroeg Kurtis.

'Als ik dat wist, dan zou ik me niet als een lafaard onder de grond schuilhouden. Dan zou ik bij mijn vader zijn, waar ik thuishoor.'

'Rephaim.' Nicole keek hem lange tijd peinzend aan. 'Ik heb die naam eerder gehoord.'

De Raafspotter zei niets. Hij wist dat het beter was als zij erachter zou komen wie hij was zonder dat hij als een balkende ezel over zijn positie zou hoeven snoeven.

Toen haar ogen groot werden, wist hij dat ze zich herinnerde waar ze zijn naam eerder had gehoord.

'Zij zei dat jij Kalona's gunsteling was, zijn krachtigste zoon.'

'Ja, dat is wie ik ben. Wie is deze "zij" die over mij heeft gesproken?'

Weer negeerde Nicole zijn vraag. 'Wat hing er voor de deur van de kamer waarin je hebt geslapen?'

'Een geruite deken.'

'Stevie Raes kamer,' zei Starr. 'Vandaar dat hij naar haar ruikt.'

Nicole deed net alsof Starr niets had gezegd. 'Kalona is er zonder jou vandoor gegaan, terwijl je zijn gunsteling bent.'

'Jazzzeker.' Rephaim siste van de woede die de bevestiging bij hem opwekte.

Nicole wendde zich tot Kurtis en Starr. 'Dit moet betekenen dat ze terugkomen. Deze vogeljongen is Kalona's gunsteling. Hij zal hem echt niet voorgoed hier achterlaten. En wij zijn haar gunstelingen. Hij komt terug voor hem en zij komt terug voor ons.'

'Bedoel je de Rode, Stevie Rae?'

Zo snel dat haar lichaam een waas werd, vloog Nicole op Rephaim af, klemde haar handen om zijn gehavende schouders, tilde de reusachtige Raafspotter in een soepele beweging van de grond en ramde hem tegen de wand van de tunnel. Met felrood gloeiende ogen blies ze ranzige adem in zijn gezicht toen ze zei: 'Luister goed, vogeljongen. Stevie Rae, of "de Rode", zoals jij haar blijft noemen, is niet onze hogepriesteres. Ze is niet onze leider. Ze is niet een van ons. Ze is dikke maatjes met Zoey en die kliek, en dat is niet cool. Wij hebben geen hogepriesteres. Wij hebben een koningin, en haar naam is Neferet. Wat heeft die obsessie met Stevie Rae te betekenen?'

Ondraaglijke pijn trok door Rephaims lichaam. Zijn gebroken vleugel brandde en joeg withete steken door zijn lichaam. Met alles wat hij in zich had wenste hij dat hij weer compleet was zodat hij deze arrogante rode halfwas met één houw van zijn snavel kon vernietigen.

Maar hij was niet compleet. Hij was zwak en gewond en in de steek gelaten.

'Mijn vader wilde dat ze gevangen werd genomen. Hij zei dat ze gevaarlijk was. Neferet vertrouwde haar niet. Ik ben niet geobsedeerd. Ik volg slechts de wil van mijn vader,' bracht hij door de pijn heen verstikt uit.

'Laat ik maar eens controleren of je de waarheid vertelt,' zei Nicole. Toen verstevigde ze haar toch al ijzeren greep om zijn arm, sloot haar ogen en boog haar hoofd.

Ongelooflijk maar waar, Rephaim voelde haar handpalmen warm worden. De warmte trok door hem heen, volgde zijn bloedstroom, bonsde in de maat met zijn wild kloppende hart en ramde zich zijn lichaam in.

Nicole huiverde, opende haar ogen en hief haar hoofd. Haar glimlach was sluw. Ze hield hem nog een volle minuut tegen de muur voor ze hem liet vallen. Hij zakte op de grond in elkaar. Ze keek op hem neer en zei: 'Ze heeft je gered.'

'Wat voor de...?' schreeuwde Kurtis.

'Heeft Stevie Rae hem gered?' vroeg Starr.

Nicole en Rephaim deden net alsof ze geen van beiden iets hadden gezegd.

'Ja,' zei Rephaim. Hij snakte naar lucht en worstelde om zijn ademhaling onder controle te krijgen zodat hij niet bewusteloos zou raken. Toen zei hij niets meer. Terwijl hij door de uitstralende pijn in zijn vleugel heen ademhaalde, probeerde hij wijs te worden uit wat er zojuist was gebeurd. De rode halfwas had iets met hem gedaan toen ze hem had aangeraakt, iets waardoor ze in zijn geest kon kijken, misschien zelfs in zijn ziel. Maar hij wist ook dat hij anders was dan welk wezen ook dat ze ooit kon hebben aangeraakt en dat zijn gedachten voor haar moeilijk, zo niet bijna onmogelijk te lezen zouden zijn, hoe begaafd ze ook was.

'Waarom zou Stevie Rae dat doen?' vroeg Nicole hem.

'Je hebt in mijn geest gekeken. Je weet dat ik geen flauw idee heb waarom ze deed wat ze heeft gedaan.'

'Dat is waar,' zei ze langzaam. 'Wat ook waar is, is dat ik geen wrokgevoelens jegens haar heb gevonden. Wat betekent dat?'

'Ik weet niet precies wat je bedoelt. Wrokgevoelens? Ik begrijp je niet.'

Ze lachte spottend. 'Heb je eigenlijk wel bevattingsvermogen? Je geest was het bizarste iets waar ik ooit een blik in heb geworpen. Ik zal het je uitleggen, vogeljongen: je beweert dat je nog steeds doet wat je vader je heeft opgedragen. Dat zou op z'n minst moeten betekenen dat je haar gevangen wil nemen, of misschien zelfs doden.'

'Mijn vader wilde niet dat ze werd gedood. Hij wilde dat ze ongedeerd bij hem werd gebracht zodat hij haar kon bestuderen en misschien haar krachten kon gebruiken,' zei Rephaim.

'Dat zal wel. Maar weet je, het probleem is dat toen ik in die vogelhersens van je naar binnen keek, ik niks heb gevonden waaruit bleek dat je achter haar aan zit.'

'Waarom zou ik nu achter haar aan zitten? Ze is hier niet.'

Nicole schudde haar hoofd. 'Nee, en dat is nu juist het vreemde van de zaak. Als je Stevie Rae wilt pakken, dan wil je haar pakken, of ze hier is of niet.'

'Dat slaat nergens op.'

Nicole staarde hem aan. 'Hoor eens, dit is wat ik moet weten. Sta je aan onze kant of niet?'

'Aan jullie kant?'

'Ja, aan onze kant. Wij gaan Stevie Rae doden,' zei ze zakelijk, terwijl ze met haar bovennatuurlijke snelheid weer naar hem toe kwam en zijn arm weer in een ijzeren greep nam. Rephaims bovenarm werd warm terwijl ze zijn gedachten onderzocht. 'Dus zeg het maar. Sta je aan onze kant of niet?'

Rephaim wist dat hij antwoord moest geven. Nicole kon dan misschien niet al zijn gedachten lezen, maar het was duidelijk dat ze genoeg kracht had om dingen te ontdekken die hij liever verborgen hield. Hij nam snel een beslissing, keek in de rood opgloeiende ogen van de rode halfwas en zei naar waarheid: 'Ik ben de zoon van mijn vader.'

Ze staarde hem aan; haar hand schroeide het vlees van zijn arm en haar ogen gloeiden fel rood op. Toen lachte ze weer haar sluwe lachje. 'Goed geantwoord, vogeljongen, want dat is het belangrijkste wat ik in je vogelkop heb gevonden. Je bent beslist de zoon van je vader.' Ze liet hem los. 'Welkom in mijn team en maak je maar geen zorgen. Aangezien je vader er momenteel niet is, denk ik niet dat het hem iets zal kunnen schelen of Stevie Rae dood is of levend als je haar vangt.'

'En dood is makkelijker,' zei Kurtis.

'Zeker weten,' zei Starr.

Nicole lachte; het geluid deed Rephaim zo sterk aan Neferet denken dat de veren in zijn nek overeind gingen staan. *Vader! Wees op uw hoede!* gilde zijn geest. *De Tsi Sgili is meer dan ze lijkt te zijn!*

26

Zoey

'Heath, wat kom je doen?'

Heath greep naar zijn borst alsof ik hem een kogel door zijn hart had gejaagd, wankelde en deed net of hij naar lucht hapte. 'Je kilte is dodelijk, schatje!'

'Je bent gek,' zei ik. 'Als er iets is wat dodelijk is, dan is dat je absolute gebrek aan verstand. Dus nogmaals, wat kom je hier doen? Ik dacht eigenlijk dat je buiten met Darius en Shaunee vogels aan het verbranden zou zijn.'

'Nou, dat wilde ik net gaan doen, want ik had bedacht dat mijn supermenselijke kracht ze goed van pas zou komen.' Hij wiebelde met zijn wenkbrauwen naar me en spande zijn biceps. Toen plofte hij naast me op de bank neer. 'Maar Stark kwam naar me toe en zei dat je me nodig had, en hier ben ik dus.'

'Stark vergiste zich. Je moet teruggaan om Darius te helpen.'

'Je ziet er beroerd uit, Zo,' zei hij, opeens ernstig.

Ik slaakte een zucht. 'Ik heb gewoon de laatste tijd heel wat meegemaakt, net als ieder van ons.'

'Dat je die gewonde halfwassen hebt geholpen, heeft je uitgeput,' zei hij.

'Nou, ja, dat klopt. Maar daar kom ik wel overheen. Ik moet gewoon vandaag zien door te komen zodat ik kan gaan slapen. Meer niet.'

Heath keek me een poosje zwijgend aan en toen stak hij zijn hand naar me uit. Automatisch verstrengelde ik mijn vingers met die van hem.

'Zo, ik doe mijn best om me niet gek te laten maken door het idee dat je iets bijzonders hebt met Stark, iets wat je niet hebt met mij.'

'Het is een krijgersband. Die kan ik alleen maar met een vampier hebben,' zei ik verontschuldigend, en ik vond het vreselijk dat ik deze jongen, op wie ik vanaf de basisschool al stapelgek was, steeds weer pijn moest doen.

'Ja, dat heb ik gehoord. Hoe dan ook, wat ik probeerde te zeggen is dat ik mijn best doe om dat met Stark te accepteren, maar dat je het me extra moeilijk maakt als je me wegduwt.'

Ik kon niets zeggen, want ik wist precies waarop hij doelde. Daarom had Stark hem naar me toe gestuurd. Heath wilde dat ik zijn bloed dronk. Het idee alleen al bracht me het water in mijn mond en deed mijn ademhaling versnellen.

'Ik weet dat je het wilt,' fluisterde hij.

Ik kon hem niet in de ogen kijken en staarde naar onze verstrengelde handen. In het halfduister van de verlaten kantine waren de tatoeages op mijn handpalmen bijna niet te zien en zagen onze handen er heel gewoon uit, bijna zoals ze er al die jaren hadden uitgezien, en mijn maag verkrampte.

'Je weet dat ik wil dat je het doet.'

Toen keek ik hem aan. 'Dat weet ik. Ik kan het gewoon niet, Heath.'

Ik verwachtte dat hij nijdig zou worden, maar in plaats daarvan raakte hij ontmoedigd. Hij liet zijn schouders hangen en schudde zijn hoofd. 'Waarom laat je me je niet helpen op de enige manier waarop ik dat kan?'

Ik ademde een keer diep in en uit en vertelde hem de volledige waarheid. 'Omdat ik het seksaspect ervan op het moment niet aankan.'

Hij keek me verbaasd aan. 'Is dat de enige reden?'

'Seks is nogal een belangrijke reden,' zei ik.

'Nou, ja, niet dat ik het uit ervaring weet, maar ik snap wat je bedoelt.'

Ik voelde mijn wangen warm worden. Was Heath nog maagd?

Ik was ervan overtuigd geweest dat nadat ik was gemerkt en mijn menselijk leven had verlaten voor het Huis van de Nacht, mijn ex-beste-vriendin-voor-altijd hem volledig zou hebben ingepakt. Ik wist zeker dat die slet van een Kayla jacht op hem had gemaakt.

'En Kayla dan? Ik dacht dat jullie iets met elkaar hadden gekregen nadat ik was vertrokken.'

Hij lachte een vreugdeloos lachje. 'Dat zou ze wel willen. Niet gewoon nee, maar écht niet. Ik had niks met Kayla. Voor mij is er maar één.' De vreugdeloosheid verdween uit zijn gezicht en hij grijnsde naar me. 'En hoewel je nu een hotemetoot van een hogepriesteres bent en dus technisch gezien niet gewoon een "meisje" meer, ben je voor mij nog steeds mijn meisje.'

Weer wist ik niet wat ik moest zeggen. Ik had altijd gedacht dat Heath degene zou zijn met wie ik voor het eerst seks zou hebben, maar toen had ik de grootste fout van mijn leven gemaakt en mijn maagdelijkheid aan Loren Blake gegeven. Ik werd er nog steeds misselijk van en voelde me er verschrikkelijk schuldig over.

'Hé, denk niet meer aan Blake. Je kunt niet veranderen wat er tussen jullie is gebeurd, dus laten we dat alsjeblieft vergeten.'

'Kun je opeens gedachtelezen?'

'Dat heb ik altijd gekund, Zo.' Zijn grijns vervaagde. 'Nou, de laatste tijd eigenlijk niet zo goed.'

'Het spijt me, Heath, dit alles. Ik vind het vreselijk dat het je pijn doet.'

'Ik ben geen kind meer. Ik wist waaraan ik begon toen ik in mijn pick-up stapte en naar Tulsa reed om je op te zoeken. Het hoeft tussen ons niet makkelijk te zijn, maar wel eerlijk.'

'Oké, ik wil ook eerlijk zijn. Dus ik vertel je de waarheid als ik zeg dat ik mezelf niet kan toestaan om van je te drinken. Wat er als gevolg daarvan tussen ons zal gebeuren kan ik niet aan. Ik ben nog niet klaar voor seks, zelfs niet als de hele wereld om ons heen niet naar de verdommenis ging.'

'"Naar de verdommenis". Je klinkt precies als je oma als je dat zegt.'

'Heath, van onderwerp veranderen zal me niet op andere gedachten brengen. Ik wil geen seks dus drink ik niet van je.'

'Godsamme, Zo, ik ben geen debiel. Dat begrijp ik,' zei hij. 'Geen seks, dus. We hebben heel wat jaren samen doorgebracht zonder seks te hebben. Daar hebben we ervaring mee.'

'Het is meer dan alleen maar naar elkaar verlangen. Je weet wat de stempelband met ons doet. Het was al erg intens toen ik op sterven na dood was. Het zou tien keer intenser zijn als ik nu van je zou drinken.'

Heath slikte krampachtig en streek met zijn hand door zijn haar. 'Ja, oké, dat weet ik. Maar ik wil er dit over zeggen: de stempelband werkt twee kanten op, waar of niet? Terwijl je mijn bloed drinkt, voel jij dingen die ik voel en voel ik dingen die jij voelt.'

'Ja, en die "dingen" hebben allemaal te maken met genot en seks,' zei ik.

'Oké, dus, in plaats van ons te focussen op het seksaspect, focussen we ons op het genotsaspect.'

Ik trok mijn wenkbrauwen naar hem op. 'Je bent een jongen, Heath. Sinds wanneer focussen jongens zich níét op het seksaspect?'

In plaats van gekscherend te reageren, zoals ik had verwacht, bleef hij doodserieus. 'Wanneer heb ik je ooit onder druk gezet om seks met me te hebben?'

'Ik herinner me die keer in de boomhut.'

'Jij zat toen in groep zes. Dat telt niet. Bovendien heb je me een flink pak op mijn sodemieter gegeven.' Hij glimlachte niet, maar zijn bruine ogen schitterden.

'En die keer in de laadbak van je pick-up vorig jaar zomer bij het meer?'

'Dat telt eigenlijk ook niet. Je had die nieuwe bikini aan. En ik heb je niet echt onder druk gezet.'

'Je kon je handen niet thuishouden.'

'Nou, er was een heleboel van je te zien!' Hij zweeg even en dempte zijn stem tot een normaal niveau. 'Wat ik alleen maar wil zeggen is dat we al heel lang bij elkaar zijn. We kunnen absoluut bij elkaar zijn zonder seks. Wil ik seks met je? Ja. Wil ik seks met je terwijl dat gedoe met die Blake je nog zo dwarszit en je je zorgen maakt over alles wat er gebeurt, en je geen seks met mij wilt? Nee! Nee, nee en nog eens nee!' Met zijn wijsvinger onder mijn kin hief hij mijn gezicht en dwong me hem aan te kijken. 'Ik kan je verzekeren dat het seksaspect niet het belangrijkst is omdat jij en ik, wat wij samen hebben, dieper gaat dan alleen maar seks. Laat me dit voor je doen, Zoey.'

Mijn mond ging open, en voor ik mezelf kon tegenhouden, hoorde ik mezelf fluisteren: 'Oké.'

Hij glimlachte alsof hij zojuist de Super Bowl had gewonnen. 'Gaaf!'

'Maar geen seks,' zei ik.

'Absoluut niet. Noem mij maar Heath Geen Seks. Mijn tweede voornaam is Geen Seks.'

'Heath.' Ik legde een vinger op zijn lippen om hem de mond te snoeren. 'Je maakt er iets mallotigs van.'

'O, ja, oké,' mompelde hij om mijn vinger heen. Toen liet hij mijn hand los en haalde een klein zakmes uit de zak van zijn spijkerbroek. In de donkere kantine leek het mes net een kinderspeeltje.

'Wacht even!' gilde ik nogal paniekerig toen hij het mes naar zijn hals bracht.

'Wat is er?'

'Eh... Hier? Gaan we het híér doen?'

Hij trok zijn wenkbrauwen op. 'Waarom niet? We gaan geen seks hebben, weet je nog?'

'Natuurlijk weet ik dat,' zei ik. 'Maar, nou, voor hetzelfde geld komt er iemand binnen.'

'Stark bewaakt de deur. Hij laat niemand door.'

De schok zorgde ervoor dat ik mijn mond hield. Ik bedoel, ik wist dat dit Starks idee was, maar het feit dat hij de deur bewaakte om er zeker van te zijn dat Heath en ik wat privacy hadden... dat was gewoon...

De geur van Heath' bloed drong mijn neus binnen en Stark was vergeten. Mijn blik vond de smalle rode streep op het zachte plekje tussen zijn hals en zijn schouder. Hij ging verzitten, legde het mes op de tafel en opende zijn armen.

'Kom hier, Zo. Dit moment is van jou en mij. Je hoeft aan niemand anders te denken. Je hoeft je over niemand anders zorgen te maken. Kom hier,' zei hij nog eens.

Ik gaf me over aan zijn armen en inhaleerde zijn geur: Heath, bloed, verlangen, thuis en mijn verleden, alles bijeengepakt in een sterke, vertrouwde omhelzing. Toen mijn tong de felrode streep aanraakte, voelde ik hem huiveren, en ik wist dat hij een kreun van puur verlangen onderdrukte. Ik aarzelde, maar het was te laat. Zijn bloed explodeerde in mijn mond. Ik was niet meer te houden en drukte mijn lippen tegen zijn huid en dronk. Op dat moment liet het me koud dat ik niet klaar was voor seks, en dat de wereld om me heen een immense chaos was, en zelfs dat we midden in de kantine zaten terwijl Stark de deur bewaakte (en waarschijnlijk alles voelde wat ik voelde). Op dat moment was er alleen Heath, zijn bloed, zijn lichaam en zijn aanraking.

'Sst.' Heath' stem was diep en schor, maar eigenaardig kalmerend. 'Het is oké, Zo. Het kan gewoon heerlijk aanvoelen en verder niks. Bedenk hoe sterk het je maakt. Je moet sterk zijn, weet je nog? Er zijn massa's mensen die op je rekenen. Ik reken op je, Stevie Rae rekent op je, Aphrodite rekent op je, al vind ik haar nog steeds af en toe een kreng. Zelfs Erik rekent op je, niet dat iemand ook maar iets om hem geeft...'

Heath praatte maar door. En terwijl hij sprak, gebeurde er iets vreemds. Zijn stem was opeens niet meer diep en schor. Hij klonk gewoon als Heath, alsof we over gewone dingen zaten te praten en ik niet bloed uit zijn hals zoog. Toen, zonder het echt te beseffen, veranderde het gevoel dat me vervulde terwijl ik van hem dronk van puur seks in iets anders. Iets wat ik aankon. Begrijp me niet verkeerd, het voelde nog steeds goed. Heel erg goed. Maar 'goed' werd getemperd met wat ik alleen maar kan beschrijven als 'normaal', en dat maakte het hanteerbaar. Dus toen ik me weer versterkt voelde, was ik zowaar in staat om me van hem los te maken. *Sluit nu*, dacht ik. Ik likte de bloedende streep op Heath' hals en veranderde automatisch de endorfine in mijn speeksel van anticoagulerend in coagulerend. Ik keek toe terwijl het bloeden ophield en de kleine wond zich sloot, met achterlating van niet meer dan een smalle, roze streep die aan de wereld zou kunnen verraden wat er tussen ons was gebeurd.

Ik keek op en ontmoette Heath' blik.

'Dank je,' zei ik.

'Geen dank,' zei hij. 'Ik zal er altijd voor je zijn, Zo.'

'Goed, want ik zal je altijd nodig hebben om me eraan te herinneren wie ik in werkelijkheid ben.'

Heath kuste me. Het was een tedere kus, maar diep en intiem, en gevuld met een verlangen waarvan ik wist dat hij het onderdrukte, wachtend tot ik eindelijk het punt had bereikt waarop ik 'ja' tegen hem kon zeggen. Ik brak de kus af en nestelde me in zijn armen. Ik voelde hem zuchten, maar hij aarzelde niet en hield me stevig vast.

We schrokken allebei van het geluid van de openzwaaiende kantinedeur.

'Zoey, je moet nu echt naar je kamer. Ze wachten op je,' zei Stark.

'Oké, ja, ik kom eraan,' zei ik, en ik maakte me los uit Heath' armen en hielp hem met zijn jas.

'Ik ga maar snel naar Darius en die jongens om ze te helpen met mijn supermenskracht,' zei Heath.

Als schuldige kinderen liepen we naar Stark, die met een uitgestreken gezicht de deur openhield.

'Stark.' Heath knikte naar hem. 'Bedankt dat je me naar haar toe hebt gestuurd.'

'Dat maakt deel uit van mijn taak,' zei Stark scherp.

'Nou, ik vind dat je opslag verdient,' zei Heath grijnzend. Toen boog hij zijn hoofd, gaf me een vluchtige zoen, zei gedag en haastte zich naar de deur die toegang gaf tot het hoofdterrein.

'Het is geen léúk deel van mijn taak,' hoorde ik Stark mompelen toen we Heath nakeken.

'Zoals je al zei: we moeten naar mijn kamer,' zei ik, en ik liep met grote passen door de gang in de richting van de uitgang die het dichtst bij de slaapverblijven was. Stark volgde me, vergezeld van een heel erg ongemakkelijke stilte.

'Zo,' zei hij eindelijk op gespannen toon. 'Dat was behoorlijk heftig.'

Zonder nadenken zei ik: 'Ja, zeg dat wel. Bloedstollend zelfs.' En toen, geloof het of niet, moest ik giechelen.

Oké, tot mijn verdediging kan ik zeggen dat ik me verbazingwekkend goed voelde. Door Heath' bloed voelde ik me beter dan ik me al die tijd had gevoeld sinds Kalona uit de grond was gebarsten en mijn leven tot een puinhoop had gemaakt.

'Het is niet grappig,' zei Stark.

'Sorry,' zei ik, maar toen moest ik weer giechelen en perste ik mijn lippen op elkaar.

'Ik ga proberen om net te doen alsof je niet giechelig bent en ik niet alles heb gevoeld wat jij in de kantine voelde,' zei Stark op gespannen toon.

Zelfs in mijn bloedroes besefte ik dat het voor Stark erg moeilijk moest zijn geweest om het intense genot te ervaren dat een andere jongen me zojuist had bezorgd en te beseffen hoe close Heath en ik feitelijk met elkaar zijn. Ik gaf Stark een arm. Eerst was hij kil en stijf en reageerde hij nauwelijks, alsof ik me aan een standbeeld vasthield, maar onder het lopen ontdooide hij en voelde ik dat hij zich ontspande. Vlak voor hij de deur van het meisjesonderkomen voor me opendeed, keek ik naar hem op en zei ik: 'Bedankt dat je mijn krijger bent. Bedankt dat je ervoor hebt gezorgd dat ik weer op krachten kwam, al deed dat jou pijn.'

'Tot je dienst, milady.' Hij glimlachte naar me, maar hij zag er oud uit en heel erg verdrietig.

27

Zoey

'Wil jij ook een blikje bruine fris?' riep ik over mijn schouder tegen Stark, die ongeduldig op me stond te wachten in de erg stille, erg vreemde gemeenschappelijke ruimte van het meisjesonderkomen. Ik zeg 'vreemd' omdat het zo stil was, hoewel er aardig wat halfwassen, meisjes en jongens, op de stoelen voor de grote flatscreen-tv's zaten. Serieus. Het enige wat ze deden, was zitten en staren. Geen gepraat. Geen gelach. Niets. Ze keken wel op toen Stark en ik binnenkwamen. Ik wist bijna zeker dat verscheidene halfwassen ons nijdig aankeken, maar ze zeiden niets.

'Nee, dank je. Pak nou maar snel je fris en kom mee naar boven,' zei hij, terwijl hij al in de richting van de trap liep.

'Oké, oké. Ik kom eraan. Ik...' En toen liep ik tegen een meisje op dat Becca heette. 'Jeetje, sorry!' zei ik, terwijl ik een stap achteruit deed. 'Ik zag je niet omdat ik...'

'Ja, ik weet wat je deed. Wat je altijd doet. Je keek naar een jongen.'

Ik fronste mijn voorhoofd. Ik kende Becca niet echt goed. Ik wist wel dat ze smoorverliefd was geweest op Erik. O, en ik had Stark betrapt toen hij haar beet en zogoed als verkrachtte – voordat hij voor de goede kant had gekozen en zijn krijgerseed aan mij had afgelegd. Natuurlijk had Becca zich het verkrachtingsgedeelte niet herinnerd. Ze had zich alleen maar het bijten en het genotsgedeelte herinnerd, ook door toedoen van de rotzak die Stark vroeger was.

Toch gaf haar dat geen vrijbrief voor deze bespottelijke houding jegens mij. Maar ik had geen tijd om het met haar uit te praten en eerlijk gezegd boeide het me niet dat ze zich vastklampte aan dat ik-ben-jaloers-op-Zoeygevoel. Ik maakte dus alleen maar zo'n onaantrekkelijk snuivend geluidje zoals Aphrodite altijd deed, liep om haar heen naar een koelkast, maakte hem open en zocht naar mijn bruine frisdrank.

'Jij hebt dit gedaan, hè? Jij hebt alles verpest.'

Ik slaakte een zucht. Ik vond mijn blikje bruine frisdrank en draaide me om. 'Als je bedoelt of ik Kalona heb verjaagd, die níét de op aarde gekomen Erebus is, maar in werkelijkheid een duivelse, gevallen onsterfelijke, en Neferet, die niet langer Nux' hogepriesteres is, maar een duivelse Tsi Sgili die de wereld wil overnemen, dan: ja. Ja, met de hulp van een aantal vrienden heb ik dat gedaan.'

'Waarom denk je dat je alles weet?'

'Ik weet beslist niet alles. Als dat zo was, dan zou ik weten waarom jij nog steeds niet kunt zien dat Kalona, Neferet en de Raafspotters duivels slecht zijn, zelfs niet nadat ze professor Anastasia hebben gedood.'

'De Raafspotters hebben haar alleen maar gedood omdat jij ze woest hebt gemaakt door weg te lopen en vervolgens Kalona weg te jagen, van wie een heleboel van ons geloven dat hij echt Erebus is.'

'Gebruik je verstand, Becca. Kalona is niet Erebus. Hij is de vader van de Raafspotters. Hij heeft ze verwekt door Cherokee-vrouwen te verkrachten. Dat zou Erebus nooit doen. Is dat ooit bij jullie opgekomen?'

Het was net alsof ze geen woord had gehoord van wat ik had gezegd. 'Alles ging goed toen jij weg was. Nu ben je terug en alles is weer verpest. Ik wou dat je voorgoed wegging en de rest van ons liet doen wat we willen.'

'De rest van jullie? Bedoel je de halfwassen op de ziekenafdeling die door je gevleugelde vrienden bijna werden gedood? Of bedoel je Draak, die buiten in zijn eentje rouwt om het verlies van zijn vrouw?'

'Dat is alleen maar gebeurd door jouw toedoen. Niemand werd aangevallen voordat jij de benen nam.'

'Serieus, hoor je wel wat ik zeg?'

'Hallo, Becca.' Stark stond in de deuropening van de keuken, vlak achter Becca.

Ze draaide haar hoofd om, zwiepte met haar haar en schonk hem een flirterig lachje. 'Hallo, Stark.'

'Erik is loslopend wild,' zei hij botweg.

Ze knipperde niet-begrijpend met haar ogen.

'Hij en Zoey zijn uit elkaar,' voegde hij eraan toe.

'Echt waar?' Ze probeerde onverschillig te klinken, maar haar lichaamstaal verried haar genoegen. Ze keek weer naar mij. 'Het werd hoog tijd dat hij jou dumpte.'

'Het is precies andersom, kreng!' gooide ik eruit.

Becca deed een stap dichter naar me toe en haar hand kwam omhoog alsof ze me wilde slaan, wat me zo schokte dat het niet eens bij me opkwam om een van de elementen aan te roepen om haar haar verdiende loon te geven. Gelukkig was Stark minder hevig geschokt, en hij sprong snel tussen ons in.

'Becca, ik heb jou genoeg aangedaan. Dwing me niet om je de keuken uit te smijten. Loop gewoon weg,' zei hij, op-en-top de gevaarlijke krijger.

Becca krabbelde onmiddellijk terug. 'O, best hoor. Alsof ik haar belangrijk genoeg vind om mijn nagels te verpesten.' Ze draaide zich met een ruk om en liep snuivend de keuken uit.

Ik trok mijn blikje frisdrank open en nam een grote slok voordat ik zei: 'Tjonge, dat was behoorlijk schokkend.'

'Ja, ik weet niet wat me overkwam. De echte ik zou nooit een goeie *catfight* hebben tegengehouden.'

Ik rolde met mijn ogen naar hem. 'Je bent me er een. Kom mee, we gaan naar boven, waar het er minder krankzinnig aan toegaat.'

We liepen de keuken uit en moesten door de gemeenschappelijke ruimte om bij de trap te komen, wat inhield dat we ons weer in een massa krankzinnigheid moesten begeven. Becca stond druk te fluisteren met de grootste groep halfwassen, maar ze zweeg even om mij een vuile blik toe te werpen, dezelfde vuile 'val dood'-blik die alle anderen me ook toewierpen.

Ik versnelde mijn pas en vloog de trap op.

'Oké, dat is freaky,' zei Stark toen we ons naar mijn kamer haastten.

Ik knikte alleen maar. Het was moeilijk om woorden te vinden om te beschrijven hoe ik me voelde nu bijna iedereen op mijn school, mijn thúís, grondig de pest aan me had. Toen ik de deur van mijn kamer opendeed, werd ik onmiddellijk bestormd door een oranje vachtbol die in mijn armen sprong terwijl ze als een knorrig oud vrouwtje tegen me mi-uf-auwde.

'Nala!' Ik negeerde haar misnoegen en kuste haar op haar neusje, wat haar in mijn gezicht deed niezen. Ik lachte en bracht mijn blikje bruine fris voorzichtig over naar mijn andere hand zodat ik dat, of mijn kat, niet zou laten vallen. 'Ik heb je gemist, meisje.' Ik drukte mijn gezicht in haar zachte vacht, en ze staakte haar geklaag en startte haar spinmotortje op.

'Als je klaar bent met kroelen met je kat moeten we dingen bespreken, belangrijke dingen,' zei Aphrodite.

'O, doe toch niet zo odieus,' zei Damien tegen haar.

'Odi-dit, Damien.' Aphrodite maakte een grof gebaar naar hem.

'Hou op!' zei Lenobia voordat ik de kans kreeg. 'Het lichaam van mijn goede vriendin ligt buiten nog te smeulen en ik heb geen zin om naar kijvende tieners te luisteren.'

Aphrodite en Damien mompelden een verontschuldiging en keken ongemakkelijk voor zich uit, wat ik beschouwde als een uitstekend moment om van wal te steken. 'Oké, al die halfwassen die beneden zitten haten me uit de grond van hun hart.'

'Echt waar? Toen wij binnenkwamen, reageerden ze nauwelijks,' zei Damien.

'Echt waar,' zei Stark. 'Ik moest bijna dat meisje Becca van Zoey af trekken.'

Ik kon zien aan de gezichtsuitdrukking van Aphrodite en Damien dat ze moesten denken aan Starks niet-zo-aardige verleden. Geen van beiden zei iets.

'Dat verwondert me niet,' zei Lenobia.

Ik keek naar de rijinstructrice. 'Wat is er aan de hand? Kalona is weg. Heel ver weg. Volgens mij is hij niet eens meer in het land. Hoe kan hij dan nog steeds halfwassen beïnvloeden?'

'En vampiers,' voegde Damien eraan toe. 'U bent de enige docent die naar buiten kwam om Draak bij te staan. Dat betekent dat de anderen ook nog steeds onder Kalona's invloed verkeren.'

'Of dat ze zich door angst laten verlammen,' zei Lenobia. 'Het is moeilijk vast te stellen of ze alleen maar bang zijn of dat de demon iets met hen heeft gedaan wat nog steeds aan het werk is, al is hijzelf niet meer aanwezig.'

'Hij is geen demon,' hoorde ik mezelf zeggen.

Lenobia keek me aan met een scherpe blik. 'Waarom zeg je dat, Zoey?'

Ik voelde me ongemakkelijk onder haar kritische blik, ging op mijn bed zitten en legde Nala op mijn schoot. 'Ik weet dingen over hem en een van de dingen die ik weet is dat hij geen demon is.'

'Wat maakt het uit hoe we hem noemen?' vroeg Erin.

'Nou, in ware namen schuilt kracht,' zei Damien. 'Van oudsher is bekend dat het gebruiken van iemands ware naam in een bezwering of ritueel effectiever is dan het uitstralen van energie in het algemeen of zelfs het gebruik van alleen de voornaam.'

'Daar zit wat in, Damien. We zullen Kalona dus niet meer een "demon" noemen,' zei Lenobia.

'En we zullen ook niet vergeten dat hij door- en doorslecht is, zoals die andere halfwassen,' zei Erin.

'Maar dat geldt niet voor alle halfwassen hier,' zei ik. 'Degenen op de ziekenafdeling waren niet door Kalona behekst, net zomin als Lenobia en Draak... en Anastasia. Maar waarom niet? Wat is er anders aan jullie?'

'We waren het er al over eens dat Lenobia, Draak en Anastasia alle drie door Nux uitzonderlijk begiftigd waren,' zei Damien.

'Oké, maar wat is er zo bijzonder aan de halfwassen die de Raafspotters het hoofd boden?' vroeg Aphrodite.

'Hanna Honeyyeager kan bloemen laten bloeien,' zei Damien.

Ik staarde hem aan. 'Bloemen? Serieus?'

'Ja.' Damien haalde zijn schouders op. 'Ze heeft groene vingers.'

Ik slaakte een zucht. 'Wat weten we verder over de halfwassen op de ziekenafdeling?'

'T.J. is een geweldig goede bokser,' zei Erin.

'En Drew is een ontzagwekkende worstelaar,' zei ik.

'Maar zijn die vaardigheden ware gaven?' zei Lenobia. 'Vampiers zijn getalenteerd, over de hele linie. Dat is niet bijzonder.'

'Weet iemand iets over Ian Bowser?' vroeg ik. 'Ik ken hem alleen van dramaklas. Hij was stapelverliefd op professor Nolan.'

'Ik ken hem,' zei Erin. 'Hij is een schatje.'

'Oké, hij is een schatje,' zei ik. Ik voelde me overweldigd door de onmogelijkheid van onze taak. De halfwassen waren aardig en goed in dingen, maar goed zijn in iets was niet hetzelfde als door Nux begiftigd zijn. 'En dat nieuwe meisje, Red?'

'Niemand van ons kent haar.' Damien keek naar Lenobia. 'U misschien?'

Lenobia schudde haar hoofd. 'Nee, het enige wat ik weet is dat Anastasia haar mentrix was, en dat ze in een paar dagen tijd zo aan haar gehecht is geraakt dat ze bereid was haar leven op het spel te zetten om haar professor te redden.'

'Wat niet betekent dat er iets bijzonders aan haar is, afgezien van het feit dat ze de juiste keus heeft gemaakt en...' Ik hield op met praten toen ik besefte wat ik zei. Opeens moest ik lachen. 'Dat is het!'

Iedereen staarde me verbijsterd aan.

'Ze is gek geworden,' zei Aphrodite. 'Dat kon natuurlijk niet uitblijven.'

'Nee! Ik ben niet gek geworden. Ik ben erachter. Ik heb het antwoord gevonden. Godin, het ligt zo voor de hand! Die halfwassen zijn niet superbegiftigd. Het zijn gewoon jongens en meisjes die de juiste keus hebben gemaakt.'

Het bleef even stil en toen pakte Damien de draad van mijn gedachten op. 'Net als in het leven. Nux geeft ons in alles de vrije keus.'

Ik glimlachte breed naar hem. 'En sommigen kiezen verstandig.'

'Anderen maken er een puinhoop van,' zei Stark.

'Godin! Het ligt echt voor de hand,' zei Lenobia. 'Er is niets raadselachtigs aan Kalona's betovering.'

'Het heeft alles te maken met wel of niet de juiste keus maken,' zei Aphrodite.

'En waarheid,' voegde ik eraan toe.

'Het is eigenlijk heel logisch,' zei Damien. 'Ik kon maar niet begrijpen waarom er maar drie docenten waren die Kalona doorhadden. Ik heb altijd gedacht dat alle vampiers hier bijzonder waren en door de godin gegeven gaven hadden.'

'Voor de meesten geldt dat ook,' zei Lenobia.

'Maar gave of geen gave, de waarheid vinden en het juiste pad volgen is altijd een keus.' Stark sprak zacht en zijn blik hield die van mij vast. 'Dat is iets wat niemand van ons ooit mag vergeten.'

'Dat zou de reden kunnen zijn dat Nux ons hiernaartoe heeft gebracht. Om ons eraan te herinneren dat al haar kinderen de vrijheid hebben om een keuze te maken,' zei Lenobia.

Dat is precies waar het om gaat bij mij en A-ya. Ik heb de keus om haar pad niet te volgen. Maar betekent dat niet dat ook Kalona keuzevrijheid heeft en goed boven kwaad kan verkiezen? De gedachten wervelden door mijn hoofd. Ik duwde ze weg en zei: 'Oké, heeft iemand een idee wat we nu moeten doen?'

'Absoluut. Jij volgt Kalona. Wij gaan met je mee,' zei Aphrodite. Toen we allemaal naar haar staarden, zei ze: 'Kijk, Kalona heeft bewezen door- en doorslecht te zijn, dus laten wij de keus maken om hem te vernietigen.' Voordat ik iets kon zeggen, voegde Aphrodite eraan toe: 'Dat is niet onmogelijk. In een van mijn visioenen zag ik dat Zoey hem uitschakelde.'

'Visioenen?' zei Lenobia.

Aphrodite vatte de twee visioenen kort samen zonder melding te maken van het feit dat ik me in het niet-zo-goede visioen bij Kalona had aangesloten. Dus toen ze klaar was, schraapte ik mijn keel, trok de stoute schoenen aan (figuurlijk) en zei: 'In het slechte visioen was ik samen met Kalona. Echt mét hem. We waren minnaars.'

'Maar in het andere visioen heb je hem onschadelijk gemaakt,' zei Lenobia.

'Dat was duidelijk, al was de rest een enorme warboel,' zei Aphrodite. 'Dus zoals ik al zei: ze moet naar hem toe.'

'Ik vind het maar niks,' zei Stark.

'Ik evenmin,' zei Lenobia. 'Ik zou willen dat we meer wisten, dat we meer informatie hadden over wat er aan beide visioenen voorafging.'

'Godin! Wat ben ik een stom rund,' zei ik, en ik haalde het velletje papier tevoorschijn dat ik in mijn zak had gestopt. 'Ik ben helemaal Kramisha's gedicht vergeten.'

'Jegh, ik ook,' zei Aphrodite. 'Ik haat poëzie.'

'Een feit dat me een raadsel is, schoonheid,' zei Darius, die de kamer binnen kwam met Stevie Rae en Shaunee vlak achter zich aan. 'Je zou denken dat iemand met jouw intelligentie daarvan zou genieten.'

Aphrodite lachte lief naar hem. 'Misschien als jij het me voorleest, maar ja, ik zou natuurlijk alles mooi vinden wat jij me voorleest.'

'Walgelijk,' zei Shaunee, die naast Erin ging zitten.

'Om misselijk van te worden,' zei Erin, met een grijns naar haar tweelingzus.

'Goed zo, we hebben het gedichtgedeelte niet gemist,' zei Stevie Rae, die naast me neerplofte en Nala aaide. 'Ik vroeg me al af waarmee Kramisha nu weer op de proppen was gekomen.'

'Oké, goed, ik zal het hardop voorlezen,' zei ik.

'Een aan twee kanten snijdend zwaard
Eén kant vernietigt
Eén bevrijdt
Ik ben je gordiaanse knoop
Zul je me bevrijden of vernietigen?
Volg de waarheid en je zult:
Me vinden op water
Me zuiveren met vuur

Gekluisterd door aarde nimmermeer
Lucht zal je toefluisteren
Wat geest al weet:
Dat zelfs verbrijzeld
alles mogelijk is
Als je gelooft
Dat we beiden vrij zullen zijn.'

'Tot mijn spijt moet ik zeggen dat zelfs ik snap dat dit van Kalona aan jou is,' zei Aphrodite in de stilte die viel nadat ik was uitgesproken.

'Ja, dat lijkt mij ook,' zei Stevie Rae.

'Ah shit,' mompelde ik.

28

Zoey

'Ik vind het maar niks,' zei Stark.

'Dat zei je net ook al,' zei Aphrodite. 'En we zijn er geen van allen blij mee, maar daarmee gaat dat stomme gedicht niet weg.'

'Die profetie,' verbeterde Damien haar. 'Kramisha's gedichten zijn profetisch van aard.'

'Wat niet per se een slecht iets hoeft te zijn,' zei Darius. 'Als we een profetie hebben, dan zijn we ook gewaarschuwd.'

'Dus deze gedichten en daarbij opgeteld Aphrodites visioenen vormen met elkaar een krachtig hulpmiddel voor ons,' zei Lenobia.

'Als we de betekenis kunnen achterhalen,' zei ik.

'We hebben de vorige ontcijferd,' bracht Lenobia me in herinnering, 'en dat zal ons met dit gedicht ook wel lukken.'

'Hoe dan ook, ik denk dat iedereen het erover eens is dat Zoey Kalona moet volgen,' zei Darius.

'Daarvoor ben ik geschapen,' zei ik, waarmee ik absoluut ieders aandacht had. 'Ik haat het. Ik weet niet wat ik ermee aan moet. Ik heb dikwijls het gevoel dat ik een gigantische sneeuwbal ben die midden in de winter van een berghelling rolt, maar ik kan de waarheid niet negeren.' Ik dacht aan Nux' fluisteringen en voegde eraan toe: 'Er schuilt kracht in de waarheid, zoals er ook kracht schuilt in de juiste keus maken. De waarheid is dat ik een band heb met Kalona. Ik herinner me die band en dat maakt het me moeilijk om hem aan te pakken, maar iets in mijn binnenste heeft hem al een keer verslagen. Ik denk dat ik dat "iets" moet zien te vinden en de keus moet maken om hem opnieuw te verslaan.'

'Deze keer misschien voorgoed?' zei Stevie Rae.
'Dat hoop ik oprecht,' zei ik.
'Nou, deze keer sta je er niet alleen voor,' zei Stark.
'Dat klopt,' zei Damien.
'Absoluut,' zei Shaunee.
'Ja,' voegde Erin eraan toe.
'Een voor allen, allen voor Zoey!' zei Stevie Rae.
Ik keek naar Aphrodite. Ze slaakte een theatrale zucht. 'Best. Waar de kudde oenen heen gaat, daar ga ik ook heen.'
Darius sloeg zijn arm om haar heen. 'Jij zult ook niet alleen zijn, schoonheid.'
Pas later drong het tot me door dat Stevie Rae niet had gezegd dat zij ook van de partij was.
'Al die solidariteit is prima, maar we kunnen niet handelen omdat we niet weten waar Kalona is,' zei Lenobia.
'Nou, in mijn droom vond ik hem op een eiland. Boven op een kasteel op een eiland,' zei ik.
'Kwam het je bekend voor?' vroeg Damien.
'Nee. Maar het was heel mooi. Het water was ongelooflijk blauw, en overal stonden sinaasappelbomen.'
'Daar hebben we niet veel aan,' zei Aphrodite. 'Sinaasappels vind je overal: in Florida, Californië, het Middellandse Zeegebied... en daar vind je ook overal eilanden.'
'Hij is niet in Amerika.' Mijn reactie kwam automatisch. 'Ik weet niet hoe ik dat weet, maar dat weet ik.'
'Dan nemen we dat voor waar aan,' zei Lenobia.
Haar vertrouwen in mij gaf me een goed gevoel, maar het maakte me ook zenuwachtig en een beetje misselijk, alles tegelijk.
'Oké, goed,' zei Stevie Rae. 'Misschien weet je meer over waar hij nu is maar moet je er gewoon niet aan denken zodat je erover kunt nadenken.'
'Boerentrien, je slaat wartaal uit,' zei Aphrodite. 'Ik zal het even uit het boers in het Engels vertalen.' Aphrodite wendde zich tot mij. 'Zonder erover na te denken wist je dat Kalona niet in Amerika was. Misschien span je je hersenen te sterk in in je poging je de-

tails te herinneren. Als je je ontspant, komt het misschien vanzelf bij je naar boven.'

'Ze doen net als een tweeling,' zei Shaunee.

'Hilarisch,' zei Erin.

'Kop dicht!' zeiden Aphrodite en Stevie Rae in koor, wat de tweeling in lachen deed uitbarsten.

'Wat is er zo grappig?' vroeg Jack, die op dat moment de kamer binnen kwam. Op zijn wangen zag ik nog sporen van tranen en hij had een gekwelde blik in zijn ogen.

Hij ging naast Damien zitten, dicht tegen hem aan. 'Niks. De tweeling gedraagt zich gewoon als de tweeling,' zei Damien tegen Jack.

'Nu is het afgelopen met die onzin. Het is niet productief en het helpt ons niet om erachter te komen waar Kalona zou kunnen zijn,' zei Lenobia.

'Ik weet waar Kalona is,' zei Jack doodgemoedereerd.

'Hoezo weet jij waar Kalona is?' vroeg Damien. We staarden allemaal naar Jack.

'Nou, dat wil zeggen: hij en Neferet. Makkelijk.' Hij hield zijn iPhone omhoog. 'Internet is weer in de lucht en mijn Vampiertwitter draait overuren met tweets over de plotselinge raadselachtige dood van Shekinah en het feit dat Neferet is opgedoken in Venetië. Ze heeft tegen de Hoge Raad gezegd dat zij Nux' incarnatie is en Kalona Erebus die op aarde is gekomen, en dat zij dus de volgende hoofdhogepriesteres moet worden.'

We staarden hem stomverbaasd aan. Ik weet dat mijn mond openviel.

Jack keek ons fronsend aan. 'Ik verzin het echt niet. Geloof me. Kijk zelf maar.'

Hij hield zijn iPhone weer omhoog en Darius pakte hem aan. Terwijl die door de twitterberichten scrolde, sloeg Damien zijn armen om Jack heen en zoende hem pal op de mond.

'Je bent briljant!' zei hij tegen zijn vriendje.

Jack glimlachte en iedereen begon tegelijkertijd te praten.

Iedereen behalve Stark en ik.

Midden in de chaos kwam Heath de kamer binnen. Hij aarzelde even, liep toen om het bed heen en plofte naast mij op het bed neer aan de kant die niet door Stevie Rae bezet was. 'Wat gebeurt er allemaal, Zo?'

'Jack heeft Kalona en Neferet gevonden,' zei Stevie Rae.

'Heel goed,' zei Heath. Zijn blik ontmoette die van mij en hij voegde eraan toe: 'Wacht even, misschien is dat níét goed.'

'Waarom zou het niet goed zijn?' vroeg Stevie Rae.

'Vraag maar aan Zoey,' zei Heath.

'Wat is er, Zoey?' vroeg Damien, en de anderen hielden hun mond.

'Het was niet Venetië,' zei ik. 'Dat weet ik zeker. In mijn droom was Kalona niet in Venetië. Ik bedoel, ik ben er nog nooit geweest, maar ik heb er foto's van gezien en ik kan me natuurlijk vergissen, maar volgens mij zijn er in Venetië geen bergen.'

'Dat klopt,' zei Lenobia. 'Ik ben er verscheidene keren geweest.'

'Misschien is het niet ongunstig dat je in je droom niet naar de exacte plek bent geweest waar hij is. Misschien betekent dat dat de dromen minder echt zijn dan je denkt,' zei Aphrodite.

'Misschien.'

'Het voelt gewoon verkeerd,' zei Stark.

Ik onderdrukte een zucht van ergernis, omdat het duidelijk was dat hij mijn gedachten had afgeluisterd.

Aphrodite negeerde Stark en praatte gewoon door. 'Weet je nog dat ik in mijn droom Neferet en Kalona voor een groep van zeven machtige vampiers zag staan?'

Ik knikte.

'De Hoge Raad van Vampiers!' zei Lenobia. 'Vreemd dat dat nu pas tot me doordringt.' Ze schudde haar hoofd, duidelijk geërgerd over zichzelf. 'En ik ben het met Aphrodite eens. Zoey, misschien hecht je te veel belang aan die dromen. Kalona manipuleert je,' zei ze voorzichtig, alsof ze verwachtte dat ik in alle staten zou raken.

'Nee, geloof me, Kalona was niet in Venetië. Hij was...' Ik brak mijn zin af toen een herinnering naar boven kwam en ik mezelf wel voor de kop kon slaan. 'Verdraaid! In mijn laatste droom was

Kalona niet in Venetië, maar volgens mij heb ik in een van mijn andere dromen wel gedroomd dat hij in Venetië was. Hij zei dat hij het daar prettig vond, dat hij de kracht van de plek voelde en...' Ik wreef over mijn voorhoofd alsof ik mijn hersenen probeerde te stimuleren om beter te gaan werken. 'Hij zei dat hij daar een eeuwenoude kracht voelde en dat hij begreep waarom zíj die plek hadden gekozen.'

'Hij moet het over ons, over vampiers hebben gehad,' zei Lenobia.

Ik dacht aan de droom en een frons van verwarring deed mijn voorhoofd rimpelen. 'Maar volgens mij waren we in de droom niet in Venetië. Ik bedoel, ik zag die beroemde stad met de gondels en die grote klokkentoren in de verte. We waren niet echt daar.'

'Z, dit is niet lullig bedoeld, maar doe jij helemaal nooit je huiswerk?' zei Stevie Rae.

'Huh?' zei ik.

'Het eiland San Clemente,' zei Lenobia.

'Huh?' zei ik nog eens dommig.

Damien slaakte een zucht. 'Waar ligt je *Handboek voor halfwassen 101*?'

Ik gebaarde met mijn kin naar mijn bureau. 'Daar ergens, geloof ik.'

Hij rommelde door de puinhoop op mijn bureau en haalde het handboek ertussenuit. Hij bladerde het door, om en nabij twee seconden lang (kende hij dat hele boek uit zijn hoofd?) en gaf het opengeslagen boek aan mij. Ik knipperde geschokt met mijn ogen toen ik het prachtige, zalmkleurige paleis herkende dat in een van mijn Kalona-dromen de achtergrond had gevormd.

'Dit is zeker weten de plek waar Kalona in een van mijn andere dromen was. We zaten op die bank.' Ik wees naar de foto.

Aphrodite maakte zich plotseling van Darius los om over mijn schouder te kijken. 'Verdomme! Ik had die plek moeten herkennen. Ik zweer dat het feit dat ik weer een mens ben geworden me debielig heeft gemaakt.'

'Aphrodite, wat bedoel je?' vroeg Stark, die dichter naar me toe kwam.

'Het is het paleis in het tweede visioen waarin ik doodging,' antwoordde ik in haar plaats. Ik slaakte een zucht. 'Ik weet dat het stom klinkt, maar ik had daar helemaal niet meer aan gedacht. Ik bedoel, ik herinner me dat ik in mijn droom besefte dat het de plek zou kunnen zijn die jij had beschreven en waar ik verdronk, maar toen ik wakker werd... nou...' Ik zweeg even en ontmoette Starks blik. 'Ik werd wakker en werd afgeleid.' Ik zag het besef in zijn ogen toen hij begreep dat hij degene was die me uit de droom had wakker gemaakt – de eerste keer dat hij bij me had geslapen, toen hij net was begonnen goed boven kwaad te kiezen. 'Bovendien,' voegde ik er haastig aan toe, 'zag je dat ik verdronk omdat ik helemaal alleen was. Dat was toen iedereen kwaad op me was. Ik ben niet meer alleen, dus dat visioen kan nooit werkelijkheid worden.' Ik keek van Stark naar Aphrodite toen ze niets zei, en zag dat zij naar Stark staarde.

'In het tweede visioen waarin je doodging was je niet alleen,' zei Aphrodite langzaam. 'Vlak voordat je werd gedood, ving ik een glimp op van Starks gezicht. Hij was erbij.'

'Wat! Dat is bullshit! Ik zou haar nooit iets laten overkomen!' Stark ontplofte bijna.

'Ik zei niet dat jij er verantwoordelijk voor was. Ik zei alleen maar dat je erbij was,' zei Aphrodite kil.

'Wat heb je nog meer gezien?' vroeg Heath. Hij zat kaarsrecht en zag er net zo krijgerachtig uit als Stark.

'Aphrodite heeft twee visioenen gehad waarin Zoey doodging,' zei Damien. 'In een daarvan werd ze door een Raafspotter onthoofd.'

'Dat is bijna gebeurd!' zei Heath geschrokken. 'Ik was erbij. Ze heeft er een groot litteken aan overgehouden.'

'Waar het om gaat is dat ik niet ben onthoofd. En nu mijn hersenen weer werken, zullen we ervoor zorgen dat ik niet verdrink. En Aphrodite heeft in geen van beide visioenen veel gezien.'

'Maar je weet zeker dat het tweede visioen waarin Zoey doodging zich afspeelde op het eiland San Clemente, waar de Hoge Raad was gesitueerd?' vroeg Lenobia.

Aphrodite wees naar het boek dat nog open op mijn schoot lag. 'Daar. Dat is het paleis dat ik zag toen ze doodging.'

'Oké, dus moet ik extra voorzichtig doen,' zei ik.

'We moeten er allemaal voor zorgen dat je dat inderdaad doet,' zei Lenobia.

Ik probeerde niet te laten zien hoe claustrofobisch ik me nu al voelde. Betekende dit dat niemand me ooit nog met rust zou laten?

Stark zei niets. Hij hoefde niets te zeggen. Zijn lichaamstaal verried frustratie.

'Wacht eens even. Ik bedenk opeens iets.' Damien pakte het *Handboek voor halfwassen* van mijn schoot en sloeg de bladzij om. Toen hij me aankeek, was zijn glimlach triomfantelijk. 'Ik weet waar Kalona's eiland is, en je hebt gelijk. Het is niet Venetië.' Hij draaide het boek om zodat ik erin kon kijken en vroeg: 'Is dit waar je in je droom was?'

Damien had het boek opengeslagen op een bladzij met een hoop tekst (die ik duidelijk niet gelezen had) en een tekening van een deel van een mooi eiland met bergen, blauwgetint door de kleur van de zee eromheen. Op de tekening zag ik de omtrek van een kasteel dat me maar al te bekend voorkwam.

'Ja,' zei ik ernstig. 'Daar was ik in mijn laatste droom. Waar is dat?'

'In Italië, het eiland Capri,' antwoordde Lenobia voor hem. 'Het is de locatie van de eerste Hoge Raad van Vampiers. Die is pas na 79 n.Chr. naar Venetië verhuisd.'

Ik was blij toen ik verscheidene vragende gezichten zag. Damien hoorde daar uiteraard niet bij. Op zijn schoolmeesterstoon zei hij: 'Vampiers waren de patronen van Pompeji. De Vesuvius is in augustus van het jaar 79 n.Chr. uitgebarsten.' Iedereen zat nog steeds als grote, domme goudvissen naar hem te staren, dus voegde hij er met een zucht aan toe: 'Capri is een eiland dat niet ver van Pompeji ligt.'

'O ja, ik herinner me iets daarover gelezen te hebben in het geschiedenishoofdstuk,' zei Stevie Rae.

Ik herinnerde me dat niet omdat ik het hoofdstuk nooit had gelezen, en de manier waarop Shaunee en Erin ongemakkelijk zaten te draaien, vertelde me dat zij me een hand konden geven. Dat verbaasde me niks.

'Oké, dat is interessant, en ja, dat is het eiland. Maar waarom zou hij daarnaartoe gaan terwijl de Hoge Raad daar al zo lang weg is?' vroeg ik.

'Hij wil de oude gebruiken terugbrengen,' zei Stark. 'Dat zei hij keer op keer.'

'Maar is hij dan in het paleis op San Clemente of op Capri?' vroeg ik, nog steeds in de war.

'Volgens twitter stond hij nog maar een paar uur geleden met Neferet voor de Hoge Raad. Dus is hij nu daar,' zei Jack.

'Maar ik durf te wedden dat hij zijn basis op Capri heeft,' zei Stark.

'Het ziet er dus naar uit dat we een reisje naar Italië gaan maken,' zei Damien.

'Ik hoop dat jullie, simpele zielen, allemaal een geldig paspoort hebben,' zei Aphrodite.

29

Zoey

'Doe toch niet zo lelijk, Aphrodite,' zei Stevie Rae. 'Je weet best dat iedere halfwas een paspoort krijgt zodra die gemerkt is. Dat maakt deel uit van dat "ik ben een mondige tiener"-gedoe.'

'Ik heb gelukkig ook een paspoort,' zei Heath. 'Hoewel ik niet gemerkt ben.'

Om te voorkomen dat ik tegen Heath ging schreeuwen 'Jij gaat niet! Dat wordt je dood. Het is veel te gevaarlijk!' en hem gruwelijk in verlegenheid zou brengen, concentreerde ik me op de logistiek. 'Heeft iemand een idee hoe we in Italië moeten komen?'

'Eerste klas, hoop ik,' mompelde Aphrodite.

'Dat is het makkelijkste deel. We nemen gewoon de jet van het Huis van de Nacht,' zei Lenobia. 'Dat wil zeggen: jij en je groep. Ik zal het regelen, maar ik ga niet mee.'

'Gaat u niet mee?' Mijn maag verkrampte. Lenobia was wijs en stond in zulk hoog aanzien in de vampiergemeenschap dat zelfs Shekinah respect voor haar had gehad. Ze móést gewoon meegaan. Ik had haar nodig!

'Ze kan niet mee,' zei Jack. We keken hem verbaasd aan. 'Ze moet hier blijven met Draak om ervoor te zorgen dat de school niet helemaal naar de duistere kant overgaat, want wat Kalona ook doet, hij beïnvloedt ze nog steeds, terwijl hij er zelf niet eens is.'

Lenobia glimlachte naar Jack. 'Je hebt volkomen gelijk. Ik kan nu niet weggaan uit het Huis van de Nacht.' Haar blik gleed door de kamer en bleef op iedereen even rusten, als laatste op mij. 'Jij kunt hen leiden. Je hebt ze geleid. Blijf gewoon doen wat je al die tijd hebt gedaan.'

Maar ik heb er een puinhoop van gemaakt! Meermalen! En ik weet helemaal niet of ik mezelf wel kan vertrouwen als ik bij Kalona in de buurt ben! wilde ik schreeuwen. In plaats daarvan probeerde ik te spreken op een volwassen toon. 'Maar iemand moet de Hoge Raad vertellen wat Neferet en Kalona in werkelijkheid in hun schild voeren. Dat kan ik niet. Ik ben nog maar een halfwas.'

'Nee, Zoey, je bent onze hogepriesteres, de eerste halfwas-hogepriesteres, en ze zullen naar je luisteren omdat Nux bij je is. Dat zie ik. Dat zag Shekinah. En dat zullen zij ook zien.'

Ik was er niet zo zeker van, maar iedereen lachte me bemoedigend toe, wat me het gevoel gaf dat ik moest overgeven. Maar in plaats van te kotsen of, mijn tweede keus, in tranen uit te barsten, zei ik: 'Wanneer vertrekken we?'

'Zo snel mogelijk,' zei Lenobia. 'We hebben geen idee hoeveel schade Kalona op dit moment aanricht. Denk aan het onheil dat hij in slechts enkele dagen hier heeft gewrocht.'

'Het loopt tegen zonsopgang. We zullen moeten wachten tot de zon weer ondergaat.' Starks stem klonk gespannen. 'Nu de ijsstorm voorbij is, zal de zon zichtbaar zijn, en dat betekent dat Stevie Rae en ik onderweg naar het vliegtuig geroosterd worden.'

'Jullie vertrekken na zonsondergang,' zei Lenobia. 'Tot dan gaan jullie inpakken, eten en slapen. Ik zal de regelingen treffen.'

'Ik vind dat Zoey beter niet op het eiland San Clemente kan verblijven,' zei Stark. Hij wendde zich tot Darius, op zoek naar steun. 'Ben jij het niet met me eens dat het een slecht idee is dat ze op de plek verblijft waar Aphrodite haar heeft zien verdrinken?'

'Stark, ze heeft ook gezien dat ik hier in Tulsa onthoofd werd. Maar dat is niet gebeurd omdat mijn vrienden me niet de rug hebben toegekeerd. Wáár ik ben is minder belangrijk dan het feit dat ik weet dat ik in gevaar ben en dat ik omringd ben door personen die me beschermen.'

'Maar ze zag dat ik bij je was! Als ik je niet kan beschermen, wie kan dat dan wel?'

'Ik kan dat,' zei Darius.

'Lucht kan dat ook,' zei Damien.

'Vuur kan ook korte metten met iemand maken,' zei Shaunee.

'Ik heb water, en ik zal echt niet laten gebeuren dat Zoey verdrinkt,' zei Erin verontwaardigd.

'Aarde zal Zoey altijd beschermen,' zei Stevie Rae, maar in haar expressieve ogen meende ik droefheid te zien.

'Ik ben ergerlijk menselijk, maar nog altijd gemeen. Als iemand erin slaagt om langs Darius, jou en de kudde oenen heen te komen, dan ben ik er ook nog,' zei Aphrodite.

'En aan dat allegaartje van mens, halfwas en vampier kun je nog een mens toevoegen,' zei Heath.

'Zie je nou wel?' zei ik tegen Stark, knipperend met mijn ogen om de tranen tegen te houden die waren opgeweld. 'Het is niet alleen jouw zorg. We zijn een team.'

Starks blik hield de mijne vast en ik kon zien dat hij het er moeilijk mee had. Het idee dat een hogepriesteres aan wie hij zijn krijgerseed had gezworen werd gedood was de ergste nachtmerrie van iedere krijger. Het feit dat Aphrodite hem in haar visioen had gezien en dat ik toch werd gedood had Starks zelfvertrouwen behoorlijk aan het wankelen gebracht.

'Het komt allemaal goed, geloof me,' zei ik.

Hij knikte en wendde toen zijn blik af, alsof hij mijn blik niet meer kon verdragen.

'Goed. Dan gaan we nu snel aan de slag. Neem niet te veel bagage mee. Je zult geen tijd hebben om daarmee rond te zeulen. Ieder van jullie neemt een boekentas mee met alleen de allernoodzakelijkste spullen,' zei Lenobia. Ik zag Aphrodite wit wegtrekken van afgrijzen en moest hoesten om een giechellachje te camoufleren. 'We treffen elkaar bij zonsondergang in de kantine.'

Ze liep naar de deur, maar daar aangekomen bleef ze staan. 'Zoey, zorg ervoor dat je niet alleen slaapt. Laten we proberen om Kalona zo veel mogelijk uit je hoofd te houden. We willen niet dat hij zelfs maar een vermoeden krijgt dat je eraan komt.'

Ik slikte krampachtig, maar knikte. 'Ja, oké.'

'Wees gezegend,' zei ze.

'Wees gezegend,' zeiden we allemaal, zelfs Heath.

Lenobia deed de deur achter zich dicht en het bleef even stil. Ik denk dat we allemaal met stomheid geslagen waren en nog niet echt doordrongen van het feit dat we naar Italië gingen om voor de Hoge Raad van Vampiers te spreken. Dat wil zeggen dat ík het woord moest doen. Ah shit. Ik moest spreken voor de Hoge Raad van Vampiers. Of misschien zou ik zodra ik voor al die oude, machtige vampiers stond acuut last krijgen van diarree en mezelf onderpoepen. Ja. Dat zou beslist indruk maken op de Raad. 'Uniek' zou maar een van de dingen zijn die ze me zouden noemen.

Jacks vraag maakte een eind aan mijn semihysterische innerlijke gewauwel. 'Wat doen we met Duchess en de katten?'

Ik keek neer op Nala, die naast me lag te spinnen en zei: 'Oeps.'

'We kunnen ze niet meenemen,' zei Stark. 'Dat kan echt niet.' Hij klonk meer als zichzelf toen hij eraan toevoegde: 'Maar ze zullen zwaar de pest in hebben als we terugkomen. Vooral die katten. Katten kunnen wrok koesteren.'

Aphrodite snoof. 'Vertel mij wat. Heb je mijn kat wel eens gezien? Over mijn kat gesproken, ik ga haar wat extra aandacht geven terwijl ik iets te eten haal en mijn tas inpak.' Ze schonk Darius een koket lachje. 'Als jij ook wat extra aandacht wilt, dan ben je van harte welkom.'

'Dat hoeft me geen twee keer gezegd te worden,' zei hij. 'Wees gezegend, priesteres,' zei hij tegen mij, en toen pakte hij haar bij de hand en gingen ze samen op weg naar haar kamer om godin-was-de-enige-die-wilde-weten-wat te doen.

'Wij moeten ook maar onze spulletjes bij elkaar zoeken,' zei Damien.

'Ik kan niet geloven dat we maar één boekentas met kleren mogen meenemen. Waar moet ik al mijn schoenen laten?' vroeg Jack.

'Ik vermoed dat het de bedoeling is dat we maar één paar schoenen meenemen,' zei Heath behulpzaam.

Jack was nog steeds sprakeloos van afschuw toen hij en Damien vertrokken.

Ik bleef achter met Stark, Heath en Stevie Rae. Voordat de toestand megaongemakkelijk kon worden, verraste Stark me door te zeggen: 'Heath, wil jij bij Zoey gaan slapen?'

'Hoor eens, man, wat mij betreft wil ik altijd wel bij Zoey slapen.'

Ik gaf hem een stomp tegen zijn arm, maar hij bleef grijnzen als een debiel.

'Wat ga jij doen?' vroeg ik Stark.

Hij ontweek mijn blik. 'Ik wil voor zonsopgang nog even een ronde maken langs de buitenmuur en dan wil ik gaan kijken of Lenobia hulp nodig heeft om alles te regelen. Daarna ga ik iets eten.'

'Waar ga je slapen?'

'In het donker.' Hij draaide zich naar me om en maakte een formele buiging met zijn rechtervuist op zijn borst. 'Wees gezegend, milady.' Voordat ik nog iets kon zeggen, vertrok hij.

Ik was met stomheid geslagen.

'Hij is over zijn toeren door Aphrodites visioen,' zei Stevie Rae. Ze stond op van mijn bed en rommelde door de laden die háár laden waren geweest voordat ze doodging en ondood werd. Ik was blij dat ik Neferet en de vampiers ervan had kunnen overtuigen om me wat van haar spullen terug te geven, zodat ze nu tenminste iets had om in rond te rommelen.

'Je moet het je niet zo aantrekken, Zo,' zei Heath. 'Stark is kwaad op zichzelf, niet op jou.'

'Heath, ik stel het op prijs dat je probeert me op te beuren, maar het is gewoon te bizar dat jij aan Starks kant staat.'

'Ik sta aan jouw kant, schatje!' Hij stootte me aan met zijn schouder, rekte zich lang en uitgebreid uit en sloeg toen een arm om me heen.

'Eh, Heath, wil je mij een groot plezier doen?' vroeg Stevie Rae.

'Tuurlijk!'

'Wil je naar de keuken gaan – die is door de gemeenschappelijke ruimte en dan rechts – en iets te eten voor ons in elkaar flansen? Er ligt altijd een zooi spullen voor sandwiches in de koelkasten. Je kunt ook chips zoeken, maar het enige wat je waarschijnlijk zult vinden zijn pretzels of van die "gezonde" ovenchips.'

'Jegh,' zeiden Heath en ik tegelijkertijd.

'Wil je dat doen?'

'Ja hoor, Stevie Rae, geen probleem.' Heath drukte me even tegen zich aan, gaf me een vluchtige zoen op mijn voorhoofd en sprong van het bed. Bij de deur keek hij grijnzend achterom naar Stevie Rae. 'Maar de volgende keer dat je onder vier ogen met Zo wilt praten, kun je dat gewoon zeggen. Ik ben een mens en ik speel football, maar ik ben echt geen debiel.'

'Daar zal ik volgende keer aan denken,' zei ze.

Met een knipoog naar mij vertrok hij.

'Godin, wat heeft die jongen een energie,' zei ik.

'Z, ik kan niet met jullie mee naar Italië,' zei Stevie Rae zonder inleiding.

'Wat? Je moet! Jij bent aarde. Ik heb daar de hele cirkel nodig.'

'Je hebt al eerder zonder mij een cirkel geworpen. Aphrodite kan mijn plaats innemen als jij haar helpt.'

'Zij kan aarde niet zijn. Dat werkt niet,' zei ik.

'Maar je hebt haar wel een keer geest gegeven, en dat werkte prima. Geef haar gewoon weer geest.'

'Stevie Rae, ik heb je nodig.'

Mijn beste vriendin voor altijd boog haar hoofd en zag er compleet verslagen uit. 'Alsjeblieft, zeg dat alsjeblieft niet. Ik móét hier blijven. Ik heb geen keus. De rode halfwassen hebben me harder nodig dan jij.'

'Dat gaat nu niet meer op,' zei ik ernstig. 'Ze zijn hier in de school met een massa volwassen vampiers. Zelfs als de volwassen vampiers zich vreemd gedragen, is hun aanwezigheid voldoende om te voorkomen dat je halfwassen de Verandering afstoten.'

'Het is niet alleen dat. Het gaat niet alleen om hen.'

'O, nee! Stevie Rae, je denkt toch niet nog steeds aan die slechte halfwassen?'

'Ik ben hun hogepriesteres,' zei ze zacht, me smekend met haar ogen om begrip. 'Ze zijn mijn verantwoordelijkheid. Terwijl jij weg bent, voordat je naar de tunnels moet gaan om ze iets afschuwelijks aan te doen, kan ik nog één keer proberen om ze te bereiken, om ze over te halen om naar hun menselijkheid terug te keren.'

'Stevie Rae...'

'Zoey! Luister naar me! Het is een keus. Ik heb de juiste gemaakt. Stark heeft de juiste gemaakt. De rode halfwassen hier zijn ook allemaal op de goede weg en wij waren vroeger ook slecht. Zoals je zelf zei: je weet hoe afschuwelijk het vroeger voor ons was, maar dat is veranderd. Wij zijn nu anders omdat we ervoor kiezen om anders te zijn. Ik geloof nog steeds dat die andere halfwassen ook voor de goede kant kunnen kiezen. Laat me dat alsjeblieft proberen.'

'Ik weet het niet. Stel dat ze je iets aandoen?'

Stevie Rae lachte, en haar korte blonde krullen dansten rond haar schouders. 'Ach, kom nou, Z! Ze kunnen me niets aandoen. Ze zitten ín de aarde. Als ze iets proberen, dan roep ik mijn element op om ze flink op hun falie te geven, en dat weten ze.'

'Misschien was het de bedoeling dat ze stierven en kunnen ze daarom hun menselijkheid niet terugkrijgen,' zei ik zacht.

'Dat kan ik niet geloven, nog niet tenminste.' Stevie Rae liep naar haar vroegere bed en ging tegenover me zitten, net als ze altijd deed voordat onze wereld om ons heen ontplofte. 'Ik wil met je meegaan. Echt waar. Verdikkeme, Z, jij verkeert in groter gevaar dan ik! Maar ik moet gewoon het juiste doen en dat is proberen die andere rode halfwassen te bereiken en ze nog een kans te geven. Begrijp je dat?'

'Ja, dat begrijp ik. Maar ik heb je vreselijk gemist en zou niks liever willen dan dat je meegaat.'

Stevie Raes ogen vulden zich met tranen. 'Ik heb jou ook gemist, Z. Het is afschuwelijk geweest om dingen voor je verborgen te moeten houden, maar ik was veel te bang dat je het niet zou begrijpen.'

'Ik weet wat het is om dingen geheim te moeten houden. Dat is goed waardeloos.'

'Serieus, dat is behoorlijk zwak uitgedrukt,' zei ze. 'We zijn nog steeds beste vriendinnen, toch?'

'Wij zullen altijd beste vriendinnen zijn,' zei ik.

Met een brede glimlach sprong ze op me af en we omhelsden elkaar zo stevig dat Nala wakker werd en tegen ons mopperde alsof ze iemands moeder was.

Heath koos dat moment om de kamer binnen te komen. Met zijn armen vol eten bleef hij staan en staarde naar ons. 'Yes! Ik ben doodgegaan en ben in de meisjes-met-meisjeshemel!'

'O-mijn-godin!' zei ik.

'Heath, je bent net zo weerzinwekkend als een in het verkeer doodgereden dier, een stinkende, walgelijke, hartje zomer doodgereden buidelrat.'

'Jegh, dat is écht walgelijk,' zei ik.

'Nou, dat is je vriendje.'

'Maar ik heb eten bij me,' zei hij.

'Goed, we vergeven het je,' zei ik.

'Hoor eens, even voor alle duidelijkheid: ik slaap hier in mijn oude bed. Dus geen handtastelijkheden en gerotzooi, want dat vind ik niet tof.' Stevie Rae praatte tegen Heath, maar ik gaf antwoord.

'Eh, ik heb twee woorden voor meiden die met hun vriendje rotzooien terwijl er andere meisjes in de kamer zijn: "niet oké". Daar hoef je dus niet bang voor te zijn.' Ik klopte op mijn bed. 'Heath zal zich gedragen omdat we het er al over hebben gehad dat onze relatie op meer dan seks is gebaseerd. Waar of niet, Heath?'

Stevie Rae en ik keken hem doordringend aan.

'Waar. Triest en tragisch, maar waar,' gaf hij onwillig toe.

'Oké. Dan gaan we eerst eten, daarna zal ik Z helpen met inpakken en dan kunnen we gaan slapen. Eindelijk,' zei Stevie Rae.

Ik doezelde net weg, behaaglijk genesteld in Heath' sterke, vertrouwde armen, toen het me inviel: Heath kon echt niet mee naar Italië.

'Heath,' fluisterde ik. 'We moeten praten.'

'Ben je van gedachten veranderd over dat geen-geflikflooi?' fluisterde hij terug.

Ik gaf hem een por met mijn elleboog.

'Au, wat nou?' zei hij.

'Ik wil niet dat je kwaad wordt, maar je kunt echt niet mee naar Italië.'

'Natuurlijk wel.'

'Je ouders zullen het nooit goedvinden dat je zo veel school mist.'

'We hebben wintervakantie.'

'Nee, je had vrij vanwege de ijsstorm. De storm is uitgewoed. De school begint vandaag of morgen weer,' zei ik.

'Dan haal ik het wel in als ik terug ben.'

Ik probeerde een andere tactiek. 'Je moet hier blijven en je op je resultaten focussen. Het is je laatste semester voordat je naar de universiteit gaat. Als je het nu verknalt, dan kun je je beurs vergeten.'

'Hoor nou, het is heel simpel. Broken Arrow heeft toch de cijferlijsten en dergelijke online, weet je nog?'

'Hoe zou ik iets kunnen vergeten wat zo compleet irritant is als dat mijn ouders elke dag mijn cijfers en huiswerktaken konden bekijken?' Toen hield ik abrupt mijn mond omdat ik besefte wat ik had gezegd.

'Snap je? Ik kan mijn huiswerk online maken. Ik blijf gewoon bij. Jij kunt me zelfs helpen. Of nog beter, Damien kan me helpen. Het is niet lullig bedoeld, Zo, maar hij is veel meer een studiebol dan jij.'

'Dat weet ik, maar dat heeft er niks mee te maken. Je ouders laten je echt niet gaan.'

'Ze kunnen me niet tegenhouden. Ik ben achttien.'

'Heath, alsjeblieft, ik voel me al rot genoeg over alle shit die ik in je leven heb gebracht. Ik wil het niet op mijn geweten hebben dat je je laatste semester van school verpest, dat je huisarrest krijgt tot je naar de universiteit vertrekt én dat je je leven in gevaar brengt.'

'Ik heb je al vaker gezegd dat ik heel goed voor mezelf kan zorgen,' zei hij.

'Oké, laten we een compromis sluiten. Zodra we opstaan, bel je je ouders om te vragen of je met me mee mag naar Italië. Als ze "ja" zeggen, ga je mee. Als ze "nee" zeggen, blijf je hier en ga je gewoon naar school.'

‘Moet ik ze vertellen over Kalona en zo?’

‘Het lijkt me geen goed idee om het grote publiek ervan op de hoogte te brengen dat een gevallen onsterfelijke en een krankzinnig geworden ex-hogepriesteres de wereld proberen over te nemen. Dus, nee, dat hoef je je ouders niet te vertellen.’

Hij aarzelde even en zei toen: ‘Oké, daar kan ik mee leven.’

‘Beloofd?’

‘Beloofd.’

‘Goed, want ik zal het gesprek afluisteren, dus je zult me geen bullpoepie op de mouw kunnen spelden.’

‘Dat is helemaal geen woord, Zo.’

‘Het is míjn woord. Ga slapen, Heath.’

Hij trok me dicht tegen zich aan. ‘Ik hou van je, Zo.’

‘En ik van jou.’

‘Bij mij ben je veilig.’

Ik viel in slaap met Heath’ armen om me heen en een glimlach op mijn gezicht. Mijn laatste bewuste gedachte was dat hij zo sterk aanvoelde en dat ik hem echt moest vertellen hoe blij ik met hem was.

Mijn volgende gedachte was niet bewust en totaal niet geruststellend: *Waarom ben ik in godsnaam weer op het dak van dit kasteel?*

30

Zoey

Het was hetzelfde kasteeldak, geen twijfel mogelijk. De sinaasappelbomen hingen vol sappige vruchten en de koele bries voerde de geur mee. Midden op het dak stond dezelfde fontein in de vorm van een naakte vrouw en uit haar geheven, tot een kom gevormde handen stroomde kristalhelder water. Nu ik haar voor de tweede keer zag, besefte ik waarom ze me bekend voorkwam. Ze deed me aan Nux denken, dat wil zeggen aan minstens een van de gezichten die de godin mij had getoond. En toen herinnerde ik me wat ik over deze plek had geleerd: dat het de locatie was van de oorspronkelijke Hoge Raad van Vampiers, en dat het dus helemaal niet vreemd was dat de fontein op onze godin leek. Ik wilde ernaast gaan zitten en de citrusgeur en de zeelucht diep inademen. Ik wilde me niet omdraaien toen mijn gevoel me zei dat ik me moest omdraaien, en zien wat ik wist dat ik zou zien. Maar net als de sneeuwbal die van de berg af rolt, had ik geen controle over de lawine die me overweldigde, dus draaide ik me in de richting die mijn ziel me ingaf.

Kalona zat geknield bij de tandachtige rand van het dak, met zijn rug naar me toe. Hij was gekleed, of beter gezegd óngekleed, net als de vorige keer dat we hier waren: hij droeg een spijkerbroek en meer niet. Zijn donkere vleugels lagen gespreid om hem heen en alleen zijn bronskleurige schouders waren te zien. Zijn hoofd was gebogen en hij leek niet te weten dat ik er was. Ik kon mijn voeten niet tegenhouden toen ze naar hem toe liepen, en toen ik dichterbij kwam, zag ik dat hij op de plek zat waar ik had gestaan toen ik mezelf van het dak had gegooid.

Ik had hem bijna bereikt toen ik zijn schouders zag verstrakken. Zijn vleugels ritselden en toen ging zijn hoofd omhoog en keek hij over zijn schouder.

Hij huilde. Tranen trokken natte sporen over zijn gezicht. Hij zag er gebroken uit, compleet verslagen. Maar zodra hij me zag, veranderde zijn gezichtsuitdrukking. De intense vreugde op zijn gezicht en zijn weergaloze schoonheid deden mijn adem letterlijk stokken. Hij stond op en slaakte een kreet van blijdschap terwijl hij met grote passen naar me toe kwam.

Ik dacht dat hij me in zijn armen zou trekken, maar op het laatste moment bedacht hij zich. Zijn hand kwam omhoog alsof hij mijn wang wilde aanraken, maar zijn vingers stopten vlak voor mijn huid. Ze bleven daar even hangen, maar zonder me aan te raken liet hij zijn hand weer zakken.

'Je bent teruggekomen.'

'Dromen zijn niet echt. Ik ben niet gestorven,' zei ik, hoewel ik nauwelijks tot praten in staat was.

'Het rijk van dromen maakt deel uit van het hiernamaals. Onderschat nooit de kracht van wat daar gebeurt.' Hij streek met de rug van zijn hand over zijn gezicht en verraste me weer door zachtjes te grinniken. 'Je zult me wel een dwaas vinden. Ik wist natuurlijk dat je niet dood was. Maar het voelde zo echt, zo gruwelijk bekend.'

Ik staarde hem aan; ik wist niet wat ik moest zeggen. Ik wist niet hoe ik moest reageren op deze versie van Kalona, de versie die meer leek op en zich meer gedroeg als een engel dan als een demon. Hij deed me denken aan de Kalona die zich aan A-ya had overgegeven, die gewillig in de valstrik van haar omhelzing was gelopen met een kwetsbaarheid die me nog steeds achtervolgde. Het was een schril contrast met de vorige keer dat ik hier was, toen hij al zijn verleidingsregisters had opengetrokken, me had betast en...

Ik keek hem met tot spleetjes geknepen ogen aan. 'Hoe is het mogelijk dat ik hier weer ben? Ik slaap niet in mijn eentje en daarmee bedoel ik niet dat ik met een van mijn vriendinnen slaap.

Daarmee bedoel ik vrienden die meisjes zijn,' verbeterde ik haastig. 'Ik slaap in de armen van de menselijke jongen met wie ik een stempelband heb. Hij en ik zijn beslist meer dan vrienden. Het zou niet mogelijk moeten zijn dat je hierbinnen komt.' Ik wees naar mijn hoofd.

'Ik zit niet in je hoofd. Jij hebt me nooit je dromen in geroepen. Ik trek je wezen aan. Ik ben de indringer, zonder uitnodiging van jou.'

'Dat is niet wat je eerder zei.'

'Eerder heb ik tegen je gelogen. Ik spreek nu de waarheid.'

'Waarom?'

'Om dezelfde reden dat ik je in je slaap hierheen heb kunnen halen, ondanks het feit dat je in de armen van een ander ligt. Deze keer, voor het eerst, zijn mijn beweegredenen zuiver. Ik probeer je niet te manipuleren. Ik probeer je niet te verleiden. En ik spreek alleen de waarheid.'

'Hoe kun je verwachten dat ik dat geloof?'

'Of je het wel of niet gelooft, verandert niets aan de aard van waarheid. Je bent hier, Zoey, terwijl je hier niet hoort te zijn. Is dat geen bewijs genoeg?'

Ik kauwde op mijn lip. 'Dat weet ik niet. Ik ken de regels hier niet.'

'Maar je weet van de kracht van waarheid. Dat heb je me tijdens je vorige bezoek bewezen. Kun je niet een beroep doen op die kracht om de veraciteit van wat ik zeg te beoordelen?'

Dankzij Damien wist ik dat 'veraciteit' 'waarheid' betekent, dus ik stond niet met een groot vraagteken op mijn gezicht op mijn lip te kauwen omdat ik niet begreep wat hij bedoelde. Dat vraagteken sloeg op het feit dat ik niet wist hoe ik moest reageren. Kalona bracht me compleet van mijn stuk. Toen ik eindelijk mijn mond opendeed om te zeggen: nee, ik kan niet vertrouwen op de kracht van waarheid, terwijl ik geen flauw idee heb waarover je mogelijk liegt, stak hij zijn hand op om me tegen te houden.

'Je hebt me een keer gevraagd of ik altijd zo ben geweest als nu, en ik heb de vraag omzeild en tegen je gelogen. Vandaag wil ik je de waarheid geven. Wil je me dat toestaan, Zoey?'

Hij noemde me weer Zoey! Hij had me geen enkele keer A-ya genoemd, zoals hij zo graag deed. En hij raakte me niet aan. Met geen vinger.

'Dat... dat weet ik niet.' Ik stotterde als een debiel en deed een klein stapje achteruit, verwachtend dat de goodguyfaçade zou vervagen en de verleidende onsterfelijke weer zou verschijnen. 'Hoe wilde je dat gaan doen?'

Zijn prachtige barnsteenkleurige ogen versomberden van droefheid. Hij schudde zijn hoofd. 'Nee, Zoey. Je hoeft niet bang te zijn dat ik zal proberen de liefde met je te bedrijven. Als ik probeer van waarheid naar verleiding over te gaan, dan zou deze droom uiteenspatten en zou je wakker worden in de armen van een ander. Om het mij mogelijk te maken je te tonen wat je moet zien, hoef je alleen maar mijn hand vast te pakken.' Hij stak me zijn hand toe, die er sterk en heel normaal uitzag.

Ik aarzelde.

'Ik geef je mijn woord dat mijn huid je niet zal schroeien met de koude kracht van mijn verlangen naar jou. Ik weet dat je geen reden hebt om mij te vertrouwen, dus vraag ik je slechts om op de waarheid te vertrouwen. Raak me aan en je zult zien dat ik niet tegen je lieg.'

Het is maar een droom, bracht ik mezelf in herinnering. Wat hij ook zegt over het hiernamaals, een droom is een droom. Dit is niet echt. Maar waarheid was echt, zowel in dromen als in de wakende wereld, en de trieste waarheid was dat ik zijn hand wilde vastpakken. Ik wilde zien wat hij me moest tonen.

Ik bracht dus mijn hand omhoog en drukte mijn handpalm op die van hem.

Hij had de waarheid gesproken. Voor het eerst werd ik niet overweldigd door de ijzige kou van zijn hartstocht en kracht die ik niet kon aanvaarden, hoewel ik die ook niet volledig kon afwijzen.

'Ik wil je mijn verleden laten zien.' Zijn vrije hand zwaaide voor ons heen en weer, alsof hij een onzichtbaar raam schoonveegde, eenmaal, tweemaal, driemaal. Toen trilde de lucht, en met een scheurend geluid ging er iets voor ons open, alsof hij het dromenrijk had opengescheurd. 'Aanschouw de waarheid!'

Op zijn bevel huiverde de scheur in de lucht en toen, alsof iemand een grote flatscreen-tv had aangezet, keek ik naar stukjes van Kalona's verleden.

Het eerste beeld was adembenemend mooi. Kalona was daar, halfnaakt zoals altijd, maar deze keer had hij een lang, gevaarlijk ogend zwaard in zijn hand, en een tweede zwaard zat in een schede op zijn rug. En zijn vleugels waren zuiver wit! Hij stond voor de luisterrijke deur van een marmeren tempel. Hij zag er gevaarlijk en edel uit, geheel en al een ware krijger. Terwijl ik naar hem keek, zag ik zijn strenge gezichtsuitdrukking zachter worden, en toen een vrouw de trap voor de tempel op liep, glimlachte hij naar haar, en zijn glimlach was vervuld van aanbidding.

Gegroet, Kalona, mijn krijger.

Haar stem galmde spookachtig vanuit het verleden naar me toe en mijn adem stokte. Ik hoefde het gezicht van de vrouw niet te zien. Ik herkende onmiddellijk haar stem. 'Nux!' riep ik uit.

'Inderdaad,' zei Kalona. 'Ik was de gezworen krijger van Nux.'

De Kalona in het visioen volgde zijn godin haar tempel in. Het beeld veranderde en opeens vocht Kalona met beide zwaarden met iets wat ik niet scherp in beeld kreeg. Het 'iets' was zwart en veranderde voortdurend van vorm. Het ene moment was het een reusachtige slang en het volgende een open mond vol fonkelende tanden en dan weer een afzichtelijk spinachtig wezen met klauwen en giftanden.

'Wat is dat?'

'Een aspect van het kwaad.' Kalona sprak langzaam, alsof hij het moeilijk vond om erover te praten.

'Maar was je dan niet in Nux' rijk? Hoe kon het kwaad daar binnenkomen?'

'Het kwaad is overal, zoals ook het goede overal is. Dat is hoe de wereld en het hiernamaals zijn geschapen. Er moet evenwicht zijn, zelfs in Nux' rijk.'

'Had ze daarom een krijger nodig?' vroeg ik, terwijl ik het beeld weer zag veranderen. Nu liep Kalona met zijn verblindend witte vleugels achter Nux, die door een welig weiland wandelde. Zijn blik flitste voortdurend heen en weer en speurde het gebied rondom en achter de godin af. Zijn ene zwaard lag in zijn hand. Het andere zat in de schede op zijn rug.

'Ja, daarom heeft ze een krijger nodig,' zei hij.

Hij gebruikte de tegenwoordige tijd en ik keek van de beelden in het verleden naar de Kalona van nu. 'Als ze nog steeds een krijger nodig heeft, waarom ben jij dan hier en niet daar?'

Zijn kaak verstrakte en zijn ogen vulden zich met pijn. Zijn stem was schor toen hij zei: 'Kijk daar, en je zult de waarheid zien.'

Ik richtte mijn blik weer op de steeds veranderende beelden en zag Nux nu voor Kalona staan. Hij lag voor haar op zijn knieën, en net als toen ik deze droom binnen was gegaan huilde hij. Deze incarnatie van Nux leek zo sprekend op het beeld van Maria in de grot van de benedictijnerabdij dat ik ervan schrok. Maar terwijl ik keek, zag ik dat er toch iets anders was aan Nux. In tegenstelling tot de serene schoonheid van de Maria van de nonnen was Nux' gezichtsuitdrukking hard en vreemd genoeg steenachtiger dan het gezicht van het beeld.

Alstublieft, doet u dit niet, mijn godin. Kalona's stem kwam tot ons. Hij klonk smekend.

Ik doe niets, Kalona. Je hebt een keus. Ik geef zelfs mijn krijgers vrije wil, al vereis ik niet dat ze die verstandig gebruiken.

Ik was geschokt door de ijzige toon van Nux' stem. Heel even deed ze me denken aan hoe Aphrodite vroeger was.

Ik kan er niets aan doen. Ik ben geschapen om dit te voelen. Het is geen vrije wil. Het is voorbeschikking.

Maar als je godin zeg ik dat wat je bent niet is voorbeschikt. Je wil heeft je gemaakt tot wat je bent.

Ik kan er niets aan doen dat ik voel wat ik voel! Ik kan er niets aan doen dat ik ben wat ik ben!

Jij, mijn krijger, vergist je; derhalve moet je de consequenties van je fout aanvaarden.

Nux hief een perfecte arm en knipte met haar vingers naar Kalona. De krijger werd van zijn knieën omhooggetrokken en achteruitgeslingerd.

Kalona viel.

Ik zag hem vallen.

Ik zag hem gillen en kronkelen van doodsangst terwijl hij viel en viel en viel. Toen hij eindelijk neerkwam, verkreukeld, gebroken en bebloed, in een welig weiland dat me aan de Tall Grass Prairie deed denken, waren zijn vleugels niet meer wit, maar ravenzwart.

Met een van pijn vervulde kreet veegde Kalona met zijn hand het visioen van het verleden weg. Terwijl de lucht voor ons trilde en toen weer de daktuin van het kasteel werd, liet hij mijn hand los, liep bij me vandaan en ging op een bank onder een sinaasappelboom zitten. Hij zei niets. Hij keek zwijgend voor zich uit naar het fonkelende blauw van de Middellandse Zee.

Ik volgde hem, maar ging niet naast hem zitten. Ik ging voor hem staan en bestudeerde hem alsof ik de waarheid met mijn blik kon beoordelen.

'Waarom heeft ze je eruit getrapt? Wat had je gedaan?'

Zijn ogen ontmoetten die van mij. 'Ik hield te veel van haar.' Zijn stem was zo emotioneel dat hij klonk als een geest.

'Hoe kun je te veel van je godin houden?' vroeg ik automatisch, terwijl het voor de hand liggende antwoord me inviel. Er waren verschillende soorten liefde, dat was ik me maar al te zeer bewust. Kalona's liefde voor Nux was klaarblijkelijk het verkeerde soort geweest.

'Ik was jaloers. Ik haatte zelfs Erebus.'

Ik knipperde geschokt met mijn ogen. Erebus was Nux' levensgezel, haar eeuwige geliefde.

'Mijn liefde voor haar deed me mijn eed verbreken. Ik was zo door haar geobsedeerd dat ik haar niet meer kon beschermen. Ik ben jegens haar tekortgeschoten als haar krijger.'

'Dat is afschuwelijk,' zei ik, en ik dacht aan Stark. Hij had me nog maar enkele dagen geleden zijn krijgerseed gezworen en ik wist nu al dat het voor hem zou aanvoelen alsof een deel van zijn ziel werd weggescheurd als hij er niet in zou slagen mij te beschermen. En hoe lang was Kalona Nux' krijger geweest? Eeuwenlang? Hoe lang was een stukje eeuwigheid?

Onvoorstelbaar genoeg besefte ik dat ik medelijden met Kalona had. Dat sloeg toch nergens op? Zeker, de godin had zijn hart gebroken en hem uit haar rijk doen vallen, maar toen was hij een badguy geworden. Hij was het kwaad geworden dat hij eerder had bestreden.

Hij knikte en zei, alsof hij mijn gedachten kon horen: 'Ik heb vreselijke dingen gedaan. Ik ben vreselijke dingen blijven doen. Het vallen heeft me veranderd. Toen, zo lang dat ik vanbinnen gevoelloos werd, heb ik gezocht, eeuw na eeuw, naar iets, iemand die de bloedige wond die Nux in mijn ziel, in mijn hart had achtergelaten, kon helen. Toen ik haar vond, besefte ik niet dat ze niet echt was, dat ze een illusie was die was geschapen om me in de val te lokken. Ik heb me gewillig in haar armen geworpen. Wist je dat ze huilde toen ze begon terug te keren tot de klei waaruit ze was gemaakt?'

Een schok trok door mijn lichaam. Ik wist waarover hij sprak. Ik had het samen met haar ervaren.

'Ja.' Mijn stem was een schorre fluistering. 'Ik herinner het me.'

Zijn ogen werden groot van schrik. 'Herinner je je dat? Heb je A-ya's herinneringen?'

Ik wilde niet onthullen tot hoever de herinnering van A-ya ging, maar wist dat ik niet kon liegen. Dus paste ik een klein stukje van de waarheid aan en gaf hem dat in het kort. 'Slechts één. Ik herinner me slechts dat ik oploste. En ik herinner me dat A-ya huilde.'

'Ik ben blij dat je je verder niets herinnert, want haar geest bleef bij me, gevangen in de duisternis, nog heel lang. Ik kon haar niet aanraken, maar ik voelde haar aanwezigheid. Ik geloof dat dat het enige was wat voorkwam dat ik krankzinnig werd.' Een huivering trok door zijn lichaam en ik zag zijn handen omhoogkomen, alsof hij letterlijk probeerde de herinnering weg te duwen. Hij deed er geruime tijd het zwijgen toe.

Ik begon al te denken dat hij klaar was met het navertellen van het verleden en probeerde in mijn geschokte geest een vraag te formuleren die ik hem kon stellen, toen hij weer begon te praten.

'Toen was A-ya weg en begon ik te roepen. Ik fluisterde mijn behoefte aan vrijheid tegen de wereld, en uiteindelijk hoorde de wereld me.'

'Bedoel je eigenlijk niet dat Neferet je hoorde?'

'Het is waar dat zij me hoorde, maar het was niet alleen de Tsi Sgili die op mijn roep reageerde.'

Ik schudde mijn hoofd. 'Jij hebt me niet naar het Huis van de Nacht geroepen. Nux heeft me gemerkt. Daarom was ik daar.'

'Werkelijk? Ik moet de waarheid spreken omdat anders onze droom uiteenspat, dus ik zal niet proberen je te overtuigen door te veinzen dat ik meer weet dan ik in werkelijkheid weet. Ik zal alleen zeggen wat ik geloof, en ik geloof dat ook jij me hebt gehoord. Of op zijn minst dat het deel van je dat ooit A-ya was me hoorde en mijn stem herkende.' Hij aarzelde even en voegde er toen aan toe: 'Misschien leidde de hand van Nux je reïncarnatie. Misschien heeft de godin je gestuurd om...'

'Nee!' Ik wilde niets meer horen. Mijn hart bonsde zo hard dat ik het gevoel had dat het uit mijn borst zou barsten. 'Nux heeft me niet naar jou toe gestuurd, en ik ben niet echt A-ya. Het maakt niks uit dat ik een willekeurige herinnering heb die van haar is. In dit leven ben ik een echt meisje, met vrije wil en een eigen mening.'

Zijn gezichtsuitdrukking veranderde weer. Zijn ogen werden zachter toen hij teder naar me glimlachte. 'Dat weet ik, Zoey, en daarom heb ik zo veel moeite met mijn gevoelens voor jou. Toen ik uit de aarde werd bevrijd, verlangde ik naar de maagd die me gevangen had gezet, maar vond ik een meisje met vrije wil dat me bevocht.'

'Waarom doe je dit? Waarom klink je zo? Je bent helemaal niet zoals je je voordoet!' schreeuwde ik tegen hem, in een poging het afschuwelijke, heerlijke gevoel dat zijn woorden me bezorgden, weg te krijsen.

'Het gebeurde toen jij viel. Ik zag mezelf weer vallen, en in dat visioen zag ik ook mijn hart opnieuw breken. Ik kon het niet verdragen. Ik nam me heilig voor dat als ik je nog eenmaal naar me toe kon halen, ik je de waarheid zou tonen.'

'Als dit werkelijk de waarheid is, dan moet je weten dat je het kwaad bent geworden dat je vroeger bestreed.'

Hij wendde zijn blik af, maar niet voordat ik schaamte in zijn ogen had gezien. 'Ja, dat weet ik.'

'Ik heb een ander pad gekozen. Ik kan het kwaad niet liefhebben. En dát is de waarheid,' zei ik.

Hij keek me onmiddellijk weer aan. 'En als ik ervoor kies om het kwaad te verwerpen? Wat dan?'

Zijn vragen overrompelden me en ik zei het eerste wat bij me opkwam. 'Je kunt het kwaad niet verwerpen, niet zolang je met Neferet bent.'

'En als ik alleen met Neferet slecht ben? Als het zo is dat als ik met jou was, ik voor het goede zou kiezen?'

'Onmogelijk.' Ik schudde heftig mijn hoofd.

'Waarom noem je dat onmogelijk? Het is al eerder gebeurd. Dat weet je doordat de keus voor het goede dankzij jou is gedaan. De krijger die aan jou gebonden is, is daarvan het bewijs.'

'Nee. Deze versie van jou is niet echt. Jij bent Stark niet. Je bent een gevallen onsterfelijke, Neferets minnaar. Je hebt vrouwen verkracht, mensen tot je slaaf gemaakt, mensen gedood. Je zoons hebben mijn oma bijna gedood. Een van hen heeft professor Anastasia vermoord!' Ik verzamelde alle gruwelijkheden en slingerde ze hem naar het hoofd. 'De halfwassen en docenten van het Huis van de Nacht gingen door jou aan Nux twijfelen. Ze gedragen zich nog steeds niet normaal. Of het hun keus is of niet, ze zijn vervuld van angst, haat en jaloezie, net als jij vroeger jegens Nux!'

Hij deed net alsof ik niet tegen hem stond te schreeuwen. Hij zei alleen maar: 'Je hebt Stark gered. Kun je mij niet ook redden?'

'Nee!' gilde ik.

En toen schoot ik overeind in mijn bed.

'Zo, het is oké. Ik ben bij je.' Heath veegde met zijn ene hand de slaap uit zijn ogen en wreef met de andere over mijn rug.

'O, godin,' zei ik, en ik slaakte een diepe, huiverende zucht.

'Wat is er? Een nare droom?'

'Ja, ja. Een rare, akelige droom.' Ik keek naar het bed aan de andere kant van de kamer. Stevie Rae had zich niet verroerd. Nala lag opgekruld bij haar schouder. Mijn kat niesde naar me. 'Verrader,' zei ik tegen haar, waarbij ik mijn best deed om weer normaal te klinken.

'Goed, ga dan maar weer slapen. Dit omdraaien van dag en nacht begint eindelijk voor me te werken en ik wil niet uit het ritme raken,' zei Heath. Hij opende uitnodigend zijn armen.

'Oké, ja, sorry.' Ik ging weer liggen en rolde me op tot een bal die beangstigend veel weg had van een foetushouding.

'Ga weer slapen,' zei Heath nog eens om een enorme geeuw heen. 'Alles is oké.'

Ik lag nog een hele tijd wakker en wenste vertwijfeld dat dat waar kon zijn.

31

Zoey

Toen we tegen de schemering wakker werden, wilde ik niet denken aan Kalona en de droom, dus stortte ik me op Heath. 'Oké, tijd om je ouders te bellen zodat ze je kunnen zeggen dat je naar huis moet.'

'Is er iets, Z?' vroeg Stevie Rae terwijl ze met een handdoek haar haar droogde. Zij en ik hadden spullen in mijn boekentas gepropt terwijl Heath onder de douche stond, waarna we ons om de beurt hadden klaargemaakt. Haar vraag deed me beseffen dat ik in al die tijd weinig meer had gedaan dan eenlettergrepige antwoorden mompelen op alles wat zij of Heath had gezegd.

'Nee, hoor. Niks aan de hand. Ik ga alleen Heath missen,' loog ik. Oké, nou, het was niet echt een leugen, want ik zou Heath werkelijk missen terwijl we in Italië waren, maar dat was niet de reden dat ik geen zin had gehad om te praten.

Dat kwam door Kalona. Ik was bang dat als ik te veel zou zeggen, de droom van vannacht mijn mond uit zou rollen en ik Stevie Rae alles zou vertellen, en dat wilde ik niet doen waar Heath bij was. Nee, er zat meer achter. Ik wilde niemand vertellen over de nieuwe versie van Kalona die ik had gezien.

Ik wilde ze niet horen zeggen dat het een drogbeeld was.

Ik schrok me wild toen Heath me omhelsde. 'Ah, wat lief van je, Zo,' zei hij, zich niet bewust van het afschuwelijke bedrog dat zich afspeelde in mijn hoofd. 'Maar je zult me niet hoeven missen. Ik heb een goed gevoel over het telefoontje.'

Ik schudde mijn hoofd. 'Je moeder zal het echt niet goedvinden dat je met mij naar Italië vertrekt.'

'Misschien niet met jóú. Maar met je school misschien wel.'

Voor ik iets kon zeggen, pakte hij zijn mobieltje, toetste het nummer in en begon zijn kant van het gesprek.

'Hallo, mam, met mij.'

'Ja, met mij is alles goed.'

'Ja, ik ben nog bij Zoey.' Hij zweeg even, keek naar mij en zei: 'Mam doet je de groeten.'

'Doe maar de groeten terug.' Toen fluisterde ik: 'Schiet op!'

Hij knikte. 'Zeg, mam, over Zo gesproken, zij en een groepje leerlingen van het Huis van de Nacht gaan naar Italië. Venetië, nou, om precies te zijn eigenlijk dat eiland bij Venetië. Je weet wel, San Cle-nog-wat. Waar de Hoge Raad van Vampiers vergadert en zo. Ik wilde vragen of je het goedvindt dat ik met hen mee ga.'

Ik hoorde zijn moeder haar stem verheffen en moest een glimlach onderdrukken. Ik had geweten dat zijn moeder in alle staten zou raken.

Ik had natuurlijk niet geweten wat voor smoes Heath achter de hand had gehad.

'Wacht even, mam. Het is niks bijzonders. Het is gewoon zo'n reisje zoals ik vorig jaar zomer met de leraar Spaans had willen maken, maar toen kon ik niet mee omdat de footballtraining weer begon. Weet u nog?' Hij knikte toen zijn moeder iets zei. 'Ja, het gaat van de school uit. We blijven acht dagen weg, net als met die Spaanse reis. Ik denk dat ik mijn Spaans goed kan gebruiken, want Italiaans en Spaans lijken veel op elkaar.' Hij zweeg weer even en zei toen: 'Oké, ja, cool.'

'Ze zegt dat ik het mijn vader moet vragen,' fluisterde hij met zijn hand over de telefoon.

Toen hoorde ik een zwaardere stem, en Heath zei: 'Hoi, pa. Ja, alles oké.' Hij wachtte terwijl zijn vader sprak en zei toen: 'Ja, daar komt het op neer. Het is een schoolreis. Ik kan mijn huiswerk online maken.' Heath glimlachte als reactie op wat zijn vader zei. 'Echt waar? Blijft de school nog een hele week dicht vanwege stroomuitval in de buurt?' Hij wiebelde met zijn wenkbrauwen naar me. 'Wauw, dat komt dan heel goed uit. En wat denk je, pa?

Aangezien we met de privéjet van het Huis van de Nacht vliegen en op het eiland van de vampiers logeren, kost het me geen cent.'

Ik knarsetandde. Niet te geloven hoe makkelijk hij zijn ouders bewerkte. Nancy en Steve Luck waren aardige mensen en best goede ouders, maar ze hadden geen flauwe notie van wat er in tieners omging. Serieus. Heath had jarenlang een drankprobleem gehad en dat hadden ze niet eens gemerkt, zelfs niet wanneer hij thuiskwam en stonk naar kots en bier. Jegh.

'Geweldig, pa! Te gek!' Heath' gejubel deed me met mijn ogen knipperen en me op hem concentreren in plaats van op mijn inwendige gewauwel. 'Ja, ik bel jullie elke dag.' Hij zweeg terwijl zijn vader nog iets zei. 'O ja, dat was ik bijna vergeten. Oké, terwijl Zo en de rest van de groep zich klaarmaken, kom ik snel naar huis voor mijn paspoort en wat kleren. Zeg tegen mam dat we ieder maar één boekentas met spullen mogen meenemen en dat ze dus niet te veel moet inpakken. Oké, tot gauw! Dag!' Grijnzend als een kleuter die tijdens snacktijd een extra pakje chocomel had gekregen, verbrak hij de verbinding.

'Dat was listig,' zei Stevie Rae.

'Ik was dat Spaanse reisje helemaal vergeten,' zei ik.

'Ik niet. Het ziet er dus naar uit dat ik snel naar huis moet om mijn paspoort en zo te halen. Ik zie jullie op het vliegveld. Niet zonder mij vertrekken!' Hij zoende me vluchtig, pakte zijn jas en rende de kamer uit alsof hij wilde ontsnappen voordat ik hem kon vertellen dat, ongeacht wat zijn argeloze ouders zeiden, hij écht niet mee kon.

'Neem je hem echt mee?' vroeg Stevie Rae.

'Ja,' zei ik apathisch. 'Dat zal wel.'

'Nou, ik ben blij. Ik wil niet lullig doen, maar ik vind het een goed idee vanwege het bloedgedoe.'

'"Bloedgedoe"?'

'Z, je hebt een stempelband met hem. Zijn bloed is supergoed voor je. Je begeeft je in een gevaarlijke situatie. Je gaat Kalona, Neferet en de Hoge Raad confronteren, en het is niet ondenkbaar dat je wat supergoed-voor-je bloed nodig gaat hebben.'

'Ja, je zult wel gelijk hebben.'

'Oké, Z. Wat is er verdikkeme aan de hand?'

Ik keek haar verbaasd aan. 'Wat bedoel je?'

'Ik bedoel dat je je gedraagt als een zombie. Dus vertel me over die "rare" droom waaruit je wakker schrok.'

'Ik dacht dat je sliep.'

'Ik wilde dat je dat dacht voor het geval jij en Heath wilden rotzooien.'

'Met jou in de kamer? Walgelijk, gewoon.'

'Dat vind ik ook, maar ik probeerde beleefd te zijn.'

'Jeetje,' zei ik. 'Het idee alleen al. Dat zou ik echt nooit doen.'

'En ik ga echt niet laten gebeuren dat je van onderwerp verandert. De droom, weet je nog wel? Vertel op.'

Ik slaakte een zucht. Stevie Rae was mijn beste vriendin en ik moest er eigenlijk echt over praten. 'De droom ging over Kalona,' zei ik.

'Is hij je droom binnengedrongen terwijl je met Heath sliep?'

'Nee. Dat niet,' zei ik naar waarheid, maar ontwijkend. 'Het was eigenlijk meer een visioen dan een droom.'

'Een visioen van wat?'

'Zijn verleden. Heel lang geleden, voordat hij viel.'

'Viel? Waarvandaan?'

Ik ademde een keer diep in en uit en vertelde haar de waarheid. 'Van de zijde van Nux. Vroeger was hij haar krijger.'

'Wel-heb-je-me-ooit!' Ze ging op haar bed zitten. 'Weet je dat zeker?'

'Ja... Nee... Ik weet het niet! Het leek echt, maar ik weet het niet zeker. Hoe kan ik het ooit zeker weten?' Toen stokte mijn adem. 'O nee.'

'Wat?'

'In de herinnering die ik had van A-ya zei ze iets over dat Kalona niet was voorbestemd om deze wereld te bewandelen.' Ik slikte krampachtig en klemde mijn handen in elkaar om het beven te laten ophouden. 'En ze noemde hem haar "krijger".'

'Oeps. Je bedoelt dat ze wist dat hij Nux' krijger was geweest voordat hij viel?'

'O godin, dat weet ik niet.' Maar ik wist het wel. Diep in mijn hart wist ik dat A-ya had geprobeerd Kalona te troosten met vertrouwdheid. Hij was vroeger een krijger geweest en zou weer een krijger willen zijn.

'Misschien moet je met Lenobia praten over...' begon Stevie Rae.

'Nee! Stevie Rae, beloof me dat je het aan niemand vertelt. Ze weten al dat ik een herinnering heb van A-ya die samen was met Kalona. Dat, en daarbij Aphrodites visioenen, is genoeg om iedereen de stuipen op het lijf te jagen en ze het idee te geven dat ik opeens mijn verstand zou kunnen verliezen en me weer aan hem zou overgeven, en dat gaat echt niet gebeuren.' Ik zei het alsof ik het meende, en ik meende het ook. Het kon me niet schelen dat ik het gevoel had dat ik moest kotsen. Ik kon niet met Kalona zijn. Zoals ik tegen hem had gezegd: dat was onmogelijk.

Maar ik hoefde niet bang te zijn dat Stevie Rae me zou verraden. Ze knikte en keek me aan met ogen vol begrip. 'Je wilt het Kalona-probleem zelf oplossen, hè?'

'Ja. Dat klinkt wel stom, hè?'

'Nee,' zei ze beslist. 'Sommige dingen gaan anderen gewoon niet aan. En sommige dingen die onmogelijk lijken, blijken achteraf anders te zijn dan we ooit hadden kunnen denken.'

'Vind je dat echt?'

'Dat hoop ik,' zei ze ernstig.

Ik had het idee dat Stevie Rae nog iets wilde zeggen, maar ze werd onderbroken door een klop op de deur en Aphrodites: 'Willen jullie alsjeblieft een beetje opschieten? Iedereen is al aan het eten en we moeten een jet halen.'

'We zijn klaar,' riep Stevie Rae, en toen gooide ze me mijn boekentas toe. 'Ik vind dat je je gevoel moet volgen, zoals Nux altijd heeft gezegd. Zeker, je hebt er in het verleden af en toe een puinhoop van gemaakt. Dat heb ik ook. Maar we hebben er allebei voor gekozen om pal achter onze godin te blijven staan, en daar gaat het uiteindelijk om.'

Ik knikte en kon opeens geen woord uitbrengen.

Stevie Rae omhelsde me. 'Je zult het juiste doen. Dat weet ik,' zei ze.

Mijn lach klonk meer als een snik, en ik zei: 'Ja, maar na hoeveel puinhopen veroorzaakt te hebben?'

Ze glimlachte naar me. 'Het leven is een aaneenschakeling van puinhopen, maar ik begin het idee te krijgen dat het lang niet zo opwindend zou zijn als we perfect waren.'

'Ik zou op het moment best wat saaiheid kunnen gebruiken,' zei ik.

We lachten toen we de kamer uit liepen en we ons bij een geërgerde Aphrodite aansloten. Ik zag dat haar 'boekentas' een Betsey Johnson-vliegtuigkoffertje op wieltjes was, en dat er zo veel in was gepropt dat er spanning op de chique naden stond.

'Jij speelt vals,' zei ik, terwijl ik naar het koffertje wees.

'Dat is niet vals spelen, maar improviseren.'

'Leuk koffertje,' zei Stevie Rae. 'Ik ben dol op Betsey Johnson.'

'Jij bent veel te "country" voor Betsey,' zei Aphrodite.

'Nietes,' zei Stevie Rae.

'Welles,' zei Aphrodite, en ze voegde eraan toe: 'Boerenbewijsstuk nummer één: die afgrijselijke spijkerbroek. Ropers? Serieus? Daar kan ik maar één ding op zeggen: uit de tijd.'

'O nee. Hoe durf je mijn Ropers af te kraken...'

Ik liet ze lekker kibbelen terwijl ik achter hen aan liep naar de kantine. Ik hoorde ze nauwelijks. Mijn gedachten waren mijlenver weg op een dak midden in een droom.

Het was druk in de kantine, maar bizar stil toen Aphrodite, Stevie Rae en ik bij de tweeling, Jack en Damien gingen zitten, die al eieren met spek naar binnen schrokten. Zoals ik had verwacht werd ik ontvangen met een heleboel 'val dood'-blikken, vooral van de groepjes meisjes.

'Negeer ze. Het zijn haters,' zei Aphrodite.

'Het is wel raar dat Kalona nog steeds met hun hoofd knoeit,' zei Stevie Rae, terwijl we ons bord volschepten en blikken over onze schouders wierpen naar de stille, naargeestige eetzaal.

'Het is ook hun eigen keus,' flapte mijn mond eruit voordat ik het kon tegenhouden.

'Wat bedoel je?' vroeg Stevie Rae.

Ik slikte de hap ei door en zei: 'Ik bedoel de halfwassen...' – ik zweeg even en zwaaide met mijn vork naar de zaal voor nadruk – '... degenen die ons zo vuil aankijken en zich zo akelig gedragen, kiezen ervoor om zo te zijn. Kalona heeft daar de aanzet toe gegeven, maar ze kiezen hun eigen pad.'

Stevie Raes stem was vol begrip, maar ook vasthoudend. 'Dat mag dan waar zijn, Z, maar je mag niet vergeten dat Kalona er de oorzaak van is, nou, hij samen met Neferet.'

'Wat waar is, is dat Kalona het kwaad in persoon is en dat Zoey definitief met hem moet afrekenen,' zei Aphrodite.

Mijn eieren zagen er plotseling een stuk minder smakelijk uit.

We aten rustig door en probeerden net te doen alsof we niet met dodelijke blikken werden bekogeld toen Stark aan kwam lopen. Hij zag er moe uit, en toen zijn blik die van mij ontmoette, herkende ik het verdriet in zijn ogen. Ik had het in Kalona's ogen gezien toen hij over Nux sprak. *Stark vindt dat hij jegens mij tekort is geschoten.*

Ik glimlachte naar hem; ik wilde de bezorgdheid van zijn gezicht vegen. 'Hoi,' zei ik zacht.

'Hoi,' zei hij.

Toen drong het tot ons door dat niet alleen onze tafel, maar iedereen in de eetzaal naar ons keek en luisterde. Stark schraapte zijn keel, schoof een stoel bij, dempte zijn stem en zei: 'Darius en Lenobia zijn al naar het vliegveld. Ik breng jullie in de Hummer.' Hij keek de tafel rond en ik zag dat zijn gezicht zich iets ontspande. 'Zo te zien heb je Heath naar huis gestuurd.'

'Om zijn paspoort te halen,' zei Stevie Rae.

Dat zorgde natuurlijk voor tumult aan onze tafel. Ik slaakte een zucht en wachtte tot de storm was uitgewoed. Toen iedereen eindelijk zweeg, zei ik: 'Ja, Heath gaat mee. Punt uit.'

Aphrodite trok een blonde wenkbrauw op. 'Nou, eigenlijk is het wel verstandig om de bloedmobiel mee te nemen. Dat moet zelfs die pijljongen met zijn nijdige gezicht inzien.'

'Ik zei "punt uit" omdat ik er niet over wil praten. En noem Heath geen "bloedmobiel".'

'Dat is echt niet netjes,' zei Stevie Rae.

'Lekker belangrijk,' zei Aphrodite.

'Stevie Rae gaat niet mee. Dat betekent dus dat wanneer we een cirkel werpen, Aphrodite geest zal vertegenwoordigen.'

Iedereen staarde naar Stevie Rae.

'Ze kunnen misschien niet gered worden,' zei Damien ernstig.

'Dat weet ik, maar ik wil er nog een poging aan wagen.'

'Zeg, wil je me een plezier doen?' zei Aphrodite. 'Wil je er alsjeblieft voor zorgen dat je niet wordt gedood? Alweer? Ik heb het idee dat dat voor mij akelig ongemakkelijk zou zijn.'

'Ik word niet gedood,' zei Stevie Rae.

'Beloof ons dat je niet in je eentje teruggaat,' zei Jack.

'Dat moet je inderdaad beloven,' zei Stark.

Ik zei niets. Ik was niet meer zo arrogant om te denken dat ik de enige was die wist hoe de dingen moesten gebeuren.

Gelukkig werd mijn stilzwijgen niet opgemerkt omdat op dat moment de rode halfwassen hun entree maakten, en alle blikken en het gefluister in de kantine richtten zich nu op hen.

'Ik moet me er even van vergewissen dat alles goed met ze is,' zei Stevie Rae. Ze stond op en glimlachte naar ons. 'Maak alles in Italië nou maar snel in orde en dan zijn jullie voor je het weet weer thuis.' Ze omhelsde me en fluisterde: 'Je zult doen wat juist is.'

'Jij ook,' fluisterde ik terug.

Toen liep ze weg. Ik keek toe terwijl ze de leiding over de rode halfwassen nam (die naar ons wuifden toen ze in de rij gingen staan). Stevie Rae deed zo normaal tegen haar halfwassen, alsof het niet de eerste keer was dat ze in de kantine kwamen sinds ze waren doodgegaan, dat haar groep onmiddellijk minder gespannen werd en de blikken en het gefluister negeerde.

'Ze is een uitstekende leider,' zei ik, hardop denkend.

'Ik hoop dat ze daar geen problemen door krijgt,' zei Aphrodite. Ik keek van Stevie Rae naar haar en ze haalde haar schouders op. 'Sommige personen – vooral kwaadaardige, ondode dode personen – laten zich niet leiden.'

'Ze zal doen wat juist is.' Ik herhaalde Stevie Raes woorden.

'Ja, maar zullen zij dat ook doen?' vroeg Aphrodite.

Daar wist ik niets op te zeggen, dus ging ik in mijn ei zitten prikken.

'Zijn jullie klaar?' vroeg Stark.

'Ik wel,' zei ik.

De anderen knikten. We pakten onze tassen en liepen in de richting van de deur. Stark en ik sloten de rij.

'Zoey.'

Eriks stem hield me tegen. Stark bleef ook staan en keek met een scherpe blik naar mijn ex-vriendje.

'Hoi, Erik,' zei ik op mijn hoede.

'Succes,' zei hij.

'Bedankt.' Ik was aangenaam verrast door zijn neutrale gezichtsuitdrukking en het ontbreken van Venus, die sinds onze breuk als een bloedzuiger aan hem hing. 'Blijf je op de school en ga je weer drama onderwijzen?'

'Ja, tot ze een nieuwe docent hebben. Dus als ik er niet meer ben als je terugkomt... nou, eh...' Hij keek van Stark naar mij en besloot met: '... ik wilde je gewoon succes wensen.'

'O, oké. Nou, nogmaals bedankt.'

Hij knikte en liep snel de kantine uit. Waarschijnlijk ging hij naar de eetzaal van de docenten.

'Huh. Dat was vreemd, maar erg aardig van hem,' zei ik.

'Hij acteert te veel,' zei Stark, terwijl hij de deur voor me openhield.

'Ja, dat weet ik, maar toch ben ik blij dat hij iets aardigs zei voordat we vertrokken. Ik haat dat ongemakkelijke ex-vriendjesgedoe.'

'De zoveelste reden om blij te zijn dat ik technisch gezien niet je vriendje ben,' zei Stark.

De rest van de groep liep enkele meters voor ons uit, dus we hadden een moment van privacy. Ik probeerde juist te ontcijferen of Stark wel of niet op het kantje van hatelijk was met zijn 'niet je vriendje'-opmerking toen hij plotseling vroeg: 'Is er vannacht iets gebeurd? Je hebt me één keer wakker gemaakt.'

'Er is niks gebeurd.'

Hij aarzelde en zei toen: 'Je hebt Heath niet weer gebeten.'

Het was geen vraag, maar ik antwoordde toch, al klonk mijn stem scherper dan mijn bedoeling was. 'Nee. Ik voelde me prima, dus dat hoefde niet.'

'Maar ik zal het begrijpen als je het wel doet,' zei hij.

'Kunnen we het er een andere keer over hebben?'

'Ja, best.' We liepen verder en waren bijna bij het parkeerterrein, dus hij vertraagde zijn pas om ons nog een moment van privacy te geven. 'Ben je kwaad op me?' vroeg hij.

'Waarom zou ik kwaad op je zijn?'

Hij haalde zijn schouders op. 'Nou, in de eerste plaats hebben we Aphrodites visioenen. Ze ziet dat je in moeilijkheden bent. In levensgevaar. Maar of ze ziet me en ik doe niks, of ze ziet me helemaal niet. En nu gaat Heath mee naar Italië...' Zijn stem stierf weg en hij keek me gefrustreerd aan.

'Stark, Aphrodites visioenen kunnen in werkelijkheid veranderd worden. Dat hebben we al verscheidene keren gedaan. Eén keer voor mij persoonlijk. Dat visioen waarin ik verdrink gaan we ook veranderen. Dat zul jíj waarschijnlijk doen. Jij zult ervoor zorgen dat me niks overkomt.'

'Ondanks het feit dat ik in het zonlicht niet naar buiten kan?'

Ik begreep opeens een van de redenen waarom deze dreiging jegens mij hem zo hinderde: hij was bang dat hij er misschien niet zou zijn als ik hem nodig had. 'Je zult wel een manier vinden om te zorgen dat ik veilig ben, zelfs als je niet fysiek bij me kunt zijn.'

'Geloof je dat echt?'

'Met heel mijn hart,' zei ik naar waarheid. 'Er is geen andere vampier die ik ooit als mijn krijger zou willen. Ik vertrouw je. Altijd.'

Stark zag eruit alsof er een enorme last van zijn schouders was genomen. 'Het is fijn om je dat te horen zeggen.'

Ik bleef staan en keek hem aan. 'Ik zou het je wel eerder hebben verteld, maar ik dacht dat je dat wel wist.'

'Eigenlijk wel. Hier.' Stark bracht zijn hand naar zijn hart. 'Maar mijn oren moesten het horen.'

Ik stapte in zijn armen en drukte mijn gezicht tegen zijn hals. 'Ik vertrouw je. Altijd,' zei ik nog eens.

'Dank je, milady,' fluisterde hij terwijl zijn sterke armen me dicht tegen zich aan trokken.

Ik deed een stap achteruit en glimlachte naar hem. Kalona leek opeens erg ver weg nu Stark mijn hier en nu vulde. 'We komen er wel uit, en wat er ook gebeurt maken we samen mee – een krijger en zijn vrouwe.'

'Dat is wat ik wil,' zei hij vol overtuiging. 'En de rest kan barsten.'

'Ja. Iedereen en alles kan verder barsten.' Ik weigerde aan Kalona te denken. Hij was een misschien, een grote, angstaanjagende, verwarrende misschien. Stark was een zekerheid. Ik pakte zijn hand en terwijl ik hem meetrok naar de Hummer zei ik: 'Kom, krijger, we gaan naar Italië.'

32

Zoey

'In Venetië is het zeven uur later dan hier,' legde Lenobia uit. Ze had ons opgewacht buiten de vipcontrolepost. 'Als jullie landen is het daar laat in de middag. Probeer tijdens de vlucht te slapen. De Hoge Raad komt vlak na zonsondergang bijeen. Jullie worden daar verwacht, en natuurlijk het liefst uitgeslapen.'

'Hoe moet Stark zich redden in het zonlicht?' vroeg ik.

'Ik heb de Hoge Raad op de hoogte gebracht van Starks behoeften. Mij is verzekerd dat Stark tegen de zon zal worden beschermd. Ze kijken er vol spanning naar uit om hem te ontmoeten en zijn bijzonder nieuwsgierig naar deze nieuwe soort vampier.'

'Toch niet zo nieuwsgierig dat ze me willen bestuderen als een laboratoriumrat?' vroeg Stark.

'Dat laten we niet gebeuren,' zei Darius.

'Vergeet niet dat de Hoge Raad bestaat uit zeven van de wijste en oudste hogepriesteressen die vandaag in leven zijn. Ze gedragen zich niet monsterlijk en zijn niet onbezonnen,' zei Lenobia.

'Zijn ze allemaal net als Shekinah?' vroeg Jack.

'Shekinah was de hogepriesteres van alle vampiers, dus zij was uniek, maar ieder lid van de Raad wordt gekozen door de vampiergemeenschap. Die positie bekleden ze vijftig jaar lang, waarna een nieuw lid wordt gekozen. Een lid kan niet worden herkozen. De leden van de Raad komen van over de hele wereld en staan bekend om hun wijsheid.'

'Wat betekent dat ze slim genoeg zouden moeten zijn om zich niet door Kalona en Neferet te laten inpakken,' zei ik.

'Het heeft niks te maken met "slim" zijn,' zei Aphrodite. 'Het gaat om keus. Er zijn heel wat "slimme" vampiers in ons Huis van de Nacht die werkeloos toezagen en Kalona en Neferet over zich heen lieten lopen.'

'Daar zit wat in,' zei Damien.

'We moeten dus op alles voorbereid zijn,' zei Darius.

'Precies,' zei Stark.

Lenobia knikte ernstig. 'Vergeet niet dat de afloop van jullie missie de wereld zoals wij die kennen zou kunnen veranderen.'

'Nou, shit. Maar we staan niet onder druk, hoor,' zei Aphrodite.

Lenobia wierp haar een scherpe blik toe, maar zei niets. In plaats daarvan verbaasde ze me door naar Jack te kijken. 'Ik vind eigenlijk dat jij hier moet blijven,' zei ze tegen hem.

'O nee, geen sprake van! Als Damien ergens naartoe gaat, dan ga ik mee,' zei Jack.

'Waar Damien naartoe gaat, is het gevaarlijk,' zei Lenobia.

'Dan ga ik zéker met hem mee!'

'Ik vind dat hij moet gaan,' zei ik. 'Hij maakt hier deel van uit. Bovendien,' vervolgde ik, waarbij ik mijn instinct volgde en door het gevoel van juistheid wist dat ik iets verwoordde waarvan Nux wilde dat iedereen het hoorde, 'heeft Jack een affiniteit.'

'O ja? Echt waar?' zei Jack.

Ik glimlachte naar hem. 'Ik vind van wel. Je affiniteit is voor de magie van de moderne wereld: technologie.'

Damien grijnsde. 'Dat is waar! Jack begrijpt alles van audiovisuele apparatuur en computers. Ik vond hem al een geniale techneut, maar in werkelijkheid is hij een door de godin begiftigde geniale techneut in het kwadraat.'

'O-mijn-god! Is dat cool of wat?' zei Jack.

'Dan heb je gelijk, Zoey. Jack moet ook mee. Nux heeft hem met een bedoeling begiftigd, en hij zou jullie wel eens goed van pas kunnen komen.'

'Ja, en bovendien...' Ik wilde haar net vertellen over onze andere reisgenoot toen Heath met zijn boekentas over zijn schouder op een drafje aan kwam lopen.

'Gaat je gade ook mee?' vroeg Lenobia, terwijl ze Heath met een opgetrokken wenkbrauw aankeek.

'Zeker weten!' zei Heath, terwijl hij zijn arm om me heen sloeg. 'Je weet maar nooit wanneer Zo haar tanden in me moet zetten.'

'Oké, Heath, iedereen begrijpt dat.' Ik voelde mijn wangen warm worden en ontweek Starks blik.

'Als de gade van een hogepriesteres is het je toegestaan om de Raadskamer binnen te gaan,' zei Lenobia tegen Heath. 'Maar je zult niets mogen zeggen.'

'Er zijn een heleboel regels voor hoe men zich in de Raadskamer moet gedragen, is het niet?' vroeg Damien.

Mijn maag verkrampte. 'Regels?'

'Inderdaad,' zei Lenobia. 'Het is een eeuwenoud systeem dat in het leven is geroepen om chaos te voorkomen, maar sprekers een eerlijke hoorzitting te bieden. Wie zich niet aan de regels houdt, wordt uit de Raadskamer verwijderd.'

'Maar ik ken die regels niet!'

'Daarom zal mijn vriendin, Erce, de paardenmeesteres van het eiland San Clemente, jullie op het vliegveld opvangen. Zij zal jullie naar jullie kamers op het eiland brengen en jullie instrueren in de etiquette van de Raadskamer.'

'Mag ik helemaal niks zeggen?'

'Ben je gehoorgestoord of zo?' vroeg Aphrodite aan Heath. 'Dat zei Lenobia zojuist.'

'Ik weet eigenlijk niet of jij de Raadskamer binnen mag,' zei Lenobia tegen Aphrodite.

'Wat? Maar ik ben...' sputterde ze. Technisch gesproken was Aphrodite een mens. Een uitzonderlijk mens, maar toch.

'Erce doet een verzoek om ook jou toe te laten,' zei Lenobia. 'We zullen wel zien of dat wordt ingewilligd.'

'Waarom stappen jullie niet vast in? Ik moet nog even met Lenobia praten,' zei ik.

'Jullie vertrekken vanaf gate zesentwintig,' zei Lenobia. 'Wees gezegend en moge Nux jullie bijstaan.'

'Wees gezegend!' zei iedereen, en toen liepen ze in de richting van de kronkelige rij voor het controlepoortje.

'Hoe gaat het met de gewonde halfwassen?' vroeg ik.

'Veel beter. Nog bedankt voor wat je voor hen hebt gedaan,' zei ze.

Ik wuifde haar bedankje weg. 'Ik ben blij dat het beter met hen gaat. En hoe maakt Draak het?'

'Hij is in diepe rouw.'

'Ik vind het zo vreselijk voor hem,' zei ik.

'Versla Kalona en Neferet. Daarmee is Draak geholpen.'

Ik negeerde het paniekgevoel dat bij me opkwam en veranderde van onderwerp. 'Wat gaat u doen met de rode halfwassen?'

'Daar heb ik over nagedacht en ik vind dat we de wil van hun hogepriesteres moeten respecteren. Als ik terug ben in het Huis van de Nacht zal ik met Stevie Rae bespreken wat zij het beste vindt voor haar halfwassen.'

Het was vreemd om Lenobia Stevie Rae een 'hogepriesteres' te horen noemen, maar góéd vreemd. 'U moet weten dat er nog meer rode halfwassen zijn dan alleen degenen die Stevie Rae bij zich heeft.'

Lenobia knikte. 'Dat heeft Darius me verteld.'

'Wat gaat u met hén doen?'

'Net als voor de anderen geldt voor hen ook dat Stevie Rae dat moet beslissen. Het is een moeilijke situatie. We weten niet eens precies wat ze zijn geworden – of niet zijn geworden.' Lenobia legde haar hand op mijn schouder. 'Zoey, je mag je niet laten afleiden door wat hier misschien gebeurt. Concentreer je op Kalona, Neferet en de Hoge Raad. Vertrouw erop dat ik zorg zal dragen voor ons Huis van de Nacht.'

Ik slaakte een zucht. 'Oké, dat zal ik doen. Ik zal het op z'n minst proberen.'

Ze glimlachte. 'Ik heb de Hoge Raad laten weten dat wij jou als onze hogepriesteres beschouwen.'

Hier schrok ik van. 'Serieus?'

'Serieus. Dat ben je, Zoey. Je hebt het verdiend. En je verbondenheid met Nux is iets wat geen andere halfwas of vampier ooit heeft gekend. Blijf de godin volgen en zorg dat we trots op je kunnen zijn,' zei ze.

'Ik zal mijn best doen.'

'Meer vragen we niet van je. Wees gezegend, Zoey Redbird.'

'Wees gezegend,' zei ik. Toen volgde ik mijn clubje naar gate zesentwintig en probeerde ik niet te veel te denken aan het feit dat het niet best was voor een hogepriesteres van Nux om te dromen over de ex-krijger van haar godin.

'Hallo, oma! Hoe gaat het met u?'

'O, Zoeybird! Ik voel me vandaag stukken beter. Ik denk dat het feit dat de storm is uitgewoed me sterker maakt. IJs is prachtig, maar dan wel in kleine doses,' zei oma.

'Denk nou niet dat dat betekent dat u zo snel mogelijk terug moet naar de lavendelboerderij. Beloof me alstublieft dat u zuster Mary Angela een poosje voor u laat zorgen.'

'O, wees maar niet bang, u-we-tsi-a-ge-ya. Ik ben erg gesteld geraakt op het gezelschap van de zuster. Kom je vanavond bij me langs? Hoe staan de zaken in het Huis van de Nacht ervoor?'

'Nou, oma, daarvoor bel ik. Ik sta op het punt om aan boord te gaan van de privéjet van de school om naar Venetië te gaan. Kalona en Neferet zijn daar en het ziet ernaar uit dat ze proberen de Hoge Raad te manipuleren.'

'Dat is niet best, u-we-tsi-a-ge-ya. Je stort je toch niet in je eentje in die strijd, of wel?'

'Nee, oma. Mijn hele clubje gaat mee, aangevuld met Heath.'

'Goed. Geneer je niet om gebruik te maken van zijn band met jou; dat is de natuurlijke orde der dingen.'

Tranen brandden achter in mijn keel. Oma's onveranderlijke liefde, ongeacht hoe vampiermonsterachtig en bizar mijn leven ook was geworden, was de basis van mijn hele wereld. 'Ik hou van u, oma,' bracht ik verstikt uit.

'En ik van jou, u-we-tsi-a-ge-ya. Maak je maar geen zorgen om een oude vrouw. Concentreer je op je ophanden zijnde taak. Als je je strijd hebt gewonnen, zul je mij hier vinden.'

'U klinkt er zo zeker van dat ik zal winnen.'

'Ik ben zeker van jou, u-we-tsi-a-ge-ya, en ik weet dat je op de steun van je godin kunt rekenen.'

'Oma, ik heb een erg bizarre droom over Kalona gehad.' Ik dempte mijn stem, hoewel ik me had afgezonderd van de rest van de groep. Iedereen stond bij de gate te wachten tot we mochten boarden. 'Ik zag dat Kalona niet altijd slecht is geweest. Hij was vroeger Nux' krijger.'

Oma bleef geruime tijd stil. Eindelijk zei ze: 'Dat klinkt eerder als een visioen dan als een droom.'

Ik voelde dat wat ze zei klopte. 'Een visioen! Wil dat zeggen dat het waar is?'

'Niet per se, al zegt het wel meer dan een simpele droom. Kwam het als waar op je over?'

Ik kauwde op mijn lip en zei toen: 'Ja, ik had het gevoel dat wat ik zag de waarheid was.'

'Vergeet nooit om je gevoelens te temperen met gezond verstand. Luister naar je hart, je geest én je ziel.'

'Dat probeer ik.'

'Matig je gevoelens met logica en analyseer ze dan met gezond verstand. Je bent niet A-ya. Je bent Zoey Redbird en je hebt een vrije wil. Als het te overweldigend wordt, zoek dan steun bij je vrienden, vooral bij Heath en Stark. Zij hebben een band met jou, met Zoey, en niet met de geest van een eeuwenoude Cherokee-maagd.'

'U hebt gelijk, oma. Daar zal ik aan denken. Ik ben ik en dat zal niet veranderen.'

'Zo! We mogen instappen!' riep Heath.

'Ik moet gaan, oma. Ik hou van u!'

'Mijn liefde vergezelt je, u-we-tsi-a-ge-ya.'

Toen ik aan boord ging, voelde ik me gesterkt door de liefde van mijn oma. Ze had gelijk. Ik moest de balans vinden tussen wat ik over Kalona wist en wat ik dacht misschien over hem te weten.

Mijn positieve houding werd aangemoedigd door de coole jet waarin we gingen vliegen. Het interieur was compleet eersteklas met reusachtige leren stoelen waarvan de rugleuning helemaal plat gelegd kon worden en superdikke verduisteringsrolgordijnen voor de ramen, die ik onmiddellijk allemaal dichttrok.

'De zon is onder, malloot,' zei Aphrodite.

'Ik doe het voor alle zekerheid nu, voor het geval iemand ze later "vergeet"...' – ik maakte aanhalingstekens in de lucht om het woord – '... dicht te trekken.'

'Ik ga echt niet je krijger laten verbranden,' zei Aphrodite. 'Dan krijgt míjn krijger veel te veel te doen.'

'Ik zal het nooit te druk krijgen om me met jou bezig te houden,' zei Darius, die naast haar ging zitten en de armleuning tussen hun stoelen omhoogklapte zodat ze dicht tegen elkaar aan konden kruipen.

'Mag ik een teiltje?' zei Erin.

'We gaan achterin zitten zodat we niet Aphrodite-ziek worden,' zei Shaunee.

'Komt er ook iemand langs met drankjes?' vroeg Damien.

'Dat hoop ik van harte. Ik snak naar een glas bruine frisdrank,' zei ik. Ik genoot van het feit dat iedereen net zo normaal klonk als ik me plotseling voelde.

'Lenobia zei dat we tijdens de vlucht op onszelf zijn aangewezen, maar ik durf te wedden dat je, als we eenmaal in de lucht zitten, echt wel iets te drinken zult kunnen vinden,' zei Darius.

'Ik weet waar ze de frisdrank bewaren,' zei Stark. 'Dit is het vliegtuig waarmee ik van Chicago naar Tulsa ben gevlogen. Zodra we op weg zijn, zal ik wat voor je pakken.' Toen gebaarde hij naar de lege stoel naast zich. 'Kom je bij me zitten?'

'Hé, Zo!' riep Heath, die wat verder naar achteren zat. 'Ik heb hier een stoel voor je vrijgehouden.'

Ik slaakte een zucht. 'Weet je wat? Ik ga lekker daar zitten, in mijn eentje, en proberen te slapen. Jetlag is moordend,' zei ik, en ik koos een stoel halverwege tussen Heath en Stark.

'Ik neem lekker een slaappilletje. Ik ben bekend met vliegen,' zei Aphrodite. 'Zodra we in Venetië landen, ben ik klaar om de winkels af te struinen.'

'Winkels?' riep Shaunee.

'Shoppen?' zei Erin.

'Misschien moeten we wat aardiger tegen Aphrodite doen,' zei Shaunee.

'Voortreffelijk idee, tweelingzus,' zei Erin.

Ik glimlachte toen de tweeling verhuisde naar stoelen tegenover Aphrodite, die spottend lachte, maar onmiddellijk enthousiast van wal stak met een opsomming van de winkelmogelijkheden in Venetië.

'Hier.' Stark gaf me een deken en een kussen. 'Het wordt soms behoorlijk koud in een vliegtuig, vooral als je probeert te slapen.'

'Bedankt,' zei ik. Ik wilde tegen hem zeggen dat ik graag tegen hem aan zou komen liggen, maar dat ik wist dat Heath (die in een heftige discussie verwikkeld was met Jack over wat beter was: een Mac of een pc) dat allesbehalve leuk zou vinden.

'Hé, het is oké. Ik begrijp het,' zei Stark met gedempte stem.

'Je bent de beste krijger ter wereld.'

Hij glimlachte die brutale grijns die ik zo leuk vond en kuste me boven op mijn hoofd. 'Ga slapen. Ik hou mijn mentale oren gespitst op je gevoelens. Als het te bizar wordt, maak ik je wakker.'

'Daar reken ik op,' zei ik.

Ik nestelde me op de stoel met de deken en het kussen die mijn krijger me had gegeven en sliep al voordat we in de lucht zaten.

Als ik heb gedroomd, herinner ik me dat niet.

33

Stevie Rae

'Ik ben het nog steeds niet met je eens,' zei Lenobia.

'Maar de beslissing is aan mij, waar of niet?' vroeg Stevie Rae.

'Dat klopt. Ik zou alleen graag willen dat je op je beslissing terugkomt. Laat me met je meegaan. Of anders kan Draak je vergezellen.'

'Draak is nog veel te veel van streek door Anastasia's dood en u runt de boel hier. Zoals de zaak ervoor staat, lijkt me niet verstandig als u nu de school verlaat,' zei Stevie Rae. 'Geloof me, mij overkomt niks. Ik ken ze. Ze zullen me niks aandoen, en zelfs als ze ook het laatste restje van hun verstand zijn kwijtgeraakt en wel iets proberen, kunnen ze dat niet. Ik roep aarde aan en geef ze een pak op hun donder. Wees maar niet bang. Ik heb ze al eerder aangepakt. Deze keer hoop ik dat ik ze ertoe kan overhalen om met me mee te gaan. Volgens mij zou terug zijn in de school ze echt goeddoen.'

Lenobia knikte. 'Dat klinkt logisch. Door ze terug te brengen naar de plek waar ze zich voor het laatst normaal hebben gevoeld, vinden ze dat gevoel misschien weer terug.'

'Dat dacht ik ook.' Stevie Rae zweeg even en voegde er toen zacht en verdrietig aan toe: 'Ik heb het er nog steeds moeilijk mee. Soms heb ik het gevoel dat de duisternis zo dichtbij is dat ik die kan aanraken. En ik zie het in mijn groep, degenen die ook hun menselijkheid hebben teruggevonden. Voor hen is het ook niet altijd makkelijk.'

'Misschien heb je altijd een keus. Misschien is de grens tussen goed en kwaad minder duidelijk voor jou en je rode halfwassen.'

'Maar zijn we daardoor slecht? Of nietswaardig?'

'Nee, natuurlijk niet.'

'Dan kunt u misschien begrijpen waarom ik terug moet gaan naar de remise om nog eens met de anderen te praten. Ik kan ze niet de rug toekeren. Zoey heeft Stark niet de rug toegekeerd, hoewel hij me met een pijl heeft doorboord – wat trouwens goed waardeloos was en niet erg aardig van hem – maar uiteindelijk is het goed gekomen met hem.'

'Je zult een voortreffelijke hogepriesteres zijn, Stevie Rae.'

Stevie Raes wangen werden rood. 'Ik ben niet echt een hogepriesteres. Ik ben alleen maar het enige wat ze hebben.'

'Nee, je bent een hogepriesteres. Geloof dat. Geloof in jezelf.' Ze glimlachte naar Stevie Rae. 'Dus wanneer ga je terug naar de remise?'

'Ik wil er eerst voor zorgen dat de rode halfwassen hier een plek vinden. De kamers verdelen en kleren voor hen regelen en zo. Bovendien moeten ze weer ingedeeld worden in hun klassen, wat echt niet makkelijk is aangezien het lesrooster elk semester verandert. Maar het liefst ga ik vannacht nog terug.'

'Vannacht? Kun je niet beter tot morgen wachten? Moet je je niet eerst hier installeren?'

'Nou, eerlijk gezegd weet ik niet of ik dat wel kan.'

'Natuurlijk kun je dat. Het Huis van de Nacht is je thuis.'

'Het wás ons thuis. Nu voelen we ons overdag prettiger ondergronds.' Stevie Rae lachte zenuwachtig. 'Dat klinkt net alsof ik in zo'n stomme slasherfilm thuishoor, hè?'

'Nee, in wezen is het heel logisch. Je bent gestorven. Wanneer dat gebeurt, keert ons lichaam terug naar de aarde. Ondanks het feit dat je bent herrezen, heb je nog altijd een verbondenheid met de aarde die wij niet hebben.' Lenobia aarzelde even. 'Er is een kelder onder het hoofdgebouw van het Huis van de Nacht,' zei ze. 'Die wordt als opslagruimte gebruikt en is niet erg bewoonbaar, maar met een beetje werk...'

'Misschien,' zei Stevie Rae. 'Eerst maar eens zien wat er gebeurt met de halfwassen in de remise. We vonden het daar erg prettig en we waren druk bezig met de boel opknappen.'

'We zouden natuurlijk ook je halfwassen met de bus naar en van school kunnen vervoeren. Menselijke kinderen doen dat elke dag.'

Stevie Rae glimlachte breed. 'De grote, gele limo!'

Lenobia lachte. 'Hoe dan ook, we vinden wel een oplossing voor je groep. Jullie horen bij ons en dit is jullie thuis.'

'"Thuis"... Dat klinkt heerlijk,' zei Stevie Rae. 'Oké, nu moet ik echt mijn handjes laten wapperen als ik voor de dageraad naar de remise en ook weer terug wil.'

'Gun jezelf voldoende tijd. Ik zou niet willen dat je daar vast komt te zitten, en de weersverwachting belooft een zonnige dag. Travis Meyers zei zelfs dat de temperatuur mogelijk lang genoeg boven het vriespunt blijft om een deel van al dat ijs te doen smelten.'

'Trav is mijn favoriete weerman, en wees maar niet bang. Ik ben voor de dageraad weer terug.'

'Uitstekend, dan kun je me vertellen hoe het is gegaan.'

'Ik kom direct naar u toe.' Stevie Rae wilde opstaan, maar veranderde van gedachten. Ze moest het gewoon vragen; Lenobia zou het geen compleet belachelijke vreemde vraag vinden, en ze móést het gewoon vragen. 'Eh, dus die Raafspotters waren echt gruwelijke wezens, huh?'

Lenobia's gezichtsuitdrukking veranderde van sereen naar met afschuw vervuld. 'Ik bid tot Nux dat ze van de wereld werden verjaagd toen hun vader werd gedwongen Tulsa uit te vluchten.'

'Had u al eens eerder van ze gehoord? Ik bedoel, wist u van hun bestaan voordat ze uit de grond opvlogen?'

Lenobia schudde haar hoofd. 'Nee. Ik wist niets over die wezens. Ik had zelfs nog nooit van de Cherokee-legende gehoord. Maar één ding aan hen herkende ik onmiddellijk.'

'O ja? Wat dan?'

'Het kwaad. Ik heb eerder slag geleverd met het kwaad, en zij waren niets anders dan een andere duistere vorm daarvan.'

'Gelooft u dat ze door- en doorslecht waren? Ik bedoel, ze waren voor een deel menselijk.'

'Ze waren niet voor een deel menselijk, maar voor een deel onsterfelijk.'

'Ja, dat bedoelde ik.'

'En de onsterfelijke waarvan ze deel uitmaken is door en door slecht.'

'Maar stel dat Kalona niet altijd is geweest zoals hij nu is? Hij is ergens vandaan gekomen. Misschien was hij daar goed, en als dat zo is, dan zit er misschien ook iets goeds in een Raafspotter.'

Lenobia bestudeerde Stevie Rae zwijgend voordat ze antwoordde. Toen zei ze zacht, maar met overtuiging: 'Priesteres, laat je compassie met de rode halfwassen je perceptie van het kwaad niet vertroebelen. Het bestaat hier in onze wereld. Het bestaat ook in het hiernamaals. Het is daar net zo concreet als hier. Er is een groot verschil tussen een gebroken kind en een wezen verwekt door het kwaad en door middel van verkrachting.'

'Dat is ook zo ongeveer wat zuster Mary Angela zei.'

'De non is een wijze vrouw.' Lenobia zweeg even en zei toen: 'Stevie Rae, weet jij iets wat ik zou moeten weten?'

'O, nee!' zei ze snel. 'Ik zat gewoon te denken. U weet wel, over goed en kwaad en de keuzes die we maken. Dus toen dacht ik dat sommige Raafspotters misschien zouden kunnen kiezen.'

'Als ze over dat vermogen beschikten, dan hebben ze lang geleden al voor het kwaad gekozen,' zei Lenobia.

'Ja, u zult wel gelijk hebben. Oké, nou, dan ga ik maar. Ik ben voor de dageraad terug.'

'Ik zie uit naar je komst. Moge Nux je vergezellen, priesteres. En wees gezegend.'

'Wees gezegend.' Stevie Rae haastte zich de stal uit, alsof afstand van de woorden die ze had geuit haar schuldgevoel kon doen afnemen. Hoe had ze het in haar hoofd kunnen halen om die dingen over Rephaim aan Lenobia te vertellen? Ze moest gewoon haar mond houden en niet meer aan hem denken.

Maar hoe kon ze niet aan hem denken als de kans bestond dat ze hem weer zou zien als ze terugging naar de remise?

Ze had hem daar niet naartoe moeten sturen. Ze had iets anders moeten verzinnen. Of ze had hem moeten uitleveren!

Nee. Nee, daarvoor was het te laat. Het enige wat Stevie Rae nu kon doen was de schade binnen de perken zien te houden. Eerst moest ze de rode halfwassen bellen. Dan zou ze zich bezighouden met het Rephaim-probleem. Alweer.

Misschien was er helemaal geen probleem met Rephaim. Misschien hadden de halfwassen hem helemaal niet ontdekt. Hij rook niet als eten, en hij was er zo slecht aan toe dat hij echt niet in de aanval kon gaan. Hij hield zich waarschijnlijk schuil in het donkerste hoekje van een tunnel en likte zijn wonden. Hij kon ook dood zijn. Wie weet wat er met een Raafspotter kon gebeuren als de wonden ontstoken waren geraakt?

Stevie Rae slaakte een zucht en haalde haar mobieltje uit de zak van haar sweater. Ze hoopte vurig dat de ontvangst in de tunnels weer hersteld was en stuurde Nicole een sms'je.

Ik moet je vannacht zien.

Ze hoefde niet lang op antwoord te wachten.

Ben bezig. Pas tegen de dageraad terug.

Ze keek fronsend naar haar mobieltje en sms'te:

Zorg dat je eerder terug bent.

Het duurde zo lang voordat ze antwoord kreeg dat ze begon te ijsberen.

Ben om 6 uur terug.

Stevie Rae knarsetandde. Zes uur was maar anderhalf uur voor zonsopgang. Verdikkeme! Het was altijd wat met Nicole. Zij was echt het grootste probleem. De andere halfwassen waren maar volgelingen. Ze waren niet erg aardig, maar lang niet zo erg als Nicole. Stevie Rae herinnerde zich Nicole van voor ze was gestorven. Toen was ze een vals kreng geweest, en dat was niet veranderd. Eigenlijk was dat alleen maar erger geworden. Wat Stevie Rae dus moest doen, was tot Nicole zien door te dringen. Als zij zich zou afwenden van de duisternis, dan zou de rest van de halfwassen haar waarschijnlijk volgen.

Oké.

Toen voegde ze eraan toe:

Nog iets bijzonders te melden?

Met ingehouden adem wachtte ze op het riedeltje dat aangaf dat er een sms'je binnenkwam. Nicole zou het haar vertellen als ze een Raafspotter had gevonden. Ze zou Rephaim waarschijnlijk cool vinden. Of misschien zou ze hem zonder aarzelen doden. In beide gevallen zou ze het Stevie Rae vertellen omdat ze daardoor het gevoel zou hebben dat ze de macht in handen had.

We zijn op zoek naar eten. Levend voedsel. Wil je meedoen?

Stevie Rae wist dat het totaal geen zin zou hebben om Nicole in herinnering te brengen dat ze geen mensen zouden moeten eten. Nee, zelfs geen daklozen of slechte chauffeurs (die ze altijd volgden en grepen zodra ze uitstapten). Ze sms'te terug:

Nee. Tot zes uur.
Hahahahahaha

Stevie Rae stopte haar mobieltje weer in haar zak. Het zou een lange nacht worden, vooral die anderhalf uur tussen zessen en zonsopgang.

'Dus dat is het plan, vogeljongen. Ben je ervoor in?' Nicole, de leider van de rode halfwassen, was onaangekondigd en ongenood Stevie Raes kamer binnen gekomen, die Rephaim voor zichzelf had opgeëist. Ze had een trap tegen het bed gegeven om hem wakker te maken en had haar plan uiteengezet om Stevie Rae in de val te lokken op het dak van een gebouw.

'Zelfs als je de Rode vlak voor zonsopgang naar het dak van een gebouw kunt lokken, hoe wil je haar daar dan vasthouden?'

'Het eerste deel is simpel omdat het niet zomaar een gebouw is. Het is dit gebouw. Er zijn boven twee ronde torens, mooi opgesmukt in de tijd dat dit gebouw nog iets betekende, heel lang geleden. De bovenkant is open, want het is het dak. We hebben een groot metalen rooster gevonden waarmee we de bovenkant van een van die torens kunnen afsluiten. Daar komt ze met geen mogelijkheid uit. Ze is sterk, maar ze kan geen metaal breken. Bovendien kan ze zo hoog geen contact maken met de aarde. Ze zal in de val zitten, en zodra de zon opkomt, zal ze bakken als een hamburger op de barbecue.'

'Hoe wil je haar naar het dak lokken?'

'Dat is nog simpeler. Dat ga jij doen.'

Rephaim zei niets tot hij van de schok was bekomen, en toen koos hij zijn woorden zorgvuldig. 'Denk je dat ik de Rode vlak voor zonsopgang naar het dak van een gebouw kan lokken? Hoe zou ik dat moeten doen? Ik ben te zwak om haar te overweldigen en naar boven te dragen,' zei hij. Hij klonk eerder verveeld dan nieuwsgierig.

'Dat hoeft niet. Ze heeft je gered. En dat heeft ze moeten doen zonder dat aan iemand te vertellen. Volgens mij wil dat zeggen dat je iets voor haar betekent. Misschien meer dan iets,' zei Nicole spottend. 'Stevie Rae is meelijwekkend. Ze denkt altijd dat ze de wereld kan redden en dat soort onzin. Daardoor is ze zo stom om vlak voor zonsopgang hiernaartoe te komen. Ze denkt dat ze ons kan redden. Nou, wij willen helemaal niet gered worden!' Nicole barstte in lachen uit en terwijl ze lachte, zag Rephaim de inktzwarte schaduw van Neferet in haar ogen verschijnen, en haar uitdrukking kreeg iets hysterisch.

'Waarom zou ze jullie willen redden?'

Rephaims vraag maakte abrupt een einde aan Nicoles gelach, alsof hij haar een klap in het gezicht had gegeven.

'Wat? Vind jij niet dat we het waard zijn om gered te worden?' Met de snelheid van een gedachte kwam ze naar het bed en omklemde ze de pols van zijn ongedeerde arm. 'Zal ik eens even zien wat je denkt?'

Ze staarde naar hem terwijl de hitte van haar paranormale aanranding door zijn arm trok en zich door zijn lichaam en ziel verspreidde, en Rephaim concentreerde zich op één ding: zijn woede.

Nicole liet zijn pols los en deed een stap achteruit. 'Wauw.' Ze grinnikte ongemakkelijk. 'Je bent goed nijdig. Waarom eigenlijk?'

'Omdat ik gewond ben en ik werd achtergelaten om me met kinderen en hun onbenullige ssspelletjesss bezzzig te houden!'

Nicole deed weer een stap dichter naar hem toe en snauwde: 'Dit is niet onbenullig! We gaan ons van Stevie Rae ontdoen zodat we ons kunnen bezighouden met de shit die Neferet van ons verwacht. Dus óf je gaat ons helpen haar in de val te lokken, óf we laten jou erbuiten en gaan over tot plan B.'

Rephaim aarzelde niet. 'Wat wil je dat ik doe?'

Nicoles glimlach deed hem aan een hagedis denken. 'We brengen je naar de trap die naar de toren leidt, de toren het verst bij die stomme boom vandaan. Ik neem niet het risico dat ze een manier kan bedenken om die boom naar zich toe te trekken om haar te beschutten tegen de zon. Je gaat dus naar die toren en wacht. Je gaat verfrommeld in een hoek liggen alsof we je daarheen hebben gesleept nadat we je halfdood hebben geslagen. Wat precies is wat ik aan Stevie Rae ga vertellen, maar ik zal ervoor zorgen dat ze weet dat je nog leeft. Nauwelijks.'

'Ze zal naar boven gaan om me te redden,' zei Rephaim op emotieloze toon.

'Alweer. Ja. Daar rekenen we op. Als ze de toren in klimt, blijf jij verfrommeld liggen. Wij smijten het rooster over de bovenkant en leggen het met een ketting vast. Als de zon opkomt, zal Stevie Rae verbranden. En dan laten we jou eruit. Simpel.'

'Dat zal werken,' zei Rephaim.

'Ja, en nog iets. Als jij op het laatste moment besluit dat je toch niet aan onze kant staat, dan zal Kurtis of Starr je een kogel in je gevederde reet schieten en dan gooien we je alsnog in de toren. Dat zal voor ons ook werken. Want, weet je, jij bent zowel plan A als plan B. In het ene ben je alleen doder dan in het andere.'

'Zoals ik al eerder heb gezegd: mijn vader heeft me opgedragen om hem de Rode te brengen.'

'Ja, maar je pappie is er nu niet.'

'Ik begrijp niet waarom jullie dit spel met me spelen. Je hebt al gezegd dat je weet dat mijn vader me niet in de steek heeft gelaten. Hij zal terugkomen voor zijn lievelingszoon. En als hij terugkomt, zal ik de Rode voor hem hebben.'

'En je vindt het oké dat ze dan geroosterd is?'

'De staat van haar lichaam maakt me niets uit, zolang ik het maar in mijn bezit heb.'

'Nou, je mag het hebben. Ik wil haar niet opeten, dus ik wil haar lichaam niet.' Ze hield haar hoofd schuin en keek hem nieuwsgierig aan. 'Ik heb een blik geworpen in je vogelhersens en ik weet dat je nijdig bent, maar ik zag ook dat je je zo schuldig voelt als de hel. Waar slaat dat op?'

'Ik zou bij mijn vader moeten zijn. Verder is alles onaanvaardbaar.'

Nicole lachte zonder humor. 'Je bent echt de zoon van je vader, is het niet?' Ze liep naar de deken die als deur dienstdeed, maar voor ze eronderdoor dook, zei ze: 'Ga slapen. Je hebt nog een paar uur voordat ze arriveert. Als je iets nodig hebt, kun je Kurtis vragen om het voor je te halen. Hij staat voor de deur met zijn grote pistool. Jij blijft hier tot ik je roep. Begrepen?'

'Ja.'

De rode halfwas vertrok en Rephaim nestelde zich weer in Stevie Raes bed. Voordat hij in slaap viel had hij maar één gedachte: hij wenste dat de Rode hem onder die boom had laten doodgaan.

34

Zoey

Toen we op de luchthaven van Venetië landden, was ik misschien net een seconde wakker. Ik zweer dat ik de hele vlucht had geslapen, en de enige droom die ik had gehad was dat ik met die reuzenbever uit dat rare reclamefilmpje voor slaappillen zat te scrabbelen (wat ik nooit speel) en dat ik een massa designerschoenen van hem won (terwijl hij niet eens voeten heeft). Het was een bizarre droom geweest, maar onschuldig, en ik had geslapen als een kind tijdens de grote vakantie.

De meeste leden van mijn clubje zaten tranen uit hun ogen te vegen en hun neus te snuiten.

'Wat is er in godsnaam met iedereen aan de hand?' vroeg ik Stark terwijl we naar onze gate taxieden. Tijdens de vlucht was hij verhuisd naar de stoel naast me aan de andere kant van het middenpad.

Hij gebaarde met zijn kin over zijn schouder naar iedereen die achter ons zat, onder wie Heath, die ook tranen in zijn ogen had. 'Ze hebben zojuist *Milk* gekeken en de film bracht ze aan het grienen als een stel baby's.'

'Hé, dat is een goede film. En ook superdroevig,' zei ik.

'Ja, ik heb hem gezien toen hij pas uit was, maar ik wilde mijn mannelijke zelfbeheersing bewaren, dus besloot ik om te verkassen en wat te lezen.' Hij wees naar het boek op zijn schoot: *My Losing Season* van Pat Conroy.

'Je leest echt, hè?'

'Ja, ik lees echt.'

'Een verliezend seizoen? Wat had hij daarover te vertellen?'

'Wil je dat echt weten?'

'Ja, natuurlijk wel,' zei ik.

'Hij heeft het boek geschreven om aan te tonen dat lijden een bron van kracht kan zijn.'

'Huh,' zei ik, niet bijster intelligent.

'Hij is mijn lievelingsschrijver,' zei Stark, een beetje verlegen.

'Dan moet ik maar eens wat van hem lezen.'

'Hij schrijft geen chicklit,' zei Stark.

'Dat is een afschuwelijk stereotype!' begon ik, en ik maakte me klaar om van wal te steken met mijn preek over het misogyne (een woord dat ik van Damien had geleerd toen we bij literatuur *De rode letter* lazen) denkbeeld dat mannelijke boeken voor jongens zijn en onbenullige, flauwe boeken voor meisjes, toen het vliegtuig met een klein schokje tot stilstand kwam.

We keken allemaal onzeker om ons heen, maar een seconde later ging de deur van de cockpit open en kwam de vampier-tweede piloot glimlachend tevoorschijn.

'Welkom in Venetië,' zei ze. 'Ik weet dat minstens een van jullie bijzondere behoeften heeft, dus zijn we direct onze privéhangar in getaxied.' Ik hoorde de tweeling giebelen over Starks 'speciale behoeften', maar dat negeerden we. 'Erce vangt jullie hier op. Zij zal jullie naar het eiland San Clemente begeleiden. Vergeet jullie bagage niet, en wees gezegend.' Toen liep ze naar de voorste deur, zette een paar hendels om en de deur zwaaide open. Toen zei ze: 'Jullie kunnen uitstappen.'

'Ik ga wel eerst,' zei ik tegen Stark, die al overeind stond, zijn boek in zijn rugzak had gestopt en de rugzak over zijn schouder had gehangen. 'Ik wil er zeker van zijn dat er echt geen zon is zodat je niet bang hoeft te zijn om geroosterd te worden.'

Stark wilde protesteren, maar Darius glipte langs ons heen en zei: 'Blijf hier. Ik ga wel kijken of alles veilig is.'

'Mijn stoere krijger,' zei Aphrodite, die voor de anderen uit door het middenpad kwam aanlopen omdat niemand langs haar Betsey Johnson-koffer op wieltjes heen kon. 'Ik vind het heerlijk als hij zo veel testosteron tentoonspreidt, maar het zou ook wel leuk zijn als hij eraan zou denken om mijn koffer te dragen.'

'Hij moet zijn handen vrijhouden voor het geval hij je moet verdedigen,' ze Stark. Hij voegde er niet 'debiel' aan toe, maar dat impliceerde zijn toon duidelijk wel.

Ze keek hem met samengeknepen ogen aan, maar Darius kwam juist weer het vliegtuig in.

'Alles is in orde,' zei hij, dus draaiden we ons om en liepen als makke schapen achter elkaar aan naar de deur.

De vampier die onder aan de vliegtuigtrap stond, was lang en luisterrijk en even donker als Lenobia blond, maar toch deed ze me beslist denken aan onze paardenmeesteres. Erce straalde dezelfde rust uit als Lenobia. Dat had zeker iets te maken met hun affiniteit voor paarden. Ze zijn rustig en wijs omdat paarden, op katten na de coolste dieren ter wereld, voor personen kiezen die rustgevend en intelligent zijn.

'Ik ben Erce. Wees welkom, Zoey.' Haar donkere ogen vonden me onmiddellijk, hoewel ik achter Stark en Darius de trap af kwam.

Ik beantwoordde haar groet.

Toen ging haar blik naar Stark. Ik zag haar ogen groot worden toen ze de rode tatoeage van de prachtig versierde pijlen aan weerszijden van de maansikkel midden op zijn voorhoofd zag.

'Dit is Stark,' zei ik, om de stilte te verbreken, die ongemakkelijk begon te worden.

'Wees welkom, Stark,' zei ze.

Hij klonk gespannen toen hij automatisch antwoordde.

Ik begreep precies hoe hij zich voelde, maar ik begon al aardig te wennen aan vampiers en halfwassen die naar mijn bijzondere tatoeages staarden.

'Stark, ik heb erop toegezien dat op onze boot de gordijnen gesloten en de ramen verduisterd zijn. De zon gaat met een klein uur onder, maar het heeft de hele dag af en aan gesneeuwd en het zonlicht dat er nog is, is erg zwak.'

Haar stem was melodieus en lag prettig in het gehoor, zo prettig dat wat ze zei niet meteen tot me doordrong.

'Boot?' vroeg ik. 'Hoe moet hij naar de boot?'

'Die ligt daar, Zo.' Heath, die langs de trap naar beneden gleed met zijn voeten van de grond en zijn handen op de koude, gladde leuning, gebaarde met zijn kin naar de zijkant van de hangar. Aan die kant van het gebouw was in de vloer een grote, rechthoekige aanlegsteiger uitgesneden, met aan de ene kant een grote, gesloten deur die me aan een garagedeur deed denken. Aan de andere kant lag een gestroomlijnd ogende zwarte, houten boot. De voorkant was van glas en ik zag twee lange vampiers voor het bedieningspaneel staan. Achter hen zag ik een trap van glimmend hout die waarschijnlijk naar het passagiersverblijf onderdeks leidde. Ik zeg 'waarschijnlijk' omdat de ramen langs de zijkant van de boot zo goed verduisterd waren dat ik niet naar binnen kon kijken.

'Als de zon achter de wolken is, is het licht te verdragen,' zei Stark.

'Het klopt dus dat zonlicht niet alleen maar ongemakkelijk voor je is? Het zou je letterlijk verbranden?' Ik hoorde de nieuwsgierigheid in haar stem, maar die klonk niet opdringerig en had niets van o-mijn-god-wat-ben-je-toch-een-freak. Ze klonk oprecht bezorgd.

'Direct zonlicht zou me doden,' zei Stark nuchter. 'Een zonsondergang of indirect zonlicht varieert van levensgevaarlijk tot ongemakkelijk.'

'Interessant,' zei ze peinzend.

'Dat is één manier om het te bekijken. Ik zie het meestal als ergerlijk en lastig,' zei Stark.

'Hebben we tijd om te shoppen voordat de Hoge Raad bijeenkomt?' vroeg Aphrodite.

'Ah, jij moet Aphrodite zijn.'

'Ja, gegroet. Dus, kunnen we gaan shoppen?'

'Ik vrees dat je daarvoor geen tijd zult hebben. Het is een half uur varen naar het eiland en dan moet ik jullie je kamers wijzen en op de hoogte brengen van de regels van de Raad. We moeten nu onmiddellijk vertrekken.' Ze loodste ons in de richting van de boot.

'Heb ik toestemming om voor de Raad te spreken of ben ik niet goed genoeg nu ik "slechts" een mens ben?' vroeg Aphrodite.

'De regel over mensen heeft niets te maken met niet goed genoeg zijn om voor de Raad te spreken,' zei Erce terwijl we aan boord van de boot gingen en de trap af liepen naar een donkere, luxueuze cabine. 'Gaden mogen sinds lang de Raadskamer in vanwege hun betekenis voor hun vampier.' Ze glimlachte naar Heath, die compleet en overduidelijk een mens was. 'Ze mogen niet voor de Raad spreken omdat mensen niets te zeggen hebben in vertrouwelijk vampierbeleid en persoonlijke vampierkwesties.'

Heath slaakte een theatrale zucht, kwam dicht tegen me aan zitten en Stark negerend, die aan de andere kant naast me zat, sloeg hij bezitterig een arm om mijn schouders.

'Je krijgt een keiharde elleboogpor in je ribben als je niet je arm weghaalt en je gedraagt,' fluisterde ik.

Heath grijnsde schaapachtig en trok zijn arm weg, al bleef hij wel dicht tegen me aan zitten.

'Wil dat zeggen dat ik bij de almachtige Raadsvergadering aanwezig mag zijn, maar dat ik net als de bloeddonor daar mijn mond niet open mag doen?' vroeg Aphrodite.

'Ze hebben voor jou een uitzondering gemaakt. Je mag erbij zijn en je mag spreken, maar je zult je wel aan alle andere regels van de Raad moeten houden.'

'Wat betekent dat er nu niet wordt geshopt,' zei Aphrodite.

'Precies,' zei Erce.

Ik was onder de indruk van haar geduld. Lenobia zou Aphrodite waarschijnlijk allang hebben afgesnauwd voor die wijsneuzerige houding.

'Kan de rest van ons ook naar de Raadsvergadering gaan? O, hallo, ik ben Jack,' zei hij.

'Jullie zijn allemaal uitgenodigd om de vergadering bij te wonen.'

'En hoe zit het met Neferet en Kalona? Zullen die er ook zijn?' vroeg ik.

'Ja, hoewel Neferet zichzelf nu de incarnatie van Nux noemt en

Kalona beweert dat zijn ware naam Erebus is.'

'Dat is een leugen,' zei ik.

Erce glimlachte grimmig. 'Dat, mijn jonge en bijzondere halfwas, is precies de reden dat jullie hier zijn.'

Tijdens de rest van de tocht werd er niet veel meer gesproken. Het geluid van de motor klonk luid door in de verduisterde cabine. De boot stampte behoorlijk en ik had het erg druk met me concentreren op niet-kotsen.

De boot minderde vaart en dat gevoegd bij het tempo van het geschommel en gestamp gaf aan dat we het eiland naderden. Op dat moment steeg Darius' stem boven het lawaai van de motor uit. 'Zoey!'

Hij en Aphrodite zaten twee rijen achter me en ik moest me omdraaien om naar hem te kijken. Stark draaide zich tegelijkertijd met mij om en we sprongen allebei tegelijk overeind.

'Aphrodite! Wat is er?' Ik haastte me naar haar toe. Ze omklemde haar hoofd met haar handen alsof ze bang was dat het op het punt stond uit elkaar te ploffen. Darius zag er hulpeloos uit. Hij raakte steeds haar schouder aan, mompelde dingen tegen haar die ik niet kon verstaan en probeerde haar ertoe te brengen hem aan te kijken.

'O, godin! Ik verga van de pijn in mijn hoofd. Wat is dat nu weer, verdomme?'

'Heeft ze een visioen?' vroeg Erce, die achter me verscheen.

'Dat weet ik niet. Misschien wel,' zei ik. Ik liet me voor Aphrodite op mijn knieën vallen en probeerde haar in de ogen te kijken. 'Aphrodite, ik ben het, Zoey. Vertel me wat je ziet.'

'Ik heb het te heet. Veel te heet!' zei Aphrodite. Haar gezicht was knalrood en bezweet, hoewel het in de boot eerder koel dan warm was. Ze keek met grote ogen paniekerig om zich heen, al vermoedde ik dat ze niet de binnenkant van de dure, kleine boot zag.

'Aphrodite, praat tegen me! Wat laat je visioen je zien?'

Toen keek ze me aan, en ik zag dat haar ogen helder waren en niet gevuld waren met het pijnlijke bloed dat de laatste tijd met haar visioenen gepaard ging.

'Ik zie helemaal niks.' Ze snakte naar adem en wuifde zich met haar hand koelte toe. 'Het is geen visioen. Het is Stevie Rae en onze vervloekte stempelband. Er is iets met haar. Iets vreselijk ergs.'

35

Stevie Rae

Stevie Rae wist dat ze zou sterven, en deze keer zou het definitief zijn. Ze was bang, banger zelfs dan toen ze in Zoey's armen, omringd door haar vrienden, was doodgebloed. Deze keer was anders. Deze keer was het verraad en geen biologisch proces.

De pijn in haar hoofd was afschuwelijk. Ze betastte voorzichtig haar achterhoofd. Toen ze haar hand wegtrok, zat die onder het bloed. Haar gedachten waren wazig. Wat was er gebeurd? Stevie Rae probeerde te gaan zitten, maar raakte overweldigd door duizeligheid en misselijkheid. Kreunend kotste ze haar maag leeg en ze schreeuwde het uit van de pijn die de beweging veroorzaakte. Ze viel op haar zij en rolde bij het braaksel vandaan. Toen ging haar door tranen vertroebelde blik naar de metalen kooi boven haar hoofd, en vervolgens naar de hemel daarachter, een hemel die steeds blauwer en minder grijs werd.

Haar herinnering kwam terug en daarmee een paniekgevoel dat haar met korte stootjes deed ademen. Ze hadden haar hier opgesloten en de zon kwam op! Ondanks de kooi boven haar hoofd en de herinnering van hun verraad nog vers in haar geheugen, wilde Stevie Rae het niet geloven.

Ze werd weer overspoeld door een golf misselijkheid. Ze deed haar ogen dicht en probeerde haar evenwicht te hervinden. Zolang ze haar ogen dichthield, kon ze de afschuwelijke duizeligheid bedwingen, en haar gedachten begonnen te verhelderen.

Dit hadden de rode halfwassen gedaan. Nicole was er niet op het afgesproken tijdstip. Niet dat dat zo schokkend was, maar Stevie

Rae was woest geworden en het wachten beu, en ze had juist besloten om naar het Huis van de Nacht terug te gaan toen Nicole en Starr eindelijk de kelder in kwamen lopen. Ze hadden gelachen en grapjes met elkaar gemaakt. Ze hadden duidelijk net gegeten, want ze hadden nog een blos op hun wangen en een rode gloed in hun ogen door vers bloed. Stevie Rae had geprobeerd om met hen te praten. Ze had geprobeerd hen tot rede te brengen en over te halen om met haar terug te gaan naar het Huis van de Nacht.

De twee rode halfwassen hadden een hele tijd sarcastische opmerkingen gemaakt en allerlei idiote excuses aangedragen om niet mee te gaan. 'Nee, de vampiers laten ons geen junkfood eten en we zijn dol op junkies!' En: 'Will Rogers High School is verderop op Fifth. Als ik naar school wil gaan, dan ga ik daar wel naartoe... als het donker is... om te lúnchen.'

Maar ze had haar best gedaan en hun goede redenen gegeven om naar school terug te gaan, in de trant van dat het niet alleen hun thuis was, maar dat er veel was over het vampier-zijn wat ze niet wisten, wat Stevie Rae niet eens wist, en dat ze het Huis van de Nacht nódig hadden.

Ze hadden haar uitgelachen, haar een oude vrouw genoemd, en ze hadden gezegd dat ze er honderd procent oké mee waren om in de remise te blijven, vooral nu ze die helemaal voor zich alleen hadden.

Toen was Kurtis de kelder in komen rennen, buiten adem en opgewonden. Stevie Rae herinnerde zich dat ze een slecht voorgevoel had gehad vanaf het moment dat ze hem zag. Eerlijk gezegd had ze de jongen nooit gemogen. Hij was een lompe, domme varkenshouder uit Noordoost-Oklahoma die vrouwen zag als wezens die op de 'wat je waard bent'-heikneuterschaal lager stonden dan varkens.

'Ja hoor, ik heb hem gevonden en gebeten!' zei hij triomfantelijk.

'Dat wezen? Dat meen je niet! Hij stonk,' zei Nicole.

'Ja, en hoe heb je het voor elkaar gekregen dat hij rustig bleef zitten terwijl je hem at?' vroeg Starr.

Kurtis veegde met zijn mouw over zijn mond. Op de mouw bleef een rode vlek achter en toen de geur Stevie Raes neus binnen drong, schrok ze zich wild. *Rephaim! Dat was Rephaims bloed.*

'Ik heb hem buiten westen geslagen. Dat was niet zo moeilijk met die kapotte vleugel en zo.'

'Waar heb je het over?' snauwde Stevie Rae.

Kurtis knipperde dommig met zijn ogen naar haar. Ze wilde hem net grijpen en door elkaar schudden, en misschien zelfs de aarde laten opengaan om zijn grote, domme reet op te slokken, toen hij eindelijk antwoord gaf. 'Ik heb het over die vogeljongen. Je weet wel, zo'n Raafspotter. Er is er hier eentje opgedoken. We hebben hem de hele remise door achternagezeten. Nikki en Starr kregen er genoeg van en zijn naar buiten gegaan om hun tanden te zetten in een paar van die late eters bij Taco Bell, maar ik had trek in kip. Dus ben ik achter hem aan blijven gaan. Ik heb hem op het dak in een hoek gedreven, in een van die torens, je weet wel, de toren het verst van de boom.' Kurtis wees naar linksboven. 'Maar ik heb hem te pakken gekregen.'

'Smaakte hij zo smerig als hij stonk?' Nicoles walging was net zo duidelijk als haar nieuwsgierigheid.

Kurtis haalde zijn vlezige schouders op. 'Ik vreet alles. Of iedereen.'

Ze barstten allemaal in lachen uit. Allemaal, behalve Stevie Rae.

'Hebben jullie een Raafspotter op het dak?'

'Ja. Ik snap eigenlijk niet waarom hij de tunnels in is gegaan, zo toegetakeld en gewond.' Nicole trok een wenkbrauw op. 'Ik dacht dat je zei dat het oké was om terug te gaan naar het Huis van de Nacht omdat Neferet en Kalona weg waren. Zo te zien hebben ze een beetje shit achtergelaten, huh? Misschien zijn ze helemaal niet weg.'

'Ze zijn weg,' zei Stevie Rae, die al in de richting van de kelderdeur liep. 'Dus jullie willen geen van drieën teruggaan naar de school?'

Drie hoofden schudden 'nee' en roodgetinte ogen volgden al haar bewegingen.

'En de anderen? Waar zijn ze eigenlijk?'

Nicole haalde haar schouders op. 'Weet ik veel. De volgende

keer dat ik ze zie, zal ik ze vertellen dat jij zei dat ze naar de school terug zouden moeten gaan.'

Kurtis schoot in de lach. 'Ja hoor, geweldig. Laten we allemaal teruggaan naar de school! Dacht je nou echt dat we dat zouden willen?'

'Hoor eens, ik moet ervandoor. Het is bijna zonsopgang. Maar het laatste woord is hier nog niet over gesproken. En jullie moeten weten dat ik misschien met de andere rode halfwassen terugkom om hier te wonen, al horen we dan officieel bij het Huis van de Nacht. En als dat gebeurt, dan kunnen jullie je bij ons aansluiten en je goed gedragen en zo niet, dan moeten jullie vertrekken.'

'Wat dacht je van het volgende: jij blijft met je watjes van halfwassen op school en wij blijven hier, want hier wonen wij nu,' zei Kurtis.

Stevie Rae bleef staan. Alsof het haar tweede natuur was stelde ze zich voor dat ze een boom was, met wortels die tot heel diep in de grond groeiden. *Aarde, kom tot mij, alstublieft.* In de kelder, al ondergronds en omringd door haar element, was het heel simpel om kracht door haar lichaam omhoog te trekken. Toen ze sprak, rommelde en beefde de grond door de kracht van haar ergernis. 'Ik ga dit nog maar één keer zeggen. Als ik de andere rode halfwassen weer hiernaartoe breng, wordt dit weer ons thuis. Als jullie je gedragen, mogen jullie blijven. Doen jullie dat niet, dan moeten jullie vertrekken.' Ze stampte met haar voet en het hele gebouw schudde; kalk viel van het lage kelderplafond. Stevie Rae ademde een keer diep in en uit, dwong zichzelf tot kalmte en stelde zich voor dat de energie die ze had opgeroepen uit haar lichaam en terug de aarde in stroomde. Toen ze weer sprak, klonk haar stem normaal, en de aarde beefde niet. 'De keus is aan jullie. Ik kom morgennacht terug. Tot dan.'

Zonder ze nog een blik waardig te keuren, haastte Stevie Rae zich de kelder uit, tussen het puin en de metalen roosters door die overal verspreid lagen op het terrein van de verlaten remise, naar de stenen trap die vanaf het parkeerterrein op het niveau van de spoorlijn omhoogleidde naar het straatniveau van wat ooit een druk station was geweest. Ze moest voorzichtig zijn toen ze de trap op rende. Het was opgehouden met ijsregenen en de zon had overdag geschenen, maar met de avond was de temperatuur weer zo sterk gedaald dat bijna alles wat was ontdooid weer was opgevroren.

Ze bereikte de ronde oprit en de grote overdekte ingang, die in de tijd dat de remise nog als station werd gebruikt de treinreizigers beschutting had geboden tegen het Oklahoma-weer. Ze keek naar boven.

Het gebouw zag er griezelig uit. Dat was gewoon een feit. Z beschreef het altijd als iets uit Gotham City. Stevie Rae vond dat het meer weg had van iets tussen *Blade Runner* en *The Amityville Horror.* Niet dat ze niet dol was op de tunnels onder het gebouw, maar de stenen buitenkant met zijn vreemde mengeling van technisch ontwerp en art deco had iets wat haar kippenvel bezorgde.

Dat angstige gevoel kon natuurlijk voor een deel voortkomen uit het feit dat de dageraad de hemel al van zwart naar grijs kleurde. Achteraf gezien had dat haar natuurlijk moeten tegenhouden. Ze had zich moeten omdraaien, de trap af moeten lopen, in de auto moeten stappen die ze van de school had geleend en terug moeten rijden naar het Huis van de Nacht.

In plaats daarvan was ze regelrecht haar noodlot tegemoet gegaan en toen, zoals Z zou hebben gezegd, had ze midden in de poepie gezeten.

Ze wist dat er in het centrale deel van het gebouw een wenteltrap was die naar de torenkamers leidde – ze had het gebouw door en door verkend in de tijd dat ze hier woonde. Maar ze ging echt niet dat gebouw in en het risico lopen dat er nog een rode halfwas rondliep die haar zou zien en haar zou uitvragen en de waarheid zou achterhalen.

Plan B leidde haar naar een boom die jaren geleden duidelijk als decoratie was geplant, maar al lang de ronde opening in het cement was ontgroeid. De wortels waren door de grond van het parkeerterrein heen gebroken en onthulden een massa bevroren aarde, waardoor de boom veel groter had kunnen worden dan de bedoeling was geweest. Nu er geen bladeren aan de takken zaten had Stevie Rae geen idee wat voor soort boom het was. Ze wist wel dat die zo groot was dat de takken over het dak van de remise hingen, vlak bij de eerste van de twee torens, en dat was voor haar groot genoeg.

Stevie Rae liep snel naar de boom, sprong op en greep zich vast aan de onderste tak. Ze hees zich op aan de gladde, kale tak en gleed, door haar handen steeds een klein stukje te verschuiven, naar de stam. Toen klom ze naar boven, met een inwendig bedankje aan Nux voor haar bijzondere rodevampierkracht. Als ze een gewone halfwas of misschien zelfs een gewone vampier was geweest, zou ze het nooit hebben gekund.

Toen ze niet hoger kon, zette Stevie Rae zich af en sprong ze op het dak van het gebouw. Ze verspilde geen tijd met in de eerste toren kijken. Varkensjongen had gezegd dat Rephaim in de toren het verst van de boom was. Ze rende over het dak naar de andere kant van het gebouw en klom toen langs de toren omhoog om in de ronde ruimte te kunnen kijken.

Daar lag hij. Rephaim lag verfrommeld tegen de muur van de toren, roerloos, en hij bloedde.

Zonder aarzeling zwaaide Stevie Rae haar benen over de stenen rand en liet zich de kleine anderhalve meter naar beneden vallen.

Hij lag opgerold tot een bal; zijn ongedeerde arm omklemde zijn gewonde arm in de smerige mitella. Aan de buitenkant van zijn arm zag ze een snijwond. Dat was natuurlijk de plek waar Kurtis zich aan hem te goed had gedaan. Hij had echter niet de moeite genomen om de snee te dichten, en de vreemde geur van zijn onmenselijke bloed vulde de kleine ruimte. Het verband waarmee zijn vleugel was vastgezet, was losgeraakt, en de flarden bebloede handdoek hingen over zijn lichaam. Zijn ogen waren dicht.

'Rephaim, kun je me horen?'

Toen hij haar stem hoorde, gingen zijn ogen onmiddellijk open. 'Nee!' zei hij, terwijl hij worstelde om overeind te komen. 'Je moet hier weg. Ze gaan je opslui...'

Toen explodeerde haar achterhoofd van de pijn en werd de wereld zwart.

'Stevie Rae, je moet wakker worden. Je moet iets doen.'

Eindelijk voelde ze de hand die aan haar schouder schudde en herkende ze Rephaims stem. Ze deed voorzichtig haar ogen open. Ze was niet meer duizelig, maar ze voelde haar hartslag kloppen in haar hoofd.

'Rephaim,' zei ze schor. 'Wat is er gebeurd?'

'Ze hebben mij gebruikt om jou in de val te lokken,' zei hij.

'Wilde jij me in de val lokken?' Haar misselijkheid was iets afgenomen, maar ze had het gevoel dat haar geest vertraagd werkte.

'Nee. Wat ik wilde was met rust gelaten worden om te genezen en terug te gaan naar mijn vader. Ze gaven me geen keus.' Zijn bewegingen waren stijf toen hij overeind kwam. Hij kon niet rechtop staan door het metalen rooster, dat een laag, vals plafond vormde. 'Kom. Je hebt weinig tijd. De zon komt al op.'

Stevie Rae keek op naar de hemel en zag de zachte pasteltinten van vlak voor de dageraad die ze vroeger altijd zo mooi had gevonden. Nu vervulde de licht wordende hemel haar met doodsangst. 'O, godin! Help me opstaan.'

Rephaim pakte haar bij de hand en trok haar overeind. Ze bleef wankelend naast hem staan, en net als hij gebogen. Ze ademde een keer diep in en uit, bracht haar handen omhoog, omklemde het koude metaal van het rooster en duwde. Het rammelde een beetje, maar er kwam niet echt beweging in.

'Hoe wordt het op zijn plaats gehouden?' vroeg ze.

'Met kettingen. Ze hebben kettingen door de randen van het metaal gevlochten en ze toen met hangsloten aan alles op het dak vastgemaakt wat niet omhooggetrokken kon worden.'

Stevie Rae duwde nog eens tegen het rooster. Het rammelde weer, maar bleef stevig op zijn plaats. Ze zat gevangen op een dak terwijl de zon opkwam! Ze verzamelde al haar kracht, duwde en trok, en probeerde het rooster opzij te schuiven zodat ze zich er misschien tussendoor kon wurmen. Met elke seconde werd de hemel lichter. Stevie Raes huid trilde als die van een paard dat probeert een vlieg kwijt te raken.

'Breek het metaal,' zei Rephaim dringend. 'Dat kun je met jouw kracht.'

'Als ik ondergronds was misschien, of misschien zelfs als ik op de grond stond,' zei ze hijgend terwijl ze vergeefs bleef worstelen met het metaal dat haar gevangenhield. 'Maar hier, een heel gebouw bij mijn element vandaan, ben ik niet sterk genoeg.' Ze keek van de hemel naar zijn felrode ogen. 'Je kunt maar beter een eindje bij me vandaan gaan. Ik vlieg zo meteen in brand, en ik weet niet hoe groot de vlammen zullen zijn, maar het zou hierbinnen wel eens behoorlijk heet kunnen worden.'

Ze keek toe terwijl Rephaim een paar stappen bij haar vandaan deed en stortte zich toen weer met een toenemend gevoel van machteloosheid in de strijd met het onwrikbare metaal. Haar vingers begonnen te sissen en Stevie Rae beet op haar lip om te voorkomen dat ze ging gillen en gillen en gillen...

'Hier. Het metaal is verroest en dunner, zwakker.'

Stevie Rae liet haar handen zakken en klemde ze automatisch onder haar oksels. Met gebogen rug rende ze naar hem toe. Ze keek naar het roestige metaal, pakte het met beide handen vast en trok uit alle macht. Het gaf een beetje mee, maar er steeg al rook op van haar handen en haar polsen.

'O, godin!' snikte ze. 'Het lukt me niet. Ga achteruit, Rephaim. Ik begin al te...'

In plaats van achteruit te springen, kwam hij zo dicht mogelijk naast haar staan en spreidde zijn ongedeerde vleugel zodat die schaduw bood. Toen bracht hij zijn ongedeerde arm omhoog en pakte het roestige rooster vast. 'Denk aan de aarde. Concentreer je. Denk niet aan de zon en de hemel. Trekken. Nu!'

In de schaduw van zijn vleugel omklemde Stevie Rae het rooster aan weerszijden van zijn hand. Ze deed haar ogen dicht en negeerde het branden in haar vingers en de gevoeligheid van haar huid, die haar toeschreeuwde dat ze weg moest rennen! Het maakte niet uit waarheen, als het maar uit de zon was! In plaats daarvan dacht ze aan de aarde, koel en donker, die als een liefhebbende moeder onder haar wachtte. Stevie Rae trok.

Het metaal knapte en er ontstond een opening die net groot genoeg was voor één persoon om zich erdoorheen te wurmen.

Rephaim deed een stap achteruit. 'Ga!' zei hij. 'Haast je.'

Zodra Stevie Rae niet langer in de schaduw van zijn vleugel stond, werd haar lichaam knalrood en begon het letterlijk te roken. Ze liet zich instinctief op de vloer vallen, rolde zich op tot een bal en probeerde met haar armen haar gezicht te beschermen. 'Ik kan het niet!' riep ze, als verlamd van pijn en paniek. 'Ik verbrand levend.'

'Je zult verbranden als je hier blijft,' zei hij.

Toen trok hij zich door de opening omhoog en verdween. Hij had haar in de steek gelaten. Stevie Rae wist dat hij gelijk had. Ze moest hier weg, maar ze kon zich niet over de verlammende angst heen zetten. De pijn was ondraaglijk. Ze had het gevoel dat haar bloed kookte. Op het moment dat ze dacht dat ze het echt niet langer kon verdragen, viel er een kleine, koele schaduw op haar.

'Pak mijn hand!'

Met tot spleetjes geknepen ogen tegen het wrede zonlicht keek Stevie Rae op. Rephaim zat op het rooster. Zijn ongedeerde vleugel was boven haar uitgespreid en hield zo veel mogelijk zonlicht tegen en zijn ongedeerde arm was naar haar uitgestoken.

'Nu, Stevie Rae. Doe het!'

Ze volgde zijn stem en de koelte van zijn donkere vleugel en pakte zijn hand. Hij kon haar niet in zijn eentje omhoogtrekken. Ze was te zwaar en hij had maar één arm. Dus pakte ze met haar andere hand het metaal vast en trok zich op.

'Kom tot mij. Ik zal je beschermen.' Rephaim opende zijn vleugel.

Zonder aarzeling stapte Stevie Rae zijn omhelzing in. Ze begroef haar hoofd in de veren van zijn borst en sloeg haar armen om hem heen. Hij omwikkelde haar met zijn vleugel en tilde haar op.

'Breng me naar de boom!'

Toen rende hij strompelend over het dak. De achterkant van Stevie Raes armen en een deel van haar hals en schouders waren aan het zonlicht blootgesteld, en terwijl hij rende, verbrandde ze. Met een afstandelijk gevoel, alsof ze buiten haar lichaam was getreden, vroeg ze zich af wat dat afschuwelijke geluid was dat haar oren deed suizen, en toen besefte ze dat het haar stem was. Ze gilde van pijn, doodsangst en woede.

Aan de rand van het dak riep hij: 'Hou je vast. Ik spring in de boom.' De Raafspotter sprong. Zijn lichaam maakte een draai door zijn gebrek aan evenwicht, en ze knalden tegen de boom op.

Adrenaline hielp Stevie Rae Rephaim niet los te laten, en blij dat zijn lichaam zo licht was, tilde ze hem op en wrong ze zichzelf tussen hem en de boom. Met haar rug tegen de stam zei ze: 'Probeer je aan de boom vast te houden terwijl we naar beneden glijden.'

Toen vielen ze weer terwijl de ruwe stam Stevie Raes verschroeide, bloedende rug openscheurde. Ze deed haar ogen dicht en zocht contact met de aarde, die beneden sereen op haar wachtte.

'Aarde, kom tot mij! Ga open en bescherm me!'

Er klonk een hard, scheurend geluid, en de grond aan de voet van de boom opende zich net op tijd om het Stevie Rae en Rephaim mogelijk te maken een koele, donkere holte in de aarde binnen te glippen.

36

Zoey

Toen Aphrodite begon te gillen, kon Zoey maar één ding bedenken wat ze kon doen. 'Geest, kom tot mij!' beval ze. Geest vulde haar onmiddellijk met zijn serene aanwezigheid. 'Help Aphrodite kalmeren.' Ze voelde het element haar verlaten en bijna direct ging Aphrodites gegil over in gesnik.

'Darius, ik heb Lenobia's mobiele nummer nodig. Nu!'

Darius hield Aphrodite in zijn armen, maar hij gehoorzaamde Zoey, haalde zijn mobieltje uit de zak van zijn spijkerbroek en wierp het haar toe. 'Het staat in de contactenlijst.'

Met al haar wilskracht dwong Zoey haar handen om niet te beven toen ze de contactenlijst opzocht en op Lenobia's naam klikte. Die nam bij de eerste keer overgaan op.

'Darius?'

'Met Zoey. We hebben een noodgeval. Waar is Stevie Rae?'

'Ze is naar de remise om te proberen de andere rode halfwassen tot rede te brengen. Maar ik had haar al lang terugverwacht; het loopt al tegen zonsopgang.'

'Ze is in moeilijkheden.'

'Ze verbrandt!' snikte Aphrodite. 'Ze verbrandt!'

'Ze is ergens buiten. Aphrodite zegt dat ze verbrandt.'

'O, godin! Kan ze er meer over zeggen?'

Ik kon aan de verandering in Lenobia's stem horen dat ze al in beweging was gekomen. 'Aphrodite, weet je waar Stevie Rae is?'

'N-nee. Alleen maar buiten.'

'Ze weet niet waar ze is, behalve dat ze buiten is.'

‘Ik ga haar zoeken,’ zei Lenobia. ‘Bel me als Aphrodite iets anders te weten komt.’

‘En bel mij alstublieft zodra Stevie Rae in veiligheid is,’ zei ik. Ik wilde niet aan een andere mogelijkheid denken.

Lenobia verbrak de verbinding.

‘Laten we Aphrodite naar binnen brengen en dan kijken wat we kunnen doen,’ zei Erce. Ze ging ons voor de boot af en naar een afgezonderd gebouw, heel iets anders dan een hangar op een vliegveld. Het was oud en van steen. Stark was gelukkig beschut tegen de zon toen Darius Aphrodite van de boot droeg en we ons met Erce door een overdekte passage haastten.

Stark bleef aan mijn zij toen ik harder ging lopen om Erce in te halen. ‘Aphrodite heeft een stempelband met Stevie Rae; zij is de andere rode vampier,’ legde ik uit.

Erce knikte terwijl ze een grote, houten deur openhield en Darius gebaarde om Aphrodite naar binnen te brengen. ‘Lenobia heeft me verteld over hun stempelband.’

‘Wat kunt u doen om haar te helpen?’

We betraden een enorme hal. Mijn eerste indruk was van verbijsterende rijkdom, onvoorstelbaar hoge plafonds en kroonluchters, kroonluchters, kroonluchters, en toen loodste Erce ons door de hal naar een zijvertrek. ‘Leg haar op die chaise longue.’

We dromden samen rond de stoel en keken zwijgend op Aphrodite neer. Erce wendde zich tot mij en zei met gedempte stem: ‘Er is niets wat voor een mens kan worden gedaan wanneer de vampier waarmee ze een stempelband heeft lijdt. Ze zal Stevie Raes pijn voelen tot de crisis voorbij is of tot ze dood is.’

‘Ze?’ piepte ik. ‘Bedoelt u Stevie Rae of Aphrodite?’

‘Een van beiden of allebei. Vampiers kunnen gebeurtenissen overleven die hun gade doden.’

‘Shit,’ mompelde Heath.

‘Mijn handen!’ snikte Aphrodite. ‘Ze staan in brand!’

Ik kon er niet meer tegen en ging naar haar toe. Ze lag nog in Darius’ armen. De krijger zat op de chaise longue, hield haar stevig vast en sprak zachtjes tegen haar. Ik zag angst in zijn bleke gezicht.

Zijn ogen smeekten me om haar te helpen. Ik nam een van Aphrodites handen in de mijne. Haar hand voelde abnormaal warm aan. 'Je staat niet in brand. Kijk me aan, Aphrodite. Het gebeurt niet met jou. Het gebeurt met Stevie Rae.'

'Ja, ik weet precies hoe je je voelt.' Heath verscheen naast me. Hij liet zich op één knie zakken en pakte Aphrodites andere hand vast. 'Het is klote om een stempelband te hebben en dat er dan iets ergs met je vampier gebeurt. Maar het overkomt niet jóú. Zo voelt het wel, maar het is niet zo.'

'Dit is iets anders dan dat Stevie Rae met een ander gaat liggen rotzooien,' zei Aphrodite, met een trillerige, zwakke stem.

Heath bleef onverstoord. 'Het maakt niet uit wat er gebeurt. Waar het om gaat is dat het jou pijn doet, en dat doet het. Je moet niet vergeten dat jij niet echt haar bent, al voelt het aan alsof je een deel van haar bent.'

Hij leek tot Aphrodite door te dringen en ze keek naar hem op. 'Maar dit heb ik nooit gewild.' Ze snikte hikkend. 'Ik wilde niet met Stevie Rae verbonden zijn, en dat wil jij wel met Zoey.'

Heath omklemde haar hand en ik zag dat ze zich uit alle macht aan hem vastklampte. Iedereen keek naar hen, maar volgens mij was ik de enige die zich een buitenstaander voelde.

'Of je het wilt of niet, soms is het gewoon te veel. Je moet leren om een deel van je innerlijk voor jezelf te bewaren. Je moet weten dat je niet werkelijk een ziel met haar deelt, wat de stempelband ook zegt.'

'Dat is het!' Aphrodite trok haar hand uit die van mij en legde hem op Heath' hand. 'Het voelt aan alsof ik mijn ziel deel. En dat kan ik niet verdragen.'

'Jawel, dat kun je wel. Je moet eraan blijven denken dat het maar een gevoel is. Het is niet echt.'

Ik deed een paar stappen achteruit.

'Aphrodite, je bent veilig. We zijn allemaal bij je.' Damien raakte haar schouder aan.

'Ja, alles is oké. En je haar zit nog hartstikke goed,' zei Jack.

Ik hoorde Aphrodite lachen, een klein, ontsnapt luchtbelletje van normaliteit te midden van onvoorstelbaar tumult. Toen zei ze: 'Wacht, ik voel me opeens een stuk beter.'

'Heel goed, want je mag niet doodgaan,' zei Shaunee.

'Ja, we hebben je expertise op het gebied van shoppen nodig,' zei Erin. De tweeling probeerde nonchalant en onaangedaan te klinken, maar het was duidelijk dat ze zich doodongerust maakten om Aphrodite.

'Het komt weer helemaal goed met Aphrodite. Ze komt hier wel doorheen,' zei Stark. Hij was, zoals altijd, naast me komen staan. Hij was een trouwe aanwezigheid, een rustpunt in de storm.

'Maar wat gebeurt er met Stevie Rae?' fluisterde ik tegen hem.

Hij sloeg zijn arm om me heen en trok me dicht tegen zich aan.

Een beeldschone vampier met felrood haar kwam de kamer binnen met een dienblad met een kan ijswater, een glas en enkele opgevouwen vochtige handdoeken. Ze ging direct naar Erce, die naast de chaise longue stond. Erce gebaarde dat ze het dienblad op het dichtstbijzijnde salontafeltje moest neerzetten. Ik zag dat de nieuwe vampier een flesje met pillen uit haar zak haalde en dat aan Erce gaf, waarna ze net zo stilletjes als ze was binnengekomen de kamer uit liep.

Erce schudde een pil uit het flesje en wilde die aan Aphrodite geven. Voor ik besefte wat ik deed was ik naar voren gelopen en had ik Erces pols vastgepakt.

'Wat geeft u haar?'

Erce keek me aan. 'Iets om haar te kalmeren, om haar angst te doen afnemen.'

'Maar stel dat ze daardoor het contact met Stevie Rae kwijtraakt?'

'Wat heb je liever: twee dode vriendinnen of één? De keus is aan jou, hogepriesteres.'

Ik slikte mijn kreet van oerwoede weg. Ik wilde mijn vriendinnen geen van beiden verliezen! Maar mijn verstand begreep dat mijn beste vriendin een oceaan en een half continent ver weg was en dat Aphrodite tegelijk met haar zou sterven was absoluut onnodig. Ik liet Erces pols los.

‘Hier, kind.’ Erce gaf Aphrodite het pilletje en hielp Darius het glas ijswater naar haar mond te brengen. Aphrodite stopte het pilletje in haar mond en dronk gulzig het glas leeg, alsof ze zojuist een marathon had gelopen.

‘Godin, ik hoop maar dat het snel werkt,’ zei ze trillerig.

Ik dacht dat we het ergste hadden gehad. Aphrodite was opgehouden met huilen en mijn clubje had zich geïnstalleerd in de luxueus gestoffeerde fauteuils die verspreid door de kamer stonden. Iedereen behalve Heath en Stark. Stark stond naast me. Heath hield nog steeds Aphrodites hand vast. Hij en Darius spraken zachtjes tegen haar. Toen slaakte Aphrodite een kreet, trok haar hand uit Heath’ greep, maakte zich los uit Darius’ armen en krulde zich op in een foetushouding.

‘Ik verbrand!’

Heath keek achterom naar mij. ‘Kun je haar niet helpen?’

‘Ik stuur geest naar haar toe. Meer kan ik niet doen. Stevie Rae is ver weg in Oklahoma en ik kan haar niet helpen!’ schreeuwde ik tegen Heath. Mijn frustratie ging over in woede.

Stark sloeg zijn arm om me heen. ‘Het is oké. Het komt allemaal goed.’

‘Ik zou niet weten hoe,’ zei ik. ‘Hoe kunnen ze hier allebei goed doorheen komen?’

‘Hoe kan een badguy de krijger van een hogepriesteres worden?’ zei hij, en toen glimlachte hij. ‘Nux beschermt hen allebei. Vertrouw op je godin.’

Ik stuurde dus geest naar Aphrodite toe, keek machteloos toe terwijl ze ondraaglijke pijn leed en vertrouwde op mijn godin.

Plotseling gilde Aphrodite. Ze greep naar haar rug en schreeuwde: ‘Ga open en bescherm me!’ En toen zakte ze snikkend van opluchting in Darius’ armen in elkaar.

Ik liep aarzelend naar haar toe en bukte me zodat ik haar gezicht kon zien. ‘Aphrodite, is alles goed met je? Leeft Stevie Rae?’

Aphrodites betraande gezicht kwam omhoog zodat ze me aan kon kijken. ‘Het is voorbij. Ze heeft weer contact met de aarde. Ze leeft.’

‘O, de godin zij dank!’ zei ik. Ik legde mijn hand voorzichtig op haar schouder. ‘Gaat het met jou ook goed?’

‘Ik geloof van wel. Nee. Wacht, ik weet het niet. Ik voel me vreemd. Alsof er iets is met mijn huid.’

‘Haar vampier is gekwetst,’ zei Erce, zo zacht dat ze nauwelijks te verstaan was. ‘Stevie Rae mag dan veilig zijn, maar ze is er slecht aan toe.’

‘Drink dit, liefste,’ zei Darius, die een vers glas ijswater van Erce aanpakte en het glas naar Aphrodites lippen bracht. ‘Het zal je goeddoen.’

Aphrodite dronk het glas gulzig leeg. Het was maar goed dat Darius haar hielp het glas vast te houden, want ze beefde zo heftig dat ze het nooit alleen had kunnen doen zonder te morsen. Toen leunde ze achterover in zijn armen en haalde oppervlakkig adem, alsof diep ademhalen pijnlijk zou zijn.

‘Ik heb overal pijn,’ hoorde ik haar tegen Darius fluisteren.

Ik liep naar Erce, pakte haar bij de pols en trok haar mee tot buiten Aphrodites gehoorsafstand. ‘Is er geen vampiergenezer die u kunt laten komen?’ vroeg ik.

‘Ze is geen vampier, priesteres,’ zei Erce. ‘Onze genezer kan haar niet helpen.’

‘Maar dat ze zich in deze toestand bevindt, komt door een vampier.’

‘Dat is het risico dat iedere gade neemt. Hun lot is verbonden met hun vampier. Meestal sterft een gade lang voor de vampier, en dat is al moeilijk genoeg. Deze situatie komt minder vaak voor.’

‘Stevie Rae is niet dood,’ fluisterde ik fel.

‘Nog niet, maar als ik naar haar gade kijk, zou ik zeggen dat ze in groot gevaar verkeert.’

‘Ze is per ongeluk een gade geworden,’ mompelde ik. ‘Aphrodite heeft dit niet gewild en Stevie Rae evenmin.’

‘Opzettelijk of niet, de band is even sterk,’ zei Erce.

‘O mijn godin!’ Aphrodite schoot recht overeind en maakte zich los van Darius. Haar gezicht was een masker van ontzetting, waarop eerst pijn was te zien en vervolgens ontkenning, en toen huiverde ze, zo heftig dat ik haar tanden hoorde klapperen, waarna ze haar handen voor haar gezicht sloeg en hartverscheurend begon te huilen.

Darius keek me smekend aan. Ik bereidde me erop voor dat ik te horen zou krijgen dat Stevie Rae dood was, liep naar Aphrodite en ging naast haar zitten.

'Aphrodite?' Ik probeerde de tranen niet in mijn stem te laten doorklinken, zonder daarin te slagen. Hoe kon Stevie Rae dood zijn? Wat moest ik doen, een wereld bij haar vandaan, terwijl ik toch al het gevoel had dat de problemen mijn krachten te boven gingen? 'Is Stevie Rae dood?'

Ik hoorde dat de tweeling huilde en ik zag dat Damien Jack in zijn armen nam. Aphrodite haalde haar handen voor haar gezicht vandaan en ik schrok toen ik haar overbekende sarcastische glimlach door haar tranen heen zag schijnen.

'Dood? Welnee, ze is helemaal niet dood. Onze stempelband is verbroken doordat ze haar stempel op een ander heeft achtergelaten!'

37

Stevie Rae

De aarde slokte haar op en heel even leek het alsof alles goed zou komen. De koele duisternis verlichtte de pijn van haar verbrande huid, en ze kreunde zachtjes.

'Rode? Stevie Rae?'

Pas toen hij sprak, drong het tot haar door dat ze nog steeds in Rephaims armen lag. Ze maakte zich van hem los en schoof bij hem vandaan, maar slaakte een kreet van pijn toen haar rug in aanraking kwam met de muur van aarde van de holte in de grond die haar element voor haar had geopend om haar te beschermen, en vervolgens weer had gesloten.

'Is alles goed met je? Ik... Ik kan je niet zien,' zei Rephaim.

'Ik maak het goed. Geloof ik.' Ze schrok van haar stem. Die klonk zo zwak, zo anders dan normaal dat ze voor het eerst het idee kreeg dat ze dan wel aan de zon was ontsnapt, maar misschien niet aan de gevolgen ervan.

'Ik zie helemaal niets,' zei hij.

'Dat komt doordat de aarde zich boven ons heeft gesloten om me tegen de zon te beschermen.'

'Zitten we hier gevangen?' Zijn stem klonk niet paniekerig, maar ook niet echt kalm.

'Nee, ik kan ons hieruit krijgen wanneer ik dat wil,' legde ze uit. Ze dacht even na en voegde er toen aan toe: 'En, nou, de laag aarde boven ons hoofd is niet erg dik. Als ik dood neerval, kun je jezelf makkelijk uitgraven. Hoe gaat het met je? Die vleugel moet vreselijk veel pijn doen.'

'Heb je het gevoel dat je zou kunnen sterven?' vroeg hij, waarbij hij haar vraag over zijn vleugel negeerde.

'Ik geloof het niet. Oké, eigenlijk weet ik dat niet. Ik voel me nogal vreemd.'

'Vreemd? Leg dat eens uit.'

'Alsof ik niet echt vastzit aan mijn lichaam.'

'Doet je lichaam pijn?'

Stevie Rae dacht even na en verbaasde zich over wat ze ontdekte. 'Nee. Ik voel helemaal geen pijn.' Maar wat wel vreemd was, was dat haar stem steeds zwakker werd.

Opeens raakte zijn hand haar gezicht aan, gleed naar haar hals en arm en...

'Au! Je doet me pijn.'

'Je bent ernstig verbrand. Dat kan ik voelen. Je hebt hulp nodig.'

'Als ik hier wegga, verbrand ik helemaal,' zei ze, terwijl ze zich afvroeg waarom de aarde onder haar leek te draaien.

'Wat kan ik doen om je te helpen?'

'Nou, je kunt een groot stuk zeildoek of zo over me heen slaan en me dan naar de bloedbank in de binnenstad brengen. Dat zou geweldig zijn.' Stevie Rae kon zich niet herinneren dat ze ooit zo'n dorst had gehad. Ze vroeg zich met een afstandelijk gevoel van nieuwsgierigheid af of ze nu echt zou sterven. Dat zou erg spijtig zijn na alles wat Rephaim had doorstaan om haar te helpen.

'Heb je bloed nodig?'

'Bloed is het enige wat ik nodig heb. Dat is wat me op de been houdt, wat natuurlijk weerzinwekkend is, maar toch. Het is de waarheid. Ik mag sterven als het niet waar is.' Ze giechelde hysterisch, maar werd meteen weer ernstig. 'Wacht, dat is helemaal niet grappig.'

'Als je geen bloed krijgt, ga je dood?'

'Dat zou best eens kunnen,' zei ze. Ze kon zich er niet echt druk om maken.

'Als bloed je kan genezen, neem dan dat van mij. Ik ben je een leven schuldig. Daarom heb ik je op het dak gered, maar als je hier sterft, sterf je zonder dat ik mijn schuld heb ingelost. Dus als je bloed nodig hebt, kun je dat van mij nemen,' zei hij.

'Maar jij ruikt verkeerd,' zei ze.

Hij klonk geërgerd en beledigd. 'Dat zeiden de rode halfwassen ook. Mijn bloed ruikt voor jou verkeerd omdat ik niet als prooi voor jou bedoeld ben. Ik ben de zoon van een onsterfelijke. Ik ben niet je slachtoffer.'

'Hé, ik maak geen slachtoffers, niet meer,' protesteerde ze zwak.

'Dat maakt wat ik zeg niet minder waar. Ik ruik voor jou anders omdat ik anders bén. Ik ben niet geschapen om jouw lunch te zijn.'

'Ik heb nooit gezegd dat je dat wel was.' In plaats van vinnig klonk haar stem erg zwak, en haar hoofd voelde vreemd groot aan, alsof het elk moment van haar hals kon springen en als een reuzenballon dwars door de grond heen de wolken in zou zweven.

'Het ruikt misschien verkeerd, maar het is bloed. Ik ben je een leven schuldig. Dus je zult drinken en in leven blijven.'

Stevie Rae schreeuwde het uit van de pijn toen Rephaim haar tegen zijn lichaam trok. Ze voelde dat de verbrande huid van haar armen en schouders van haar lichaam werd gescheurd en met de aarde werd vermengd. Toen lag ze op zijn zachte veren. Ze slaakte een diepe zucht. Het zou helemaal niet zo erg zijn om hier, in een nest van veren, in de aarde te sterven. Als ze zich niet bewoog, viel de pijn zelfs mee.

Maar ze voelde dat Rephaim zich bewoog. Ze besefte dat hij zijn snavel over de snee haalde die Kurtis in zijn biceps had gemaakt en die was opgehouden met bloeden. Maar het bloed welde onmiddellijk weer op in de nieuwe snijwond en vulde hun holte in de aarde met de sterke geur van zijn onsterfelijke bloed.

Toen bewoog hij zich weer, en opeens drukte zijn bloedende arm tegen haar lippen.

'Drink,' zei hij scherp. 'Help mij me te ontlasten van deze schuld.'

Ze dronk, in het begin werktuiglijk. Zijn bloed had per slot van rekening gestonken. Het had verkeerd geroken, volslagen verkeerd.

Toen beroerde het haar tong. Het smaakte heel anders dan Stevie Rae zich had voorgesteld. De smaak leek in niets op zijn geur, in de verste verte niet. Het was een ongelooflijke verrassing, en vulde haar mond en haar ziel met een krachtige complexiteit die verschilde van alles wat ze ooit had ervaren.

Ze hoorde hem sissen, en de hand die in haar nek had gelegen om haar naar zijn arm te leiden, verstevigde zijn greep op haar. Stevie Rae kreunde. Drinken van de Raafspotter kon geen seksuele beleving zijn, maar het was ook niet echt een niet-seksuele beleving. Het kwam vluchtig bij Stevie Rae op dat ze wenste dat ze meer ervaring met jongens had – meer dan in het donker een beetje vrijen met Dallas – want ze wist niet wat ze moest denken van alles wat door haar hoofd ging en door haar lichaam raasde. Het was een goed gevoel, opwindend, tintelend en krachtig, volslagen anders dan het gevoel dat Dallas haar had bezorgd.

Ze vond het heerlijk. En tijdens een hartenklop durend moment vergat Stevie Rae dat Rephaim een mengeling was van onsterfelijk en dier, een product van geweld en wellust. Dat ogenblik lang was er alleen het genot van zijn aanraking en de kracht van zijn bloed.

Dat was het moment waarop haar stempelband met Aphrodite werd verbroken en Stevie Rae, de eerste rodevampierhogepriesteres van Nux, haar stempel drukte op Rephaim, de lievelingszoon van een gevallen onsterfelijke.

Dat was ook het moment waarop ze zich van hem losmaakte. Geen van beiden zei iets. De stilte van hun holte in de aarde was gevuld met de geluiden van hun hijgende ademhaling.

'Aarde, ik heb u weer nodig,' zei Stevie Rae in de duisternis. Haar stem klonk weer normaal. Haar lichaam deed pijn. Ze voelde haar brandwonden en de rauwheid van haar huid, maar dankzij Rephaims bloed begon ze te genezen, en ze begreep maar al te goed dat ze op het randje van de dood had gebalanceerd.

Aarde kwam tot haar en vulde de holte met de geuren van een lentewei. Stevie Rae wees naar boven, naar een plek zo ver mogelijk bij haar vandaan. 'Ga daar een klein kiertje open, genoeg om licht binnen te laten, maar te weinig om me te verbranden.'

Haar element gehoorzaamde. De grond boven hun hoofd huiverde. Aarde regende neer toen een spleet verscheen die een nietig straaltje daglicht binnenliet.

Stevie Raes ogen pasten zich bijna onmiddellijk aan en ze zag Rephaim verbaasd met zijn ogen knipperen toen hij probeerde te wennen aan het plotseling binnenvallende licht. Hij zat vlak bij haar. Hij zag er afschuwelijk uit, bebloed en gehavend. De repen handdoek waarmee ze zijn gebroken vleugel had vastgezet, waren losgeraakt en de vleugel hing krachteloos op zijn rug. Ze wist dat die menselijke, roodgetinte ogen zich aan het licht hadden aangepast toen ze haar aankeken.

'Je vleugel hangt weer helemaal los,' zei ze.

Hij gromde iets, wat naar ze aannam zijn manier was om met haar in te stemmen.

'Ik zal hem weer vastzetten.' Ze wilde overeind komen, maar zijn geheven hand hield haar tegen.

'Je moet rustig blijven zitten. Je moet rusten tegen je aarde en op krachten komen.'

'Nee, het gaat wel. Ik ben nog niet honderd procent, maar wel stukken beter.' Ze aarzelde even en voegde er toen aan toe: 'Voel je dat niet?'

'Waarom zou ik...' De Raafspotter brak zijn zin abrupt af. Stevie Rae zag zijn ogen groot worden van verwondering. 'Hoe is dit mogelijk?' zei hij.

'Dat weet ik niet,' zei ze, en ze stond op en begon de repen handdoek die om hem heen bungelden te verzamelen. 'Het lijkt mij ook onmogelijk. Maar, nou, het is een feit.'

'Een stempelband,' zei hij.

'Tussen ons,' zei ze.

En toen zwegen ze allebei.

Toen ze de kluwen handdoekrepen had ontward en gladgestreken, zei ze: 'Oké, ik ga je vleugel weer vastzetten en verbinden. Het zal weer erg pijnlijk zijn. Sorry. Maar deze keer zal het mij natuurlijk ook pijn doen.'

'Werkelijk?' vroeg hij.

'Ja, nou, ik weet zo ongeveer hoe zo'n stempelband werkt; ik had per slot van rekening een stempelband met een mens. Ze wist allerlei dingen over mij. Nu heb ik een stempelband met jou, dus het spreekt vanzelf dat ik dingen over jou zal weten, met inbegrip van voelen wanneer je ondraaglijke pijn lijdt.'

'Heb je nog steeds een stempelband met haar?'

Stevie Rae schudde haar hoofd. 'Nee, die is verbroken, waarmee ze vast en zeker in haar sas zal zijn.'

'"In haar sas"?'

'Dat is gewoon een uitdrukking die betekent dat ze blij zal zijn dat we geen stempelband meer hebben.'

'En jij? Wat ben jij?'

Stevie Rae keek hem in de ogen en antwoordde naar waarheid: 'Ik ben volslagen in de war wat ons betreft, maar ik vind het helemaal niet erg dat ik niet meer met Aphrodite verbonden ben. Blijf nou stilzitten zodat ik die vleugel kan verbinden.' Rephaim gaf geen krimp terwijl Stevie Rae zijn vleugel vastzette. Zij was degene die naar adem snakte en kreten van pijn slaakte. Zij was degene die lijkbleek en trillerig was toen het was gebeurd. 'Verdikkeme, vleugels zijn pijnlijk. Heel erg.'

Rephaim keek haar hoofdschuddend aan. 'Je hebt het echt gevoeld, nietwaar?'

'Helaas wel. Het was bijna erger dan bijna doodgaan.' Ze ontmoette zijn blik. 'Zal de vleugel herstellen?'

'Ja...'

'Maar?' Ze voelde een maar.

'Maar ik denk niet dat ik ooit nog zal kunnen vliegen.'

Stevie Rae bleef hem rustig aankijken. 'Dat is erg, hè?'

'Ja.'

'Misschien zal die zich beter herstellen dan je denkt. Als je mee teruggaat naar het Huis van de Nacht kan ik...'

'Daar kan ik niet naartoe gaan.' Hij had zijn stem niet verheven, maar zijn toon was beslist.

Stevie Rae probeerde het nog eens. 'Dat dacht ik vroeger ook, maar ik ben teruggegaan en ze accepteren me. Nou ja, sommigen dan.'

'Het zou voor mij anders zijn, en dat weet je.'

Stevie Rae sloeg haar ogen neer. Haar schouders zakten in. 'Je hebt professor Anastasia gedood. Ze was heel erg aardig. Haar man, Draak, is compleet verloren zonder haar.'

'Ik deed wat ik voor mijn vader moest doen.'

'En hij heeft je in de steek gelaten,' zei ze.

'Ik heb hem teleurgesteld.'

'Je bent bijna doodgegaan!'

'Hij is nog steeds mijn vader,' zei hij zacht.

'Rephaim, deze stempelband. Voel jij je er anders door? Of ben ik de enige die een verandering voelt?'

'Verandering?'

'Nou, ja. Ik kon daarvoor je pijn niet voelen, en nu wel. Ik weet niet wat je denkt, maar ik voel dingen over je. Ik geloof bijvoorbeeld dat ik zou weten waar je bent en wat er met je gebeurt, zelfs als je heel ver weg zou zijn. Het is bizar. Het is heel anders dan wat ik met Aphrodite had, maar het is er wel degelijk. Voel jij je helemaal niet anders?'

Hij aarzelde heel lang voordat hij antwoord gaf, en toen hij dat eindelijk deed, klonk hij confuus. 'Ik voel me beschermend tegenover jou.'

'Nou,' zei Stevie Rae glimlachend, 'je hebt me beschermd tegen doodgaan op dat dak.'

'Dat was het inlossen van een schuld. Dit is meer.'

'Hoezo "meer"?'

'Ik word er beroerd van als ik eraan denk dat je bijna bent doodgegaan,' gaf hij toe, afwerend en geërgerd.

'Is dat alles?'

'Nee. Ja. Ik weet het niet! Ik ken dit helemaal niet.' Hij sloeg met zijn vuist op zijn borst.

'Wat bedoel je?'

'Dit gevoel dat ik heb voor jou. Ik weet niet hoe ik het moet noemen.'

'Misschien kunnen we het "vriendschap" noemen?'

'Onmogelijk.'

Stevie Rae grijnsde. 'Nou, toevallig heb ik het er nog niet zo lang geleden met Zoey over gehad dat dingen die we altijd als onmogelijk zagen misschien niet zo zwart-wit zijn.'

'Niet zwart-wit, maar goed en slecht. Jij en ik staan lijnrecht tegenover elkaar op de weegschaal van goed tegen slecht.'

'Volgens mij staat dat nergens in steen gebeiteld,' zei ze.

'Ik ben nog altijd de zoon van mijn vader,' zei hij.

'Nou, ik vraag me af wat dat voor ons betekent.'

Voordat hij iets kon zeggen drong het geluid van dringende kreten door de kleine spleet in de aarde tot hen door.

'Stevie Rae! Ben je hier ergens?'

'Dat is Lenobia,' zei Stevie Rae.

'Stevie Rae!' Dit was een andere stem dan die van de paardenmeesteres.

'O shit! Dat is Erik. Hij weet de weg naar de tunnels. Als ze daarheen gaan, breekt de hel los.'

'Zullen ze je tegen het zonlicht beschermen?'

'Nou, ja, ik denk van wel. Ze willen niet dat ik levend verbrand.'

'Roep ze dan. Je moet met hen meegaan,' zei hij.

Stevie Rae concentreerde zich en zwaaide met haar hand, en de kleine spleet in het aarden plafond van hun schuilplaats trilde en werd groter. Stevie Rae drukte zich tegen de ruwe grond. Toen zette ze haar handen om haar mond en riep: 'Lenobia! Erik! Ik ben hier, onder de grond!'

Ze boog zich haastig over Rephaim heen en drukte haar handpalmen aan weerszijden van hem tegen de aarde. 'Aarde, verberg hem. Zorg dat hij niet wordt ontdekt.' Toen duwde ze, en de aarde achter hem stroomde weg als water door een afvoer. Het resultaat was een holletje ter grootte van een Raafspotter, waar hij aarzelend in wegkroop.

'Stevie Rae?' Lenobia's stem kwam nu van boven hen, vlak bij de spleet.

'Ja, ik ben hier, maar ik kan niet tevoorschijn komen tenzij jullie de grond met een tent of zo kunnen afdekken.'

'Dat regelen we wel. Blijf jij maar veilig daarbeneden zitten.'

'Gaat het goed met je? Moeten we iets voor je halen?' vroeg Eriks stem.

Stevie Rae vermoedde dat Erik met dat 'iets' een zak of tien bloed uit de koelkast in de tunnels bedoelde, maar ze wilde in geen geval dat hij de tunnels in ging.

'Nee! Met mij is alles oké. Haal alleen maar iets om me tegen de zon te beschermen.'

'Geen probleem. We zijn zo terug,' zei Erik.

'Ik ga nergens heen,' riep ze terug. Toen wendde ze zich tot Rephaim. 'Wat ga jij doen?'

'Ik blijf hier, verborgen in dit holletje. Als je niemand vertelt dat ik hier zit, komen ze er niet achter.'

Ze schudde haar hoofd. 'Ik heb het niet over nu. Natuurlijk vertel ik niemand dat je hier zit. Maar waar ga je naartoe?'

'Niet terug naar de tunnels,' zei hij.

'Nee, dat lijkt me inderdaad geen goed idee. Oké, laat me even denken. Zodra Lenobia en Erik weg zijn, kun je makkelijk tevoorschijn komen. De rode halfwassen kunnen overdag niet achter je aan komen en het is berevroeg, dus de meeste mensen liggen nog te slapen.' Ze dacht diep na. Ze wilde hem het liefst in de buurt houden, en niet alleen omdat ze hem waarschijnlijk van voedsel zou moeten voorzien, en omdat die verbanden behoorlijk smerig waren en zijn wonden ook verzorgd moesten worden. Stevie Rae besefte ook dat ze hem in de gaten moest houden. Hij zou herstellen en sterker worden, zoals hij vroeger was. Wat zou hij dan doen?

En dan was daar ook nog hun stempelband. Het idee dat hij ver bij haar vandaan zou zijn bezorgde haar een ongemakkelijk gevoel. Vreemd dat ze met Aphrodite dat gevoel niet had gehad...

'Stevie Rae, ik hoor ze terugkomen,' zei Rephaim. 'Waar moet ik heen?'

'Ah shit... eh... nou, je moet naar een plek niet ver hiervandaan waar je je makkelijk kunt verschuilen. En het zou mooi zijn als het een plek was waar mensen van griezelen zodat ze er uit de buurt blijven en het niet raar zullen vinden als er vreemde geluiden vandaan komen als ze zich wel in de buurt wagen.' Toen werden haar ogen groot en grijnsde ze naar hem. 'Ik heb het! Na Halloween heb ik met Z en het clubje in zo'n te gekke ouderwetse trolleybus een spokentocht door Tulsa gemaakt.'

'Stevie Rae! Is alles nog oké daarbeneden?' riep Erik.

'Ja, helemaal oké,' riep ze terug.

'We zetten een tent op over de spleet en rond de boom. Is dat genoeg om naar buiten te kunnen komen?'

'Zorg jij nou maar voor beschutting, dan zorg ik wel voor het tevoorschijn komen.'

'Oké, ik laat het je weten als we klaar zijn,' zei hij.

Stevie Rae wendde zich weer tot Rephaim. 'Oké, luister. De laatste trolleystop was bij het Gilcrease Museum. Dat staat in Noord-Tulsa. Op het terrein staat een stokoud huis dat al eeuwen leegstaat. Ze willen het al heel lang opknappen, maar hebben het benodigde geld nog steeds niet bij elkaar. Daar kun je je verschuilen.'

'Zal niemand me daar zien?'

'Welnee! Niet als je overdag binnen blijft. Het is een puinhoop. Het huis is dichtgetimmerd en op slot om toeristen buiten te houden. En het mooiste komt nog: het spookt er! Vandaar dat het in de spokentocht was opgenomen. Kennelijk hangen meneer Gilcrease, zijn tweede vrouw en zelfs spookkinderen daar regelmatig rond, dus als iemand iets vreemds ziet of hoort – jou dus – zullen ze het in hun broek doen van angst omdat ze denken dat het de spoken zijn.'

'Geesten van de doden.'

Stevie Rae trok haar wenkbrauwen op. 'Daar ben je toch niet bang voor, of wel?'

'Nee. Ik begrijp ze maar al te goed. Ik ben eeuwenlang een geest geweest.'

'Verdikkeme, neem me niet kwalijk. Ik was helemaal vergeten...'

'Oké, Stevie Rae! We zijn klaar,' riep Lenobia.

'Oké, ik kom eraan. Ga achteruit zodat jullie niet in het gat vallen als ik de spleet groter maak.' Ze stond op en liep tot vlak onder de spleet in de grond boven hen, waar niet veel licht meer doorheen viel. 'Ik zorg dat ze meteen vertrekken. Dan ga je over het treinspoor heen tot aan de snelweg 244-oost. Die volg je tot hij overgaat in OK 51. Dan ga je in noordelijke richting tot je rechts van je de afrit naar het Gilcrease Museum ziet. Als je die weg volgt, loop je pal tegen het museum aan. Dan heb je het moeilijkste deel achter de rug, want op die weg zijn een heleboel bomen en zo waarachter je je kunt verstoppen. De snelweg zal het moeilijkst zijn. Loop zo snel mogelijk en blijf in de greppel langs de weg. Als je je klein maakt, zal iemand die een glimp van je opvangt misschien denken dat je gewoon een groot uitgevallen vogel bent.'

Rephaim maakte een verontwaardigd geluid, wat Stevie Rae negeerde.

'Het huis staat midden op het terrein van het museum. Verstop je daar en dan kom ik je morgennacht eten en zo brengen,' zei ze.

Hij aarzelde even en zei toen: 'Het is niet verstandig van je om weer naar me toe te komen.'

'Niets van dit alles is erg verstandig, als je het goed bekijkt,' zei ze.

'Dan zie ik je waarschijnlijk morgen, aangezien we geen van beiden verstandig lijken te kunnen zijn waar het de ander betreft.'

'Nou, dan tot morgen maar.'

'Pas goed op jezelf,' zei hij. 'Ik denk dat ik, misschien, het verlies zou voelen als je iets overkomt.' De woorden kwamen er aarzelend uit, alsof hij eigenlijk niet wist hoe hij het moest zeggen.

'Ja, dat geldt ook andersom,' zei ze. Voordat ze haar armen hief om de aarde te openen, voegde ze eraan toe: 'Bedankt dat je mijn leven hebt gered. Je schuld is volledig voldaan.'

'Vreemd dat ik niet het gevoel heb dat ik ervan verlost ben,' zei hij zacht.

'Ja,' zei Stevie Rae. 'Ik begrijp wat je bedoelt.'

En toen, terwijl Rephaim wegkroop in de aarde, riep Stevie Rae haar element op, opende het plafond van hun holte en liet Lenobia en Erik haar naar boven trekken.

Niemand kwam op het idee om achter haar te kijken. Niemand vermoedde iets. En niemand zag een wezen, half raaf, half mens, naar het Gilcrease Museum strompelen om zich te verbergen tussen de geesten van het verleden.

38

Zoey

'Stevie Rae! Is echt alles goed met je?' Ik omklemde het mobieltje en wenste dat ik mezelf naar Tulsa kon overstralen zodat ik met eigen ogen kon zien dat mijn beste vriendin voor altijd springlevend was.

'Z! Wat klink je bezorgd. Dat hoeft helemaal niet! Met mij is alles goed. Echt waar. Het was gewoon een stom ongelukje. Godin, wat ben ik toch een sukkel.'

'Wat is er gebeurd?'

'Nou, ik vertrok gewoon een beetje laat uit het Huis van de Nacht. Erg stom, natuurlijk. Ik had gewoon moeten wachten en na zonsondergang naar de tunnels terug moeten gaan. Maar ik ben toch gegaan. En toen, wat denk je? Ik dacht dat ik iemand op het dak hoorde! Dus ben ik snel naar boven gegaan omdat de zon al bijna opkwam en ik dacht dat er misschien een rode halfwas niet meer op tijd naar beneden kon. Godin, ik moet echt mijn oren laten nakijken. Het was een kát. Een grote, dikke lapjeskat zat te miauwen op het dak. Ik wilde snel weggaan en handig als ik ben, viel ik en kwam ik zo hard op mijn hoofd terecht dat ik buiten westen raakte. Ik bloedde als een rund. Doodeng was het.'

'Ben je op het dak bewusteloos geraakt? Vlak voor zonsopgang?' Ik wilde mijn hand door de telefoon steken om haar te wurgen.

'Ja, ik weet het. Oerstom. Vooral toen ik bijkwam en de zon op me scheen.'

'Ben je verbrand?' Mijn maag verkrampte. 'Ik bedoel, heb je brandwonden opgelopen?'

'Nou, ja, ik begon te branden en daardoor ben ik waarschijnlijk wakker geworden. En ik lijk hier en daar op een geroosterde boterham. Maar het had veel erger kunnen zijn. Gelukkig had ik genoeg tijd om naar die boom te rennen die vlak bij het dak staat. Je weet wel.'

Ik kende die boom maar al te goed. Daarin had iets verborgen gezeten dat me bijna had gedood. 'Ja, die ken ik.'

'Ik sprong dus op die boom, gleed naar beneden en liet de aarde zich openen om een holletje voor me te maken. Alsof er een tornado aankwam en ik in een woonwagenkamp woonde.'

'En daar heeft Lenobia je gevonden?'

'Ja, Lenobia en Erik. Hij deed erg aardig, trouwens. Niet dat je weer met hem aan moet pappen, maar ik dacht dat je dat misschien zou willen weten.'

'Oké, nou, goed dan. Ik ben blij dat je veilig bent.' Ik zweeg even omdat ik niet precies wist hoe ik het volgende moest zeggen. 'Eh, Stevie Rae, het is heel erg geweest voor Aphrodite. Dat verbreken van die stempelband tussen jullie en zo.'

'Het spijt me vreselijk dat het haar pijn heeft gedaan.'

'Pijn heeft gedaan! Ben je gek of zo? We dachten dat ze doodging. Ze stond samen met jou in brand, Stevie Rae.'

'O, lieve hemel! Dat wist ik niet.'

'Stevie Rae, wacht even.' Ik keerde iedereen die probeerde mee te luisteren mijn rug toe en liep de prachtige hal in. Witte kroonluchters van gesponnen glas waarin echte kaarsen brandden wierpen een warme, flakkerende gloed op de room- en goudkleurige stoffering, en ik voelde me net Alice in Wonderland die door een konijnenhol tegen een volslagen andere wereld sprak. 'Oké, dat is beter. Hier zijn minder nieuwsgierige oren,' zei ik. 'Aphrodite zei dat je gevangenzat. Ze was er zeker van.'

'Z, ik ben gestruikeld en heb mijn hoofd gestoten. Aphrodite moet mijn paniek hebben opgepikt. Ik bedoel, toen ik wakker werd, stond ik in brand. Bovendien was ik gestruikeld over metalen rotzooi op het dak en daar was ik in verstrikt geraakt. Geloof me, ik had het niet meer van angst. Dat zal ze wel hebben gevoeld.'

'Je bent dus niet door iemand gegrepen en opgesloten?'

'Nee, Z,' zei ze lachend. 'Dat slaat nergens op. Al zou het een beter verhaal zijn dan dat ik over mijn eigen voeten ben gestruikeld.'

Ik schudde mijn hoofd, ik kon het nog steeds niet helemaal bevatten. 'Het was doodeng, Stevie Rae. Ik dacht echt dat ik jullie allebei kwijt zou raken.'

'Alles is oké. Je raakt noch mij, noch die onuitstaanbare Aphrodite kwijt. Al kan ik je wel vertellen dat het me niet spijt dat mijn stempelband met haar is verbroken.'

'Oké, dat is ook iets raars. Hoe is dat gebeurd? Je stempelband is niet eens verbroken toen Darius van haar dronk, en je weet dat zij iets met elkaar hebben.'

'Het enige wat ik kan bedenken is dat ik dichter bij de dood was dan ik besefte. Daardoor moet onze stempelband zijn geknapt. En het was natuurlijk niet zo dat we die band echt wílden. Misschien heeft dat "iets" tussen haar en Darius de band verzwakt.'

'Die stempelband tussen jullie leek anders bepaald niet zwak,' zei ik.

'Nou, in elk geval bestaat die band niet meer, dus toen puntje bij paaltje kwam was die verrekte makkelijk te verbreken.'

'Vanuit mijn gezichtspunt leek het niet echt makkelijk,' zei ik.

'Vanuit het gezichtspunt van de brandende vampier in de zon kan ik zeggen dat het hier ook niet makkelijk was,' zei ze.

Ik voelde me onmiddellijk rot omdat ik haar met al die vragen had bestookt. Ze was bijna doodgegaan (voorgoed) en ik had haar aan een kruisverhoor onderworpen over details. 'Hé, sorry. Ik was gewoon zo vreselijk ongerust. En het was afschuwelijk om te zien hoe Aphrodite jouw pijn voelde.'

'Moet ik even met haar praten?' vroeg Stevie Rae.

'Eh... nee. Nu niet tenminste. De laatste keer dat ik haar zag, droeg Darius haar een ongelooflijk brede trap op naar wat klonk als een op-en-top luxueuze suite, zodat ze de roes kon uitslapen van het pilletje dat de vampiers haar hebben gegeven.'

'O, heel goed. Ze hebben haar bedwelmd. Dat zal Aphrodite wel leuk vinden.'

We lachten en het voelde weer normaal tussen ons.

'Zoey? De Hoge Raad opent de vergadering. We moeten gaan,' riep Erce.

'Ik moet aan de slag,' zei ik.

'Ja, ik hoorde dat je geroepen werd. Hé, ik wil nog iets zeggen wat je niet mag vergeten. Volg je hart, Z. Zelfs als het lijkt alsof iedereen tegen je is en dat je er een grote puinhoop van maakt. Doe wat je innerlijk zegt dat je moet doen. Wat er dan gebeurt, zou je wel eens kunnen verrassen,' zei Stevie Rae.

Ik aarzelde even en zei toen wat het eerst bij me opkwam. 'En het zou je leven kunnen redden?'

'Ja,' antwoordde ze. 'Dat zou kunnen.'

'Als ik terug ben, moeten we praten.'

'Ik zal er zijn,' zei ze. 'Maak korte metten met ze, Z.'

'Ik doe mijn best,' zei ik. 'Dag, Stevie Rae. Ik ben blij dat je niet dood bent. Alweer.'

'Ik ook. Alweer.'

We verbraken de verbinding. Ik ademde een keer diep in en uit, rechtte mijn schouders en bereidde me voor op mijn ontmoeting met de Hoge Raad.

De Hoge Raad kwam bijeen in een oude kathedraal vlak naast het prachtige San Clemente-paleis. Het was duidelijk vroeger een katholieke kerk geweest en ik vroeg me af wat zuster Mary Angela zou denken van de veranderingen die de vampiers hadden aangebracht. Ze hadden het gebouw uitgehold, op de reusachtige lichtfittingen na, die aan dikke bronzen kettingen van het plafond hingen en die eruitzagen als iets wat magisch boven de tafels in Zweinstein zou moeten hangen. De rijen schuin oplopende zitplaatsen waren in een cirkel opgesteld in een stijl waarover ik me herinnerde gelezen te hebben toen we *Medea* behandelden. Op de granieten vloer stonden zeven met snijwerk versierde, marmeren stoelen. Ik vond ze wel mooi, maar het leek me dat je achterste in slaap zou vallen of zou bevriezen als je daar een tijdje op moest zitten.

De taferelen op de gebrandschilderde ramen van de oorspronkelijke kathedraal – een bebloede Jezus aan het kruis en een stel katholieke heiligen – waren vervangen door een afbeelding van Nux met geheven armen en een maansikkel tussen haar handen. Naast haar was een fonkelend pentagram. In de andere ramen zag ik gebrandschilderde versies van de vier klasemblemen die de status van een halfwas in het Huis van de Nacht aangaven. Terwijl ik in de kathedraal om me heen keek en de ramen bewonderde, viel mijn oog op de afbeelding pal tegenover die van Nux, en ik had het gevoel dat ik inwendig bevroor.

Het was Kalona! Zijn vleugels waren uitgespreid en zijn naakte lichaam was gespierd, bronskleurig en krachtig. Ik voelde dat ik begon te beven.

Stark pakte mijn arm en trok hem door die van hem, alsof hij als een echte heer zijn vrouwe over de stenen trap van de amfitheaterachtige ruimte naar onze zitplaatsen onderaan leidde. Maar zijn aanraking was krachtig en kalmerend, en hij fluisterde: 'Hij is het niet. Het is een eeuwenoude voorstelling van Erebus, net als het symbool van Nux aan de andere kant.'

'Maar hij lijkt zo sterk op Kalona dat ze zullen geloven dat hij echt Erebus is,' fluisterde ik paniekerig terug.

'Mogelijk. En daarom ben jij hier,' mompelde hij.

'Zoey en Stark, die zitplaatsen zijn voor jullie.' Erce wees naar een rij vooraan, schuin voor de zeven stoelen. 'De rest van jullie mag plaatsnemen in die rij daar.' Ze wees Damien, Jack en de tweeling naar zitplaatsen verscheidene rijen achter ons en zei: 'Vergeet niet dat je alleen maar mag spreken als de Raad je erkent,' zei Erce.

'Ja, ja, dat weet ik,' zei ik. Erce had iets over zich wat me irriteerde. Oké, ze was Lenobia's vriendin, dus ik wilde haar aardig vinden, maar sinds Aphrodites 'aanval' had ze zich gedragen alsof ze de baas was over mij en al mijn vrienden. Serieus. Ik had erop gestaan dat Darius bij Aphrodite bleef en had zonder veel te zeggen toegekeken terwijl Erce eindeloos had doorgezeurd over de regels van de Hoge Raad en wat we vooral niet mochten doen.

Oké, een gevallen onsterfelijke en een naar de duistere kant overgelopen ex-hogepriesteres probeerden de Hoge Raad van Vampiers te manipuleren. Was de Raad daarvan op de hoogte stellen niet belangrijker dan beleefd zijn?

Natuurlijk hadden Damien, Jack en de tweeling alle vier naïef en geïntimideerd 'oké' gemompeld.

'Ik ga achter je zitten, naast Damien en Jack. Ik voel hier niet veel liefde voor mensen, dus hou ik me op de achtergrond,' zei Heath.

Ik zag dat Stark een lange blik met hem wisselde. 'Jij dekt haar rug,' zei Stark.

Heath knikte. 'Vanzelfsprekend.'

'Goed. Ik concentreer me op al het andere,' zei Stark.

'Begrepen,' zei Heath.

En ze meenden het serieus. Ze waren niet sarcastisch of macho-achtig of overdreven bezitterig. Ze waren zo bezorgd dat ze samenwerkten.

Dat maakte me echt volslagen paranoïde.

Ik weet dat het belachelijk en onvolwassen was, maar ik verlangde intens naar mijn oma. Ik wenste met heel mijn hart dat ik bij haar thuis op de lavendelboerderij in Oklahoma popcorn zat te eten terwijl ik keek naar een marathon van musicals van Rodgers en Hammerstein, en dat mijn grootste zorg was dat ik totaal niets begreep van meetkunde.

'De Hoge Raad van Vampiers!'

'Vergeet niet om op te staan!' fluisterde Erce over haar schouder tegen mij.

Ik onderdrukte de neiging om met mijn ogen te rollen. Het werd doodstil in de grote ruimte. Ik stond tegelijk met iedereen op en keek mijn ogen uit toen zeven van de meest volmaakte wezens die ik ooit had gezien de ruimte betraden.

Alle leden van de Hoge Raad waren vrouwen, maar dat was iets wat ik al had geweten. Onze gemeenschap is matriarchaal, dus spreekt het vanzelf dat de regerende Raad uit vrouwen bestaat. Ik wist dat ze oud waren, zelfs voor vampiers, en dat waren ze inderdaad. Aan hun uiterlijk was natuurlijk niet te zien hoe oud ze waren. Het enige wat je kon zien was hun oogverblindende schoonheid en dat ze een onvoorstelbare kracht uitstraalden. Enerzijds vond ik het erg leuk om met eigen ogen te zien dat, hoewel vampiers ouder worden en op een gegeven moment doodgaan, ze niet onder de sharpeiachtige rimpels kwamen te zitten. Anderzijds was de kracht die ze uitstraalden absoluut intimiderend. Het idee alleen al dat ik zou moeten spreken voor hen en de rest van de grimmige, zwijgende vampiers in de kathedraal, deed mijn maag verkrampen.

Stark bedekte mijn hand met die van hem en kneep zachtjes. Ik omklemde zijn hand en wenste dat ik ouder en slimmer was, en, eerlijk gezegd, een betere spreker in het openbaar.

Ik hoorde dat er nog iemand binnenkwam, en toen ik opkeek, zag ik Neferet en Kalona zelfverzekerd de trap af komen lopen en de twee lege zitplaatsen innemen op dezelfde rij waar ik zat, alleen zaten zij pal voor de Hoge Raad. Alsof ze daarop hadden gewacht, ging de Raad zitten en gaf met een gebaar aan dat wij ook mochten gaan zitten.

Het was moeilijk om niet naar Neferet en Kalona te staren. Neferet was altijd mooi geweest, maar in de paar dagen sinds ik haar voor het laatst had gezien, was ze veranderd. De lucht rondom haar leek te trillen van kracht. Ze was gekleed in een jurk die me deed denken aan het oude Rome en die golfde als een toga. De jurk verleende haar iets koninklijks. Kalona was spectaculair. Het klinkt stom om te zeggen dat hij maar half gekleed was. Hij droeg een zwarte broek, geen shirt, geen schoenen, maar toch zag hij er niet stom uit. Hij leek op een god die had besloten de aarde te bewandelen. Zijn vleugels zwierden als een cape om hem heen. Ik wist dat iedereen naar hem keek, maar toen hij naar mij keek en onze blikken elkaar ontmoetten, viel de wereld weg en waren er alleen nog Kalona en ik.

De herinnering van onze laatste droom vlamde tussen ons in op. Ik zag in hem Nux' krijger, het wezen dat naast haar had gestaan en toen was gevallen omdat hij te veel van haar hield. En in zijn ogen zag ik kwetsbaarheid en een duidelijke vraag. Hij wilde weten of ik hem kon geloven. In mijn hoofd hoorde ik zijn woorden: *En als ik alleen met Neferet slecht ben? Als het zo is dat als ik met jou was, ik voor het goede zou kiezen?*

Mijn geest hoorde de woorden en verwierp ze weer. Mijn hart was een ander verhaal. Hij had mijn hart beroerd, en hoewel ik hem zou moeten verloochenen, zou moeten doen alsof hij me niet had geraakt, wilde ik dat hij op dat moment de waarheid in mijn ogen zou zien. Dus toonde ik hem mijn hart en liet ik mijn ogen hem vertellen wat ik nooit zou kunnen uiten.

Kalona's reactie was een glimlach, zo teder dat ik mijn blik snel moest afwenden.

'Zoey?' fluisterde Stark.

'Alles is oké,' fluisterde ik automatisch terug.

'Blijf sterk. Laat je niet door hem beïnvloeden.'

Ik knikte. Ik voelde dat er naar me gekeken werd met meer dan normale nieuwsgierigheid voor mijn uitgebreide tatoeages. Ik keek over mijn schouder en zag dat Damien, Jack en de tweeling allemaal naar Kalona zaten te staren. Toen viel mijn blik op Heath. Hij keek niet naar Kalona. Hij keek naar mij en was duidelijk bezorgd. Ik probeerde naar hem te glimlachen, maar het voelde meer aan als een schuldbewuste grimas.

Toen sprak een lid van de Raad en ik was opgelucht dat ik mijn aandacht op haar kon richten.

'De Hoge Raad is bijeengekomen voor deze bijzondere sessie. Ik, Duantia, verklaar de vergadering voor geopend. Moge Nux ons haar wijsheid en leiding verlenen.'

'Moge Nux ons haar wijsheid en leiding verlenen,' zei iedereen haar na.

Tijdens Erces briefing had ze ons de namen van de raadsleden verteld en ieder lid beschreven. Zodoende wist ik dat Duantia het oudste lid was en dat het haar taak was om de sessie te openen en te besluiten wanneer die werd gesloten. Ik staarde naar haar. Het was niet te geloven dat ze een paar honderd jaar oud was, en op het zelfvertrouwen en de macht die ze uitstraalde na, was het enige uiterlijke teken van ouderdom de zilveren strengen in haar dikke, bruine haar.

'We hebben vragen voor Neferet en het wezen dat zichzelf "Erebus" noemt.' Ik zag Neferets groene ogen iets vernauwen, maar ze knikte minzaam naar Duantia.

Kalona stond op en boog voor de Raad. 'Ik ben nogmaals verheugd u te ontmoeten,' zei hij tegen Duantia, en toen knikte hij naar de zes andere leden van de Raad. Een aantal van hen knikte naar hem terug.

'We hebben vragen over je afkomst,' zei Duantia.

'Dat is niet meer dan natuurlijk,' zei Kalona.

Zijn stem was diep en vol. Hij klonk nederig en redelijk en zeer oprecht. Ik denk dat alle aanwezigen, mezelf incluis, graag naar hem wilden luisteren, of we nou wel of niet geloofden wat hij zei.

En toen deed ik iets idioots en volslagen kinderachtigs. Ik kneep als een klein kind mijn ogen dicht en zond een gebedje naar Nux, vuriger dan ik ooit van mijn leven had gebeden. *Laat hem alstublieft de waarheid spreken. Als hij de waarheid spreekt is er misschien hoop voor hem.*

'Je beweert dat je Erebus bent die op aarde is gekomen,' zei Duantia.

Ik opende mijn ogen en zag dat Kalona glimlachte en zei: 'Ik ben een onsterfelijk wezen.'

'Ben je Erebus, Nux' gade?'

Vertel de waarheid! schreeuwde ik in mijn hoofd. *Vertel de waarheid!*

'Eens stond ik aan Nux' zijde. Toen viel ik op de aarde. Nu ben ik hier aan...'

'Aan de zijde van de incarnatie van de godin,' kwam Neferet tussenbeide, en ze ging naast Kalona staan.

'Neferet, we weten al wie deze onsterfelijke volgens jou is,' zei Duantia. Ze verhief haar stem niet, maar haar woorden waren scherp en de waarschuwing daarin was duidelijk. 'Wij willen meer van de onsterfelijke zelf horen.'

'Net als iedere gade, buig ik voor mijn vampiermeesteres,' zei Kalona, en hij maakte een lichte buiging voor Neferet, die zo triomfantelijk lachte dat ik er naar van werd.

'Verwacht je dat wij geloven dat Erebus' incarnatie op aarde geen eigen wil heeft?'

'Op aarde of naast Nux in het rijk van de godin, Erebus is toegewijd aan zijn meesteres, en zijn verlangens weerspiegelen de hare. Ik kan u zeggen dat ik de waarheid van deze woorden uit eigen ervaring ken,' zei Kalona.

En hij sprak de waarheid. Als Nux' krijger was hij getuige geweest van Erebus' toewijding aan zijn godin. Door de manier waarop hij zijn antwoord verwoordde leek het echter alsof hij beweerde Erebus te zijn, zonder de onware woorden uit te spreken.

Maar is dat niet waarvoor ik heb gebeden? Dat hij alleen maar de waarheid zou spreken?

'Waarom heb je Nux' rijk verlaten?' vroeg een ander raadslid, een vampier die hem niet met een knikje had begroet.

'Ik viel.' Kalona keek van het raadslid naar mij en sprak de rest van zijn antwoord alsof hij en ik alleen in de zaal waren. 'Ik koos ervoor om te vertrekken omdat ik niet langer geloofde dat ik mijn godin naar behoren diende. Aanvankelijk had ik het gevoel dat ik een afschuwelijke vergissing had begaan, maar toen verrees ik uit de aarde en vond een nieuw rijk en een nieuwe meesteres. De laatste tijd ben ik tot de overtuiging gekomen dat ik mijn godin weer zou kunnen dienen, alleen deze keer via haar vertegenwoordigster op aarde.'

Duantia's sierlijk gewelfde wenkbrauwen gingen omhoog toen ze zijn blik volgde, die op mij rustte. Haar ogen werden iets groter. 'Zoey Redbird. De Raad erkent je.'

39

Zoey

Ik kreeg het tegelijkertijd warm en koud toen ik mijn blik van Kalona losmaakte, overeind kwam en naar de Raad keek. 'Dank u. Ik groet u met vreugde,' zei ik.

'En wij jou,' zei Duantia, en toen kwam ze meteen ter zake. 'Onze zuster, Lenobia, heeft ons ervan op de hoogte gesteld dat jij in Neferets afwezigheid in het Huis van de Nacht tot hogepriesteres bent benoemd en dat je zodoende hun wil vertegenwoordigt.'

'Het is volslagen ongepast dat een halfwas tot hogepriesteres wordt benoemd,' zei Neferet. Ik wist dat ze furieus was, maar in plaats van dat te tonen, glimlachte ze toegeeflijk naar me, alsof ik een peuter was die was betrapt terwijl ze verkleedpartijtje speelde met de kleren van haar moeder. 'Ik ben nog altijd de hogepriesteres van het Huis van de Nacht in Tulsa.'

'Niet als de Raad van je Huis je heeft afgezet,' zei Duantia.

'Het verschijnen van Erebus en de dood van Shekinah hebben Tulsa's Huis van de Nacht zwaar getroffen, vooral zo snel na de afschuwelijke, tragische moord op twee van onze docenten door plaatselijke mensen. Het bedroeft me om te zeggen dat de leden van de Raad van mijn Huis niet helder kunnen denken.'

'Dat het Huis in Tulsa in staat van beroering is, is ontegenzeglijk waar. Niettemin erkennen we hun recht om een nieuwe hogepriesteres aan te stellen, al is het hoogst ongewoon dat een halfwas in die positie wordt benoemd,' zei Duantia.

'Ze is een hoogst ongewone halfwas,' zei Kalona.

Ik hoorde de glimlach in zijn stem.

Ik kon niet naar hem kijken.

Een ander lid van de Raad mengde zich nu in het gesprek. Haar donkere ogen schitterden en haar stem was scherp, haar toon bijna sarcastisch. Ik vermoedde dat zij Thanatos was, de vampier die de Griekse naam voor 'de dood' had aangenomen. 'Interessant dat je steun aan haar uitspreekt, Erebus, terwijl Lenobia zegt dat Zoey een andere versie gelooft van wie jij bent.'

'Ik zei dat ze ongewoon is, niet onfeilbaar,' zei Kalona.

Verscheidene leden van de Raad en veel vampiers in het publiek gniffelden, maar Thanatos leek niet geamuseerd. Ik voelde Stark verstijven.

'Dus vertel ons, ongewone en erg jonge Zoey Redbird, wie is onze gevleugelde onsterfelijke volgens jou?'

Mijn mond was zo droog dat ik twee keer moest slikken voor ik kon spreken. Toen de woorden eindelijk mijn mond uit kwamen, verrasten ze me, alsof mijn hart ze sprak zonder mijn geest om toestemming te vragen.

'Ik geloof dat hij veel verschillende dingen is. Ik geloof dat hij vroeger dicht bij Nux stond, hoewel hij niet Erebus is.'

'En als hij niet Erebus is, wie is hij dan wel?'

Ik concentreerde me op de wijsheid in Duantia's ogen en probeerde aan niets anders te denken terwijl ik de waarheid sprak. 'Het volk van mijn grootmoeder, de Cherokees, heeft een oude legende over hem. Ze noemden hem "Kalona". Hij leefde bij de Cherokees na zijn val uit Nux' rijk. Ik geloof niet dat hij toen zichzelf was. Hij heeft de vrouwen van de stam afschuwelijke dingen aangedaan. Hij heeft monsters verwekt. Mijn grootmoeder heeft me verteld hoe hij gevangen is gezet. Er was vroeger zelfs een lied over hem dat verhaalde hoe hij uit zijn gevangenschap kon worden bevrijd, aanwijzingen die Neferet heeft opgevolgd. Daardoor is hij nu hier. Ik denk dat hij met Neferet is omdat hij de gade van een godin wilde zijn, maar ik denk dat hij een verkeerde keus heeft gemaakt. Neferet is geen godin. Ze is zelfs niet meer de hogepriesteres van een godin.'

Mijn verklaring werd met kreten van verontwaardiging en ongeloof ontvangen; de luidste protesten kwamen van Neferet zelf.

'Hoe durf je! Alsof jij, een halfwas, een kínd, kan weten wie ik voor Nux ben!'

'Nee, Neferet.' Ik keek haar nu aan. 'Ik heb geen idee wat je tegenwoordig voor Nux bent. Ik weet echt niet wat je bent geworden. Maar ik weet wie je níét bent. Je bent niet Nux' hogepriesteres.'

'Omdat je denkt dat jij mij hebt vervangen!'

'Nee, omdat je je van de godin hebt afgekeerd. Het heeft niets met mij te maken,' zei ik.

Neferet negeerde me en richtte zich tot de Raad. 'Ze is verzot op Erebus. Waarom moet ik de lasterpraat van dit jaloerse kind ondergaan?'

'Neferet, je hebt ons duidelijk gemaakt dat je voornemens bent de volgende hogepriesteres van alle vampiers te worden. In die positie moet je weten om te gaan met allerlei soorten controverse, zelfs wanneer die jou persoonlijk raken.' Duantia keek van Neferet naar Kalona. 'Wat zeg jij over Zoey's uitlatingen?'

Ik voelde dat hij naar me keek, maar ik bleef strak naar Duantia kijken.

'Ik zeg dat ze gelooft dat ze de waarheid spreekt. En ik geef toe dat mijn verleden gewelddadig is geweest. Ik heb nooit beweerd onfeilbaar te zijn. Ik heb echter recentelijk mijn pad gevonden, en op dat pad is Nux.'

Ik kon onmogelijk niet de waarheid horen die in zijn woorden doorklonk. Ik kon niet voorkomen dat mijn blik hem zocht.

'Mijn ervaringen zijn de reden dat ik het zo belangrijk vind om de oude gebruiken terug te brengen, de tijd waarin vampiers en hun krijgers fier en krachtig de aarde bewandelden in plaats van zich te verschuilen in scholen, en halfwassen alleen de poort uit te laten gaan als ze hun merkteken hebben gecamoufleerd, alsof de maansikkel van onze godin iets is waarvoor ze zich zouden moeten schamen. Vampiers zijn de kinderen van Nux, en de godin heeft nooit gewild dat haar kinderen zich in duisternis verbergen. Laten we gezamenlijk het licht in stappen!'

Hij was luisterrijk. Terwijl hij sprak hadden zijn vleugels zich ontplooid. Zijn stem was gevuld met hartstocht. Iedereen staarde naar hem. Gefascineerd door zijn schoonheid en bezieling wilden we allemaal in zijn wereld geloven.

'En wanneer u klaar bent om u door de incarnatie van Nux en haar gade Erebus te laten leiden, dan zullen we de oude tijd doen herleven, opdat we weer fier en krachtig in de wereld staan en niet meer onderworpen zijn aan mensen en hun vooroordelen,' zei Neferet. Haar ogen schitterden toen ze haar arm bezitterig door die van hem stak. 'Tot dan, luister naar het gejammer van kinderen terwijl Erebus en ik Capri terugwinnen van degenen die ons eeuwenoude thuis te lang voor zichzelf hebben opgeëist.'

'Neferet, de Raad zal niet instemmen met oorlog tegen mensen. Je kunt hen niet dwingen om hun thuis op het eiland te verlaten,' zei Duantia.

'Oorlog?' Neferet lachte, ze klonk geschokt en geamuseerd. 'Duantia, ik heb Nux' kasteel gekócht van de oude man die het tot een bouwval had laten verworden. Als iemand van de Raad navraag had gedaan, hadden we ons eeuwenoude thuis twee decennia geleden al kunnen terugkrijgen.' Neferets groene ogen gleden over de aanwezigen. Intens en smekend in haar bezieling, nam ze iedereen voor zich in toen ze sprak. 'Van daaruit hebben vampiers de schoonheid van Pompeji tot stand gebracht. Van daaruit hebben vampiers over de Amalfikust geheerst en eeuwenlang dankzij hun wijsheid en goedheid voorspoed gebracht. Daar zult u het hart en de ziel van Nux vinden en de volheid van het leven dat ze voor haar kinderen wenst. En daar zult u Erebus en mij vinden. Sluit u bij ons aan als u het aandurft om weer te leven!'

Ze draaide zich om en liep met zwierig om haar heen wervelende zijde de vergaderruimte uit. Voordat Kalona haar volgde, maakte hij met zijn vuist op zijn hart een eerbiedige buiging voor de Raad. Toen keek hij mij aan en zei: 'Met vreugde hebben we elkaar ontmoet, met vreugde gaan we uit elkaar en met vreugde zullen we elkaar weer ontmoeten.'

Toen ook hij was vertrokken, brak er onder de aanwezigen tumult los. Iedereen sprak tegelijk, sommigen wilden duidelijk Neferet en Kalona terugroepen, anderen uitten hun verontwaardiging over het feit dat ze waren weggegaan. Niemand, geen enkele vampier, sprak negatief over hen. En wanneer zijn naam werd genoemd, noemden ze hem 'Erebus'.

'Ze geloven hem,' zei Stark.

Ik knikte.

Hij keek me doordringend aan. 'Geloof jíj hem?'

Ik deed mijn mond open, maar wist niet precies hoe ik aan mijn krijger moest uitleggen dat ik niet zozeer in Kalona geloofde, maar dat ik begon te geloven in wat hij vroeger was geweest en misschien weer zou kunnen worden.

Duantia's stem galmde door de ruimte en legde iedereen het zwijgen op. 'Genoeg! De zaal wordt onmiddellijk ontruimd. Ongeordende uitbarstingen worden niet geduld.' Krijgers leken zich uit de menigte los te maken en de nog altijd opgewonden vampiers verlieten de zaal.

'Zoey Redbird, we willen morgen met je spreken. Breng je cirkel hierheen als het begint te schemeren. We hebben vernomen dat de weer-mens-geworden-halfwasprofetes vandaag het trauma van een verbroken stempelband heeft ervaren. Als ze voldoende is hersteld, willen we dat ze zich morgen bij je groep aansluit.'

'Ja, mevrouw,' zei ik.

Stark en ik vertrokken haastig. Damien wenkte ons om mee te gaan naar een kleine tuin naast het hoofdpad, waar de rest van onze groep op ons stond te wachten.

'Wat is er daarbinnen gebeurd?' Damien kwam meteen ter zake. 'Je klonk alsof je echt geloofde dat Kalona van Nux' zijde is gevallen.'

'Ik moest de waarheid vertellen.' Ik ademde een keer diep in en uit en vertelde mijn vrienden het hele verhaal. 'Kalona heeft me een visioen van het verleden getoond en daarin heb ik gezien dat hij Nux' krijger was.'

'Wat!' Stark ontplofte bijna. 'De krijger van de godin? Dat is krankzinnig! Ik heb tijd met hem doorgebracht. Tijd waarin hij zijn ware gedaante toonde. Ik zag wie hij was, en hij is niet de krijger van onze godin.'

'Niet meer, nee.' Ik probeerde rustig te blijven, maar het liefst had ik teruggeschreeuwd. Stark had het visioen niet gezien. Hoe kon hij oordelen of het waar was of niet? 'Hij heeft ervoor gekozen om Nux te verlaten. En ja, dat was een vergissing. En ja, hij heeft afschuwelijke dingen gedaan. Dat heb ik allemaal gezegd.'

'Maar je gelooft hem,' beet Stark haar toe.

'Nee! Ik geloof niet dat hij Erebus is. Dat heb ik niet gezegd.'

'Nee, Z, maar wat je wel zei klonk alsof je misschien aan zijn kant stond, als hij Neferet zou dumpen,' zei Heath.

Ik had er genoeg van. Zoals gewoonlijk bezorgden de jongens me hoofdpijn. 'Zouden jullie misschien kunnen proberen om er niet naar te kijken als mijn vriendjes? Kunnen jullie dat jaloerse, bezitterige gedoe achterwege laten en proberen een objectief oordeel te vellen?'

'Ik ben niet jaloers of bezitterig ten opzichte van jou, en ik vind dat je het mis hebt als je begint te geloven dat Kalona goed is,' zei Damien.

'Hij heeft je geest gemanipuleerd, Z,' zei Shaunee.

'Zijn magische kracht heeft je omgeturnd,' zei Erin.

'Nee, niet waar! Ik ben niet opeens lid van de Kalona-fanclub! Het enige wat ik doe is proberen de waarheid te zien. Als hij nu eens echt aan de goede kant heeft gestaan? Misschien kan hij die dan weer vinden,' zei ik.

Stark schudde zijn hoofd. Ik viel woedend tegen hem uit. 'Dat is met jou ook gebeurd, dus hoe kun je in godsnaam zo zeker weten dat het met hem niet kan gebeuren?'

'Hij gebruikt je link met A-ya om je geest te manipuleren. Denk na, Zoey.' Zijn ogen smeekten me om naar hem te luisteren.

'Dat probeer ik juist: helder nadenken en de waarheid zoeken, zonder me door iedereen, A-ya incluis, van de wijs te laten brengen. Net als ik voor jou heb gedaan.'

'Maar dat is niet hetzelfde! Ik was niet eeuwenlang slecht. Ik heb niet een hele stam mensen tot mijn slaaf gemaakt en hun vrouwen verkracht,' zei Stark.

'Je stond op het punt om Becca te verkrachten als Darius en ik je niet hadden tegengehouden!' De woorden vlogen mijn mond uit voordat mijn gezonde verstand ze kon tegenhouden.

Stark deed een stap achteruit alsof ik hem een klap had gegeven. 'Hij heeft het gedaan. Hij zit in je hoofd, en zolang hij daar zit, is er geen plaats voor je krijger.' Stark draaide zich om en liep de schaduwen in.

Ik besefte niet dat ik huilde tot ik de tranen van mijn kin op mijn shirt voelde vallen. Ik veegde met een trillende hand over mijn gezicht. Toen keek ik naar de rest van mijn vrienden. 'Toen Stevie Rae pas terug was, was ze zo afschuwelijk dat ik haar bijna niet herkende. Ze was angstaanjagend, gemeen en slecht. Door en door slecht. Maar ik heb haar evenmin de rug toegekeerd. Ik geloofde in haar menselijkheid, en doordat ik haar niet heb laten vallen, heeft ze die hervonden,' zei ik.

'Maar, Zoey, Stevie Rae was goed voordat ze doodging en terugkwam. Dat weten we allemaal. Stel dat Kalona nooit goedheid of menselijkheid heeft gehad om te verliezen en dat hij altijd al voor het kwaad heeft gekozen?' vroeg Damien zacht. 'Doordat je dit alles zegt, begrijp ik dat wat hij je heeft laten zien voor jou echt leek, maar je moet toch minstens rekening houden met het feit dat het misschien een truc was, een drogbeeld. Hij heeft je misschien de "waarheid" laten zien, maar dan een aangepaste, gedeeltelijke versie van de waarheid.'

'Daar heb ik echt wel over nagedacht,' zei ik.

'Zoals Stark zei: heb je echt nagedacht over het feit dat de zielsverbinding die je met A-ya hebt, en de herinneringen die je over haar hebt gehad, misschien je oordeel vertroebelen?' vroeg Erin.

Ik knikte en ging nog harder huilen.

Heath pakte mijn hand. 'Zo, zijn lievelingszoon heeft Anastasia vermoord en ook bijna die halfwassen die hem het hoofd boden.'

'Dat weet ik,' snikte ik. Maar wat als hij hem dat alleen maar heeft laten doen omdat Neferet dat wilde? Ik zei het niet hardop, maar Heath leek mijn gedachten te kunnen lezen.

'Kalona probeert jou aan zijn kant te krijgen omdat jij degene bent die de kracht had om iedereen bij elkaar te brengen om hem uit Tulsa te verjagen,' zei Heath.

'En Aphrodites visioen toont aan dat jij de enige bent die de kracht heeft om hem voorgoed uit te schakelen,' zei Damien.

'Een deel van je is geschapen om hem te vernietigen,' zei Shaunee.

'En datzelfde deel is geschapen om hem lief te hebben,' zei Erin.

'Dat moet je niet vergeten, Zo,' zei Heath.

'Ik vind dat je met Aphrodite moet praten,' zei Damien. 'Ik ga haar wakker maken en ook Darius erbij halen. We gaan het uitpraten. Je moet precies beschrijven wat Kalona je in dat visioen heeft laten zien.'

Ik knikte, maar ik wist dat ik niet kon doen wat ze van me wilden. Ik kon niet met Aphrodite en Darius praten. Niet als ik me zo voelde.

'Oké, zo meteen.' Ik veegde met mijn mouw over mijn gezicht. Jack, die alles met grote, bezorgde ogen had gadegeslagen, maakte zijn mannentas open en gaf me een pakje tissues. 'Dank je,' snotterde ik.

'Hou maar. Je zult straks nog wel meer moeten huilen,' zei hij, terwijl hij zachtjes op mijn schouder klopte.

'Waarom gaan jullie niet vast naar Aphrodites suite? Ik raap mezelf bijeen en kom dan ook.'

'Kom je echt zo?' vroeg Damien.

Ik knikte en mijn vrienden liepen langzaam weg. Ik keek naar Heath. 'Ik wil even alleen zijn.'

'Ja, dat dacht ik al, maar ik wilde iets tegen je zeggen.' Hij pakte me bij mijn schouders en dwong me hem aan te kijken. 'Je moet je verzetten tegen je gevoelens voor Kalona, en dat zeg ik niet uit jaloezie of wat ook. Ik hou al van je vanaf dat we kinderen waren. Ik laat je niet in de steek. Ik keer me niet van je af, wat je ook zegt of doet, maar Kalona is anders dan Stevie Rae en Stark. Hij is onsterfelijk. Hij is van een heel ander soort wereld, en, Zo, hij straalt iets uit van "ik wil over deze wereld heersen". Jij bent de enige die hem kan tegenhouden, dus moet hij jou aan zijn kant zien te krijgen. Hij dringt je dromen binnen. Hij dringt je geest binnen, en een deel van hem is zelfs verbonden met je ziel. Dat weet ik omdat ik ook aan jouw ziel verbonden ben.'

Alleen zijn met Heath werkte zowaar kalmerend. Hij was zo vertrouwd. Hij was mijn menselijke rots, hij was er altijd en had altijd het beste met me voor.

'Sorry dat ik je "jaloers" en "bezitterig" heb genoemd.' Ik snotterde en snoot mijn neus.

Hij grijnsde. 'Dat ben ik best wel. Maar ik weet altijd dat wat jij en ik hebben bijzonder is.' Hij gebaarde met zijn kin in de richting waarin Stark was verdwenen. 'Je krijgervriendje is in dat opzicht minder zeker van zichzelf.'

'Ja, nou, hij heeft veel minder Zoey-ervaring dan jij.'

Zijn grijns werd breder. 'Dat geldt voor iedereen, schatje!'

Ik slaakte een zucht, stapte in zijn armen en omhelsde hem stevig. 'Je voelt aan als thuis, Heath.'

'Dat zal ik altijd zijn, Zo.' Hij zoende me zachtjes. 'Oké, ik laat je nu alleen, want je gezicht zit nog onder het snot en de tranen. En terwijl jij je toonbaar maakt, ga ik Stark opsporen, hem vertellen dat hij een jaloerse zak is en hem misschien zelfs mijn vuist laten voelen.'

'Wil je hem slaan?'

Heath haalde zijn schouders op. 'Een flinke vuistslag kan je een goed gevoel geven.'

'Eh, dat hangt er maar van af of je hem ontvangt of uitdeelt,' zei ik.

'Best. Dan zoek ik wel een ander die hij kan slaan.' Hij wiebelde met zijn wenkbrauwen naar me. 'Want jij wilt natuurlijk niet dat mijn knappe kop wordt toegetakeld.'

'Als je hem vindt, wil je hem dan naar Aphrodites kamer brengen?'

'Dat was ik al van plan,' zei hij. Toen maakte hij mijn haar in de war. 'Ik hou van je, Zo.'

'En ik hou van jou, maar ik haat het als je mijn haar in de war maakt,' zei ik.

Hij grijnsde over zijn schouder naar me, knipoogde, en ging Stark achterna.

Ik voelde me iets beter. Ik ging op de bank zitten, snoot nog eens mijn neus, veegde mijn ogen droog en ging in de verte zitten staren. Toen besefte ik waar ik naar staarde en waar ik zat.

Het was de bank uit een van mijn eerste Kalona-dromen. Doordat hij op een heuveltje stond, kon ik over de muur kijken die rondom het eiland liep en zag ik in de verte het verlichte San Marcoplein, dat in de winterse avond een magisch wonderland leek. Achter mijn rug stond het San Clemente-paleis, fraai verlicht en fonkelend. Rechts van het paleis stond de eeuwenoude kathedraal die was omgevormd tot de vergaderzaal van de Hoge Raad. Ik was omringd door al die schoonheid, al die macht en luister, en was te zeer in mezelf verdiept geweest om daar ook maar iets van te zien.

Misschien was ik ook te zeer in mezelf verdiept geweest om Kalona écht te zien.

Ik wist wat Aphrodite zou zeggen. Ze zou zeggen dat ik het slechte visioen werkelijkheid deed worden. Misschien had ze gelijk.

Ik keek op naar de avondhemel en probeerde door het wolkendek heen te kijken om de maan te zien. En toen bad ik.

'Nux, ik heb u nodig. Ik geloof dat ik verdwaald ben. Help me, alstublieft. Laat me alstublieft iets zien waardoor de dingen duidelijker worden. Ik wil er geen puinhoop van maken... alweer...'

40

Heath

Heath vroeg zich af of ze wist dat ze zijn hart brak. Niet dat hij bij haar weg wilde gaan. Dat wilde hij niet. Hij wilde juist meer van haar. Het probleem was dat hij ook wilde wat voor haar het beste was; dat was altijd zo geweest. Al vanaf de basisschool. Hij herinnerde zich nog precies de dag waarop hij verliefd op haar was geworden. Haar moeder had haar een kunstje geflikt en haar meegenomen naar een vriendin van haar die in zo'n schoonheidssalon werkte. Ze besloten – Zo's moeder en haar vriendin – dat het wel leuk zou zijn om Zo's lange, donkere haar kort te knippen. Dus de volgende dag was ze op school gekomen met superkort haar dat alle kanten op stak en heel pluizig leek.

De kinderen hadden elkaar fluisterend en lachend aangestoten. Haar bruine ogen waren groot en bang geweest, en Heath had gedacht dat hij nog nooit iemand had gezien die zo mooi was. Hij had tegen haar gezegd dat hij haar haar mooi vond, tijdens de lunchpauze, in de volle kantine. Ze had eruitgezien alsof ze ging huilen, dus had hij haar dienblad voor haar gedragen en was hij bij haar gaan zitten, hoewel het helemaal niet cool was om bij een meisje te zitten. Die dag had ze iets met zijn hart gedaan, en dat deed ze nog steeds.

En nu ging hij op zoek naar een jongen die een stukje van haar hart had omdat dat nu eenmaal het beste voor Zoey was. Heath streek met zijn hand door zijn haar. Op een dag zou dit alles voorbij zijn. Op een dag zou Zoey teruggaan naar Tulsa, en hoewel het Huis van de Nacht veel van haar tijd zou opslokken, zou ze wanneer ze kon bij hem zijn. Ze zouden weer naar de bioscoop gaan. Ze zou naar de footballwedstrijden komen kijken als hij moest spelen. Het zou weer normaal worden, dat wil zeggen, zo normaal mogelijk.

Het was een kwestie van volhouden. Zodra die shit met Kalona in orde was gemaakt – en Zo zou het in orde maken, dat wist Heath zeker – zodra deze shit voorbij was, zou alles weer beter worden. Dan kreeg hij zijn Zo weer terug. Dat wil zeggen, zo veel van haar als ze hem kon geven. En dat zou genoeg zijn.

Heath volgde het pad dat wegvoerde van het paleis, in de richting waarin Stark was verdwenen. Hij keek om zich heen, maar zag niet veel meer dan de hoge, stenen muur links van hem en een parkachtig gebied met manshoge heggen rechts. Onder het lopen bekeek hij het park en toen zag hij dat de heggen een soort zigzagpatroon vormden. Hij bedacht dat het waarschijnlijk een doolhof was – een labyrint, wist hij opeens toen hij zich het verhaal herinnerde uit de Griekse mythologie over de Minotaurus op het eiland van een rijke koning, wiens naam hij echt niet meer wist.

Verdomme, hij had er geen erg in gehad dat het al zo donker was tot hij de lichten van het paleis achter zich had gelaten. Het was hier ook doodstil. Zo stil dat hij het klotsen van de golven aan de andere kant van de muur kon horen. Heath vroeg zich af of hij Stark moest roepen, maar besloot om het niet te doen. Net als Zo vond hij het wel prettig om even alleen te zijn.

Al dat vampiergedoe werd hem soms gewoon te veel en hij had tijd nodig om het te verwerken. Niet dat hij moeite had met Stark en de andere vampiers. Hij vond sommige vampiers best aardig, en de halfwassen ook. Eerlijk gezegd vond hij Stark zelfs een goeie gozer. Alleen Kalona verklootte de boel.

Toen, alsof zijn gedachten de onsterfelijke hadden opgeroepen, hoorde Heath Kalona's stem door de lege avond zweven, en hij ging langzamer lopen om te voorkomen dat zijn voetstappen knerpten op eventuele losse steentjes op het pad.

'Het gaat precies volgens plan,' zei Kalona.

'Ik haat dit gedraai! Ik vind het onverdraaglijk dat je je voor haar voordoet als iets wat je niet bent.'

Heath herkende Neferets stem en hij sloop naar voren. Hij bleef in de diepste schaduwen, drukte zich tegen de muur en hield zich muisstil. De stemmen kwamen uit het park, iets verderop en naar rechts. Hij sloop voorzichtig verder tot hij bij een opening in de heg kwam, kennelijk een uitgang, en hij in het labyrint Kalona en Neferet zag. Ze stonden bij een fontein. Heath slaakte een zucht van opluchting. Het geluid van het vallende water had zijn voetstappen waarschijnlijk overstemd. Hij drukte zich tegen de koude stenen muur en keek en luisterde.

'Jij noemt het veinzerij. Ik noem het een ander gezichtspunt,' zei Kalona.

'Waardoor je tegen haar kunt liegen en toch de waarheid lijkt te vertellen,' beet Neferet hem toe.

Kalona haalde zijn schouders op. 'Zoey wil de waarheid, dus geef ik haar de waarheid.'

'Selectieve waarheid,' zei Neferet.

'Uiteraard. Maar kiezen niet alle stervelingen, vampiers, mensen en halfwassen hun eigen waarheid?'

'Stervelingen. Dat zeg je alsof je erg ver van ons af staat.'

'Ik ben onsterfelijk, wat me anders maakt. Zelfs anders dan jij, hoewel je Tsi Sgili-krachten je veranderen in iets wat aan onsterfelijk grenst.'

'Ja, maar Zoey heeft in de verste verte niets onsterfelijks. Ik vind nog steeds dat we haar moeten doden.'

'Je bent een bloeddorstig wezen.' Kalona lachte. 'Wat zou je doen: haar onthoofden en spietsen zoals je met de beide anderen hebt gedaan die je in de weg liepen?'

'Doe niet zo absurd. Ik zou het beslist niet op dezelfde manier doen. Dat zou te veel opvallen. Ze zou in de komende dagen een ongeluk kunnen krijgen tijdens een bezoek aan Venetië.'

Heath' hart bonsde zo luid dat hij ervan overtuigd was dat ze het zouden horen. Neferet had de twee docenten vermoord! En Kalona wist ervan en vond het amusant! Als Zoey dit hoorde, kon ze onmogelijk nog geloven dat er iets goeds in hem zat.

'Nee,' zei Kalona. 'We hoeven Zoey niet te doden. Weldra zal ze gewillig naar me toe komen; daarvoor heb ik de zaden geplant. Ik hoef alleen maar te wachten tot ze uitkomen, en dan zullen haar krachten, die hoewel ze een sterveling is immens zijn, tot mijn beschikking staan.'

'Ónze beschikking,' verbeterde Neferet hem.

Een van Kalona's donkere vleugels zwaaide naar voren, streek langs de zijkant van Neferets lichaam en deed haar zich naar hem toe buigen. 'Natuurlijk, mijn koningin,' prevelde hij voordat hij haar kuste.

Heath had het gevoel dat hij naar porno keek, maar hij kon niet weg. Als hij zich bewoog, zouden ze hem ontdekken. Als hij bleef staan tot ze het echt zouden doen, kon hij waarschijnlijk wegglippen, naar Zoey gaan en haar vertellen wat hij had gehoord.

Maar Neferet verraste hem door zich van Kalona los te maken. 'Nee. Je kunt niet in Zoey's dromen de liefde met haar bedrijven en dan nog eens met je ogen in bijzijn van iedereen, en verwachten dat ik mijn lichaam voor je openstel. Ik word vanavond niet de jouwe. Ze staat te duidelijk tussen ons in.' Neferet liep achteruit weg van Kalona. Zelfs Heath raakte in de ban van haar schoonheid. Haar dikke, kastanjebruine haar hing warrig om haar heen. De zijden stof omspande haar lichaam als een tweede huid, en haar borsten waren bijna geheel ontbloot toen ze hijgend zei: 'Ik weet dat ik niet onsterfelijk ben en ik ben evenmin Zoey, maar ook mijn krachten zijn immens, en je moet niet vergeten dat ik de laatste man die beslag probeerde te leggen op mij en haar heb gedood.' Neferet draaide zich met een ruk om. Met een zwaai van haar hand deed ze de heg uiteen gaan. Ze stapte door de opening en gaf Kalona, die alleen achterbleef op de donkere open plek in het labyrint, het nakijken.

Heath wilde net voorzichtig wegsluipen toen Kalona zijn hoofd omdraaide en zijn barnsteenkleurige ogen hem recht aankeken.

'Zo, kleine mensenjongen, nu heb je een verhaal voor mijn Zoey,' zei hij.

Heath keek in de ogen van de onsterfelijke en wist twee dingen zonder enige twijfel. Het eerste was dat dit wezen hem zou doden. Het tweede was dat hij voordat hij stierf Zoey op de een of andere manier de waarheid moest laten zien. Heath vertrok geen spier onder de blik van het wezen. In plaats daarvan gebruikte hij de wilskracht die hij zo goed had leren controleren op een ander soort slagveld – een footballveld. Hij leidde die door de bloedband, hun stempelband en probeerde het element te vinden waarvoor Zoey de sterkste affiniteit had: geest. Zijn hart en ziel schreeuwden het donker in: *Geest, kom tot mij! Help me mijn boodschap aan Zo over te brengen! Zeg haar dat ze me moet zoeken!* Intussen zei zijn stem rustig tegen Kalona: 'Ze is jouw Zoey niet.'

'Ah, maar dat is ze wel,' zei Kalona.

Zo! Kom naar me toe! schreeuwde Heath' ziel. 'Welnee, dan ken je mijn meisje niet.'

'De ziel van je meisje behoort mij toe en ik zal noch Neferet noch jou noch wie dan ook toestaan dat te veranderen.' Kalona liep langzaam op Heath toe.

Zo! Het is jij en ik, schatje! Kom naar me toe!

'Hoe luidt die uitdrukking die de vampiers bezigen?' zei Kalona. 'Was het niet "nieuwsgierigheid werd de kat fataal"? Dat lijkt me uitermate van toepassing op deze situatie.'

Stark

'Ik ben een idioot,' mopperde Stark binnensmonds toen hij door de monumentale deur het paleis in liep.

'Jongeheer, waar wil je heen?' vroeg een krijger die net binnen de ingang stond.

'Kun je me de weg wijzen naar Aphrodites kamer? Je weet wel, de menselijke profetes die vandaag samen met ons is gearriveerd. O, ik ben Stark. Krijger van de hogepriesteres Zoey Redbird.'

'We weten wie je bent,' zei de vampier. Zijn ogen gingen naar Starks rode tatoeages. 'Het is bijzonder fascinerend.'

'Ja, al is "fascinerend" niet het woord dat ik zou gebruiken.'

De krijger glimlachte. 'Je bent nog niet lang aan haar verbonden, is het wel?'

'Nee. Nog maar een paar dagen.'

'Het wordt beter... en erger.'

'Bedankt. Geloof ik.' Stark slaakte een diepe zucht. Hoewel Zoey hem gek maakte, wist hij dat hij nooit meer bij haar weg zou lopen. Hij was haar krijger. Hoe moeilijk het ook zou zijn, zijn plaats was aan haar zij.

De krijger lachte. 'De suite die je zoekt is in de noordvleugel van het paleis. Je gaat hier naar links en neemt dan de eerste trap rechts. De hele suite van kamers op de eerste verdieping is toegewezen aan je groep. Daar zul je je vrienden vinden.'

'Nogmaals bedankt.' Stark liep snel in de richting die de krijger hem had gewezen. Hij had een kriebelig gevoel in zijn nek. Hij haatte dat gevoel. Het betekende dat er iets mis was en dat betekende dat het een verkeerd moment was om kwaad te zijn op Zoey.

Maar het was allemaal zo verdomde moeilijk. Hij voelde dat ze zich tot Kalona aangetrokken voelde! Waarom kon ze verdomme niet zien dat die vent niet deugde? Er zat niets meer in die man wat het redden waard was, waarschijnlijk had hij nooit iets in zich gehad wat het redden waard was.

Stark moest haar ervan overtuigen dat hij gelijk had. En om dat te kunnen moest hij ermee ophouden zijn gevoelens voor haar zijn gedachten te laten beïnvloeden. Zoey was een verstandige meid. Hij zou met haar praten. Rustig. Ze zou naar hem luisteren. Vanaf hun eerste ontmoeting, voordat ze iets voor elkaar waren gaan betekenen, had ze naar hem geluisterd. Hij wist dat hij haar weer zover zou krijgen dat ze zou luisteren.

Stark nam de trap met drie treden tegelijk. De eerste deur links stond op een kier open, en hij zag een luxueuze kamer met een paar van die zitbanken die te klein waren en een stel ongemakkelijke stoelen, allemaal bekleed met goud- en roomkleurige stof. Alsof dat niet smerig zou worden? Hij hoorde gemompel van stemmen en wilde net de deur verder openduwen toen Zoey's gevoelens hem als een vloedgolf overspoelden.

Angst! Woede! Verbijstering!

Wat er allemaal door zijn hoofd ging was zo'n warboel dat hij alleen de meest elementaire gevoelens kon onderscheiden.

'Stark? Wat is er?' Darius stond voor hem.

'Zoey!' wist hij schor uit te brengen. 'Ze is in moeilijkheden!' En toen deed de kracht ervan hem letterlijk wankelen. Hij zou zijn gevallen als Darius hem niet had vastgepakt.

'Beheers je! Waar is ze?' Darius had hem bij zijn schouders vastgepakt en schudde hem door elkaar.

Stark keek op en zag de bezorgde gezichten van Zoey's vrienden hem aanstaren. Hij schudde zijn hoofd en probeerde door de verschrikking in zijn hoofd heen te denken. 'Ik kan niet... ik ben...'

'Je moet! Probeer niet te denken. Laat je instinct het overnemen. Een krijger kan altijd zijn vrouwe vinden. Altijd.'

Zijn lichaam beefde, maar Stark knikte, draaide zich om, ademde drie keer diep in en uit en zei toen één woord: 'Zoey!'

Haar naam leek in de lucht om hem heen te echoën. Hij concentreerde zich erop, niet op de chaos in zijn hoofd. Hij dacht maar één ding: *Zoey Redbird, mijn vrouwe.*

En alsof de woorden een reddingslijn waren geworden, begonnen ze hem mee te trekken.

Stark rende.

Hij voelde Darius en de anderen achter zich. Hij zag vaag de verbaasde uitdrukking op het gezicht van de krijger met wie hij daarnet had gesproken, maar hij negeerde alles. Hij dacht alleen aan Zoey en liet zich door de kracht van zijn eed naar haar toe trekken.

Hij had het gevoel dat hij vloog. Hij herinnerde zich later niet het pad langs het labyrint, maar wel het geknars van steentjes onder zijn voeten toen hij met zijn door zijn eed aangedreven vaart zelfs afstand nam van Darius.

Maar toch kwam hij te laat.

Al zou Stark vijfhonderd jaar leven, hij zou nooit vergeten wat hij zag toen hij van het pad de kleine open plek op rende. De aanblik zou voor altijd in zijn ziel gebrand staan.

Kalona en Heath waren het verst bij hem vandaan. Ze stonden

voor de buitenmuur die het eiland omringde en het beschutte tegen de blikken van Venetiaanse mensen.

Zoey was dichterbij. Slechts ruim een meter bij hem vandaan, maar ook zij rende. Stark zag dat ze haar handen hief. Op hetzelfde moment beval ze: 'Geest! Kom tot mij!' Ook Kalona hief zijn handen en legde ze om Heath' gezicht, bijna alsof hij hem liefkoosde.

Toen draaide de gevallen onsterfelijke met een snelle, onstuitbare beweging Heath' hoofd om, brak zijn nek en doodde hem.

Met een stem die uit haar ziel werd gescheurd en zo vervuld van leed dat Stark die nauwelijks herkende, gilde Zoey: 'Nee!' en toen wierp ze de gloeiende bal van geest naar Kalona.

Kalona liet Heath vallen en draaide zich met een ruk met een geschokte uitdrukking op zijn gezicht naar haar om. De kracht van het element trof hem, slingerde hem de lucht in, over de muur en de oceaan in, waar Kalona met een wanhoopskreet zijn reusachtige vleugels spreidde, uit het water opsteeg en de koude duisternis in vloog.

Maar Stark had geen oog voor Kalona of zelfs Heath. Hij rende naar Zoey. Ze was niet ver van Heath' lichaam op de grond in elkaar gezakt. Ze lag op haar buik en Stark kende de afschuwelijke waarheid nog voor hij haar had bereikt. Toch liet hij zich op zijn knieën vallen en draaide haar voorzichtig op haar rug. Haar ogen waren open en staarden, maar ze waren leeg.

Op de saffierblauwe omtrek van het merkteken van een normale halfwas na, waren al haar tatoeages verdwenen.

Darius bereikte hen als eerste. Hij liet zich naast Zoey op zijn knieën vallen en zocht naar een hartslag.

'Ze leeft nog,' zei Darius. Toen drong het tot hem door wat hij zag en zijn adem stokte. 'Godin! Haar tatoeages!' Hij raakte voorzichtig Zoey's gezicht aan. 'Ik begrijp het niet.' Hij schudde verbijsterd zijn hoofd en keek naar Heath. 'Is de jongen...'

'Hij is dood,' zei Stark. Hij verbaasde zich erover dat zijn stem zo normaal klonk terwijl alles in zijn binnenste het uitgilde.

Aphrodite en Damien kwamen aanrennen.

'O, godin!' zei Aphrodite, terwijl ze naast Zoey's hoofd neerhurkte. 'Haar tatoeages!'

'Zoey!' schreeuwde Damien.

Stark hoorde dat Jack en de tweeling zich ook bij hen aansloten. Ze huilden. Maar het enige wat hij kon doen was haar in zijn armen nemen en dicht tegen zich aan houden. Hij moest haar beschermen. Dat móést.

Aphrodites stem bereikte hem eindelijk door zijn verdriet heen.

'Stark! We moeten Zoey naar het paleis brengen. Iemand daar kan haar helpen. Ze leeft nog.'

Stark ontmoette Aphrodites blik. 'Haar lichaam ademt, maar meer niet.'

'Wat bedoel je? Ze leeft nog!' hield Aphrodite koppig vol.

'Zoey zag dat Kalona Heath doodde en ze riep geest in een poging hem tegen te houden, maar ze was te laat om hem te redden.'

Zoals ik te laat was om haar te redden, gilde Starks geest. Maar met de rustige stem van een buitenstaander zei hij: 'Toen Zoey geest naar Kalona wierp, wist ze dat ze te laat was, en haar ziel spatte uiteen. Dat weet ik omdat ik met haar ziel verbonden ben en die uiteen voelde spatten. Zoey is niet meer hier. Dit is alleen haar lege omhulsel.'

Toen boog James Stark, Zoey Redbirds krijger, zijn hoofd en barstte in huilen uit.

Epiloog

Zoey

Ik slaakte een diepe, tevreden zucht. Vrede... Serieus, ik kon me niet herinneren dat ik me ooit zo bevrijd van stress had gevoeld. Godin, het was een prachtige dag. De zon was een stralende, gouden bol in een hemel met de kleur van verjaarstaartglazuurblauw en had mijn ogen pijn moeten doen. Maar dat was niet zo.

Wat eigenlijk heel raar was. Fel zonlicht zou mijn ogen pijn moeten doen.

Huh.

O, nou ja. Het zal wel.

De weide was beeldschoon en deed me aan iets denken. Ik probeerde me te herinneren waaraan, maar besloot dat ik niet zo diep na wilde denken. De dag was te mooi om te denken. Ik wilde alleen maar de zoete zomerlucht inademen en alle stomme stress die als een gespannen springveer in mijn lichaam zat, uitademen.

Het gras zwaaide als zachte veren rond mijn benen.

Veren.

Wat was er ook alweer met veren?

'Nee. Niet denken.' Ik glimlachte toen mijn woorden zichtbaar werden en fonkelende paarse patronen in de lucht vormden.

Voor me stond een rij bomen vol witte bloemen die me aan sneeuwvlokken deden denken. De wind ruiste zachtjes door de takken en maakte muziek in de lucht waarop ik danste. Ik sprong en draaide pirouetten tussen de bomen door, terwijl ik de zoete bloesemgeur diep inademde.

Ik vroeg me vluchtig af waar ik was, maar dat leek helemaal niet zo belangrijk. In elk geval veel minder belangrijk dan de vrede, de muziek en het dansen.

Toen vroeg ik me af hoe ik hier was gekomen. Dat deed me stilstaan. Oké, nou, ik stond niet echt stil. Het remde me gewoon iets af.

Toen hoorde ik het. *Zoef, plons!* Het geluid klonk geruststellend vertrouwd, dus volgde ik het. Ander blauw werd tussen de bomen door zichtbaar. Ditmaal deed de kleur me denken aan topaas of aquamarijn. Water.

Ik slaakte een kreetje van blijdschap en rende tussen de bomen vandaan naar de oever van een opvallend helder meer.

Zoef, plons!

Het geluid kwam van achter een kleine bocht in de oever, dus volgde ik de oever, terwijl ik zachtjes mijn favoriete song uit *Hairspray* neuriede.

De steiger stak uit boven het meer, perfect om te vissen. En waarachtig, aan het eind van de steiger zat een jongen die met een *zoef* zijn lijn uitwierp, gevolgd door een *plons!* toen die het water raakte.

Het was vreemd. Ik kende hem niet, maar plotseling verstoorde een afschuwelijk paniekgevoel mijn heerlijke, prachtige dag. Nee! Ik wilde hem niet zien! Hoofdschuddend liep ik achteruit weg toen ik op een twijgje trapte en de *knak* deed hem zijn hoofd omdraaien.

De brede glimlach op zijn knappe gezicht vervloog toen hij me zag.

'Zoey!'

Heath' stem deed het. Mijn herinnering kwam terug. Het verdriet deed me op mijn knieën vallen. Hij sprong overeind, rende naar me toe, en ving me in zijn armen op.

'Maar jij hoort hier niet te zijn! Je bent dood!' zei ik, snikkend tegen zijn borst.

'Zo, schatje, dit is het hiernamaals. Ik ben niet degene die hier niet hoort te zijn, schatje... dat ben jij.'

Golven van herinneringen sloegen over me heen en overspoelden me met vertwijfeling, duisternis en realiteit toen mijn wereld uiteenspatte en alles zwart werd.

Dankwoord

Kristin en ik willen ons geweldige team bij St. Martin's Press nog eens in het zonnetje zetten. We zijn ze als familie gaan zien, en hebben enorme waardering voor hun vriendelijkheid, hun grootmoedigheid, hun creativiteit en hun geloof in ons. Dank dank dank aan: Jennifer Weis, Anne Bensson, Matthew Shear, Anne Marie Tallberg, Brittney Kleinfelter, Katy Hershberger en Sally Richardson. Verder dank aan het briljante team dat onze covers ontwerpt: Michael Storrings en Elsie Lyons.

Hartelijk dank, Jenny Sullivan, voor je uitmuntende en angstwekkend accurate vaardigheden als corrector.

Zoals altijd bedanken wij onze ongelooflijke agent en vriendin, Meredith Bernstein, die ons aller leven heeft veranderd met drie woordjes: vormingsschool voor vampiers.

En natuurlijk dank aan onze fans! Vooral diegenen onder jullie die contact met ons opnemen om ons te vertellen hoe diep het Huis van de Nacht jullie heeft geraakt.